CLIFFORD D. SIMAK

Dans le torrent
des siècles

Traduit de l'américain
par Georges H. GALLET

Cet ouvrage a paru sous le titre original

TIME AND AGAIN

Pour Kay sans qui je n'aurais jamais écrit une ligne.

© Clifford D. Simak. 1951
Pour la traduction française
Editions J'ai Lu, 1973

Dans le torrent des siècles

Éditions J'ai Lu

En vente dans les meilleures librairies

1

L'homme surgit du crépuscule alors que la dernière lueur jaune-vert du soleil s'attardait encore à l'ouest. Il s'arrêta au bord du patio et appela :

— Mr Adams, vous êtes là ?

Le fauteuil craqua quand Christopher Adams sursauta, surpris par la voix. Puis il se souvint. Un nouveau voisin était venu s'installer de l'autre côté de la prairie, depuis un jour ou deux. Jonathon le lui avait dit... et Jonathon était au courant de tout à cent cinquante kilomètres à la ronde. De tout ce que disaient les hommes, les androïdes et les robots.

— Entrez donc, dit Adams. Vous êtes le bienvenu.

Il espéra que sa voix était aussi cordiale et aussi aimable qu'il le souhaitait.

En fait il n'était pas content. Il était même un peu irrité, troublé par cette silhouette soudaine qui surgissait du crépuscule et traversait le patio.

Il passa mentalement la main sur son front.

C'est mon heure, se dit-il. L'heure que je me donne. L'heure où j'oublie... où j'oublie les mille problèmes qui concernent d'autres étoiles. Où je les oublie et me tourne vers l'obscurité verte et le silence et les jeux d'ombres subtils du coucher du soleil qui appartiennent à ma propre planète.

Car ici, dans ce patio, il n'y a pas de rapports par mentophone, pas de classeurs robots, pas de conférences de coordination galactique... pas d'intrigues psychologiques, pas de courbes de réaction des extra-terrestres. Rien de compliqué ni de mystérieux... Quoique je puisse me tromper, car il y a du mystère ici, un mystère feutré, paisible, que l'on peut comprendre et qui ne reste mystère que parce que je le veux ainsi. Le mystère de l'engoulevent dans le ciel qui s'assombrit, l'énigme de la luciole dans la haie de lilas.

Une moitié de son cerveau savait que l'étranger avait traversé le patio et qu'il tendait la main vers un fauteuil pour s'y asseoir, tandis que l'autre moitié s'interrogeait de nouveau sur ces corps carbonisés qui gisaient au bord du fleuve, sur la lointaine planète Aldébaran XII, et sur cette machine tordue, enroulée autour d'un arbre.

Trois êtres humains étaient morts là-bas... trois humains et deux androïdes, et les androïdes étaient presque des humains. Et les humains ne devaient pas mourir par la violence, à moins que ce fût par la violence d'un autre humain. Et même alors, ce devait être pour une affaire d'honneur avec toutes les formes et les règles du code du duel ou dans des affaires moins raffinées de vengeance ou d'exécution.

Car la vie humaine était sacro-sainte... il le fallait, sinon il n'y aurait plus de vie humaine. L'homme était si pitoyablement surpassé en nombre.

Violence ou accident ?

L'accident était ridicule.

Il y avait peu d'accidents, pour ainsi dire aucun. La quasi-perfection des mécanismes, l'intelligence et les réactions presque humaines des machines en face de tout danger connu avaient depuis longtemps réduit les accidents à un chiffre presque nul.

Aucune machine n'aurait été assez fruste pour aller percuter un arbre. Un danger plus subtil, moins apparent, peut-être. Mais jamais un arbre.

Il devait donc y avoir eu violence.

Et cela ne pouvait être une violence humaine car

la violence humaine aurait été proclamée. La violence humaine n'avait, en effet, rien à craindre... il n'existait aucun recours à la loi, à peine un code moral dont un tueur humain relèverait.

Trois humains morts.

Trois humains morts à cinquante années-lumière de distance, et cela devenait une chose de grande importance pour un homme assis dans son patio sur la Terre. Une chose d'importance primordiale, car aucun homme ne devait mourir de mains autres qu'humaines sans une terrible vengeance. Aucune vie humaine ne devait être atteinte en quelque lieu de la galaxie que ce soit, sans être payée d'un prix monstrueux ; ou alors la race humaine s'éteindrait pour toujours et la grande fraternité galactique de l'intelligence s'effondrerait dans les ténèbres et les lointains qui l'avaient longtemps dispersée.

Adams s'enfonça plus profondément dans son fauteuil, se forçant à se détendre, furieux contre lui-même d'avoir pensé... car c'était sa règle que, à ce moment du crépuscule, il ne pensât à rien... ou du moins au minimum que pût atteindre son esprit.

La voix de l'homme sembla venir de très loin et pourtant Adams savait qu'il était assis près de lui.

— Belle soirée, dit l'étranger.

Adams eut un petit rire :

— Les soirées sont toujours belles. Les gens de la Météo ne permettent à la pluie de tomber que plus tard, quand tout le monde est endormi.

Dans un buisson en bas de la colline, une grive lança son chant du soir et les notes douces passèrent comme une main apaisante sur un monde ensommeillé. Le long de la rivière, une grenouille ou deux s'essayaient à leurs premiers coassements. Au loin, en quelque vague ailleurs, un engoulevent jeta son appel inquiet. De l'autre côté de la prairie et sur la pente des collines, des lumières apparurent çà et là dans des maisons.

— C'est le meilleur moment de la journée, dit Adams.

Il glissa sa main dans sa poche, sortit une blague à tabac et une pipe.

— Vous fumez ? demanda-t-il.

L'étranger secoua la tête.

— En fait, je suis venu ici pour affaires.

La voix d'Adams se fit tranchante :

— Alors, venez me voir demain matin. Je ne traite pas d'affaires en dehors des heures de travail.

— C'est au sujet d'Asher Sutton, dit doucement l'étranger.

Adams se raidit. Ses doigts tremblaient en bourrant maladroitement sa pipe. Il était content qu'il fasse noir et que l'étranger ne puisse le voir.

— Sutton reviendra, dit l'étranger.

Adams secoua la tête :

— J'en doute. Voilà vingt ans qu'il est parti.

— Vous ne l'avez pas rayé des contrôles ?

— Non, dit Adams, lentement. Il figure toujours sur la feuille de paye, si c'est cela que vous voulez dire.

— Pourquoi ? demanda l'homme. Pourquoi le gardez-vous sur cette liste ?

Adams tassa le tabac dans sa pipe tout en réfléchissant.

— Par sentimentalité, je suppose, dit-il. Par sentimentalité et par espoir. Espoir en Asher Sutton. Bien que cet espoir s'amenuise.

— Dans exactement cinq jours d'ici, dit l'étranger, Sutton sera de retour. (Il marqua un temps puis ajouta :) Tôt dans la matinée.

— Il n'y a aucun moyen, dit Adams nerveusement, qui vous permette de savoir pareille chose.

— Pourtant je le sais. C'est un fait enregistré.

Adams eut un reniflement :

— Ce n'est pas encore arrivé.

— Dans le temps qui est le mien, c'est arrivé.

Adams se dressa dans son fauteuil :

— Dans « votre » temps ?

— Oui, dit calmement l'étranger. Voyez-vous, Mr Adams, je suis votre successeur.

— Dites donc, jeune homme !

— Pas jeune homme, dit l'étranger. J'ai une foi et demie votre âge. Je commence à me faire vieux

— Je n'ai pas de successeur, dit Adams froidement. On n'en a pas encore parlé. Je suis encore bon pour une centaine d'années. Peut-être même davantage.

— Oui, dit l'étranger, pour plus de cent ans. Pour beaucoup plus que cela.

Adams s'adossa calmement dans son fauteuil. Il porta sa pipe à sa bouche et l'alluma d'une main aussi ferme qu'un roc.

— Voyons cela tranquillement, dit-il. Vous dites que vous êtes mon successeur... que vous avez pris ma place après que je l'ai quittée ou après ma mort. Cela signifie que vous venez du futur. Non que je vous croie un seul instant, bien entendu, mais simplement pour discuter...

— L'autre jour, dit l'étranger, a été publiée une information à propos d'un homme nommé Michaelson qui prétendait être allé dans le futur.

— J'ai lu cela, fit Adams avec impatience. Durant une seconde ! Comment a-t-il pu savoir qu'il était allé une seconde dans le futur ? Comment a-t-il pu l'évaluer et le savoir ? Et quelle différence cela ferait-il ?

— Aucune, convint l'étranger. Pas la première fois, bien sûr. Mais la prochaine fois, il ira dans le futur cinq secondes. Cinq secondes, Mr Adams. Cinq tic-tac de la pendule. L'espace d'une brève respiration. Il faut un commencement à tout.

— Le voyage dans le temps ?

L'étranger hocha la tête.

— Je n'y crois pas, dit Adams.

— Je le craignais.

— Au cours des cinq mille dernières années, reprit Adams, nous avons conquis la galaxie...

— Conquis n'est pas le mot juste, Mr Adams.

— Bon, disons colonisé, occupé. Ce que vous voulez. Et nous avons découvert des choses étranges. Plus étranges que nous n'en avions jamais rêvé. Mais jamais le voyage dans le temps.

Il agita la main vers les étoiles.

— Dans tout cet univers là-haut, dit-il. Personne n'avait fait le voyage dans le temps. Personne.

— C'est chose faite maintenant, dit l'étranger. Depuis quinze jours. Michaelson a voyagé dans le temps, une seconde dans le temps. C'est un début. Il n'en faut pas plus.

— Soit, dit Adams. Disons que vous êtes l'homme qui prendra ma place dans cent ans environ. Et supposons que vous ayez voyagé à rebours dans le temps. Pourquoi ?

— Pour vous dire que Sutton reviendra.

— Quand il arrivera, je le saurai, dit Adams. Pourquoi dois-je le savoir maintenant ?

— Quand il reviendra, dit l'étranger, Sutton devra être tué.

2

Dans le soleil oblique du matin, le petit astronef délabré descendait lentement, tel un objet à la dérive, vers le terrain.

L'homme barbu, déguenillé, assis sur le siège du pilote, se raidit, tous les nerfs tendus.

Pas commode, se disait-il en lui-même. Difficile et délicat de manier un tel poids, de juger de la distance et de la vitesse... difficile de faire atterrir mollement des tonnes de métal malgré l'attraction féroce de la gravité. Plus difficile même que de les faire décoller alors qu'il ne s'agit que de les faire s'envoler et foncer dans l'espace.

Pendant un instant, l'astronef vacilla et l'homme dut lutter, lutter de toutes les forces de sa volonté et de son cerveau... puis la machine flotta de nouveau, se maintenant à un ou deux mètres au-dessus de la surface du terrain.

L'homme la posa si doucement qu'elle fit à peine un petit bruit sec en touchant le sol.

Il resta immobile sur son siège, se décontractant lentement, graduellement, muscle après muscle. Epuisé, se dit-il, jamais rien fait d'aussi difficile. Encore quelques kilomètres et je l'aurais laissé s'écraser.

Au loin, tout au bout de la pelouse, se trouvait un groupe de bâtiments ; un véhicule terrestre en avait surgi et venait droit vers lui.

Un petit vent se glissa par le hublot brisé et lui caressa le visage, ce qui lui rappela...

Respire, se dit-il. Il faut que tu respires quand ils arriveront. Il faut que tu respires et que tu sortes et que tu leur souries. Ils ne doivent rien remarquer. Pas tout de suite, du moins. La barbe et les vêtements déchirés y aideront un peu. Ils seront si occupés à les regarder bouche bée qu'ils ne feront pas attention au reste. Mais pas la respiration. Ils pourraient le remarquer, que tu ne respires pas.

Avec circonspection, il aspira une bouffée d'air, en sentit la brûlure quand elle passa dans ses narines, s'engouffra dans sa gorge et atteignit ses poumons.

Une autre respiration, puis une autre, et l'air prit un parfum de vie étrangement excitant. Le sang battit dans sa gorge, à ses tempes ; il posa les doigts sur l'un de ses poignets et sentit palpiter son pouls.

Une nausée le saisit, une brève envie de vomir contre laquelle il lutta, raidissant son corps, se souvenant de toutes les choses qu'il devait faire.

Le pouvoir de la volonté, se dit-il, le pouvoir de l'esprit... le pouvoir qu'aucun homme n'utilise à plein. La volonté de dire au corps les choses qu'il doit faire, le pouvoir de faire redémarrer une machine après qu'elle est restée des années sans tourner.

Une respiration et encore une autre. Son cœur battait maintenant de plus en plus régulièrement, comme une pompe.

Calme-toi, mon estomac.

En route, mon foie.

Continue de pomper, mon cœur.

Ce n'est pas comme si vous étiez vieux et rouillés, car vous ne l'avez jamais été. L'autre système a pris soin que vous soyez toujours prêts à repartir instantanément.

Mais le changement était un choc. Il avait su qu'il en serait ainsi. Il avait redouté ce passage, car il savait ce qu'il signifierait. La torture d'un nouveau type de vie et de métabolisme.

Dans son esprit, il évoqua en négatif l'image de son corps et de tous ses organes... une image changeante, vacillante qui tremblait et se brouillait et passait d'une couleur à une autre.

Mais elle se stabilisa par un durcissement de son esprit, par la poussée de sa volonté et finalement l'image resta immobile, nette et brillante, et il sut que le pire était passé.

Il était agrippé aux commandes de l'astronef, les mains crispées si férocement qu'elles en marquaient presque le métal ; la sueur coulait sur son corps et il se sentait faible et sans énergie.

Ses nerfs se calmèrent ; son cœur continuait de pomper le sang et il sentit qu'il respirait sans même y penser.

Pendant un moment encore, il resta assis sur son siège à se détendre. Le petit vent revint par le hublot brisé et effleura sa joue. Le véhicule terrestre était tout proche.

— Johnny, murmura-t-il, nous sommes revenus. Nous avons réussi. Nous sommes chez moi, Johnny. L'endroit dont je parlais.

Mais il n'y eut pas de réponse, simplement un sentiment de douceur tout au fond de son cerveau, un sentiment étrange de confort douillet, comme on peut le ressentir quand on a huit ans et que l'on est bien au chaud dans son lit.

— Johnny ! s'écria-t-il.

Il perçut de nouveau la même sensation... une sensation d'assurance confiante comme celle du museau d'un chien contre la paume d'une main tendue.

Quelqu'un cognait contre la porte de l'astronef, cognait avec ses poings et criait.

— Voilà ! dit Asher Sutton. J'arrive. J'arrive tout de suite.

Il souleva la mallette qui était près de son siège et

13

la mit sous son bras. Il alla au sas, fit tourner les verrous et mit pied à terre.

Seul un homme était là.

— Bonjour, dit Asher Sutton.

— Bienvenue sur Terre, monsieur, dit l'homme, et le mot « monsieur » évoqua un souvenir dans la mémoire de Sutton. Ses yeux allèrent au front de l'homme et il y vit le léger tatouage du numéro de série.

Il avait oublié les androïdes. Peut-être aussi beaucoup d'autres choses. Des petits détails quotidiens qui s'étaient enfuis peu à peu au cours de ces vingt années.

Il vit l'androïde qui le regardait, qui regardait le genou nu apparaissant à travers le tissu déchiré, l'absence de chaussures.

— Où je suis allé, dit Sutton sèchement, on ne pouvait pas acheter un costume neuf tous les jours.

— Ah oui, monsieur, dit l'androïde.

— Et la barbe, ajouta Sutton, c'est parce que je ne pouvais pas me raser.

— J'ai déjà vu des barbes, dit l'androïde.

Sutton resta silencieux et considéra le monde autour de lui... Les tours brillantes s'élançant dans le soleil matinal, le vert du parc et de la pelouse, le vert plus sombre des arbres, les taches bleues et écarlates des jardins fleuris sur les terrasses en pente.

Il prit une profonde respiration et sentit l'air envahir ses poumons, recherchant les alvéoles les plus lointains qui en avaient été privés depuis si longtemps. Et tout lui revenait, lui revenait de nouveau... le souvenir de sa vie sur la Terre, du soleil au petit matin, des couchers de soleil flamboyants, du bleu profond du ciel et de la rosée sur l'herbe, le débit rapide du parler humain et la douceur mélodieuse de la musique humaine, la gentillesse des oiseaux et des écureuils, et la paix et le bien-être.

— La voiture attend, monsieur, dit l'androïde, je vais vous mener à un humain.

— Je préférerais marcher, dit Sutton.

L'androïde secoua la tête.

— L'humain attend et il est très impatient.

— Oh ! alors d'accord, dit Sutton.

Le siège était mou et il s'y enfonça avec plaisir, installant avec soin la mallette sur ses genoux.

La voiture se mit en route et il regarda par la vitre, fasciné par le vert, tout ce vert de la Terre. « Les Vertes prairies » de la Terre, se dit-il. Ou était-ce « les Vertes vallées ? ». Cela n'avait plus d'importance à présent. C'était une chanson écrite voilà longtemps. Au temps où il y avait des prairies et des champs sur la Terre au lieu de parcs, quand l'homme utilisait le sol pour des choses plus importantes que des parterres de fleurs. A l'époque, des milliers d'années auparavant, où l'homme commençait tout juste à ressentir en lui l'appel de l'espace. De longues années avant que la Terre soit devenue la capitale et le centre de l'empire galactique.

Un grand vaisseau interstellaire s'envolait à l'autre extrémité du terrain, glissant le long de la rampe de plastique lisse comme une glace, des jets de flammes rougeoyantes bouillonnant dans ses tuyères. Son nez s'engagea dans la courbe de décollage et le vaisseau s'élança en grondant comme une flèche d'argent qui fila dans le bleu. Pendant un moment, il scintilla d'un rouge doré dans le soleil du matin, puis disparut dans la brume azurée.

Sutton ramena son regard vers la Terre, s'enivrant de sa vue comme on s'enivre du premier grand soleil du printemps après des mois d'hiver.

Au loin vers le nord, se dressaient les tours jumelles de la division des Extra-terrestres du service de la Justice. A l'est, la masse de plastique et de verre qu'était l'Université d'Amérique du Nord. Et d'autres édifices qu'il avait oubliés... Des édifices dont il s'aperçut qu'il ne connaissait pas le nom. Mais des édifices qui étaient séparés par des kilomètres de distance,

avec des parcs et des habitations entre eux. Celles-ci
étaient masquées par des arbres et des massifs d'arbustes — aucune n'était isolée sur un terrain nu —
et à travers la verdure des collines arrondies, Sutton
aperçut des reflets de couleur. Des gens vivaient, ha-
bitaient là.

La voiture ralentit et s'arrêta devant le bâtiment
de l'administration ; l'androïde ouvrit la portière.

— Par ici, monsieur, dit-il.

Quelques sièges seulement étaient occupés dans
le hall, la plupart par des humains. Des humains et
des androïdes, pensa Sutton. On ne pouvait pas faire
la différence jusqu'à ce qu'on ait vu leur front.

Le signe sur le front, la marque de fabrique. La
marque révélatrice qui disait : « Cet homme n'est pas
un humain bien qu'il en ait l'aspect. »

Ce sont ceux-là qui m'écouteront, pensa Sutton,
ceux qui prêteront attention à moi. Ce sont eux qui
me protégeront contre toute hostilité que l'Homme
pourrait mettre en œuvre contre moi dans l'avenir.
Car ils sont pires que les déshérités. Ils n'ont pas eu
d'existence, ils n'ont jamais eu d'existence. Ils ne
sont pas nés d'une femme, mais d'un laboratoire. Leur
mère est une cuve de produits chimiques et leur père
le savoir technologique des hommes normaux.

Androïde : un humain artificiel. Un humain fabriqué en laboratoire grâce aux vastes connaissances de
l'Homme sur les produits chimiques, les structures
atomiques et moléculaires et l'étrange réaction appelée vie.

Humain en tout sauf à deux égards : la marque sur
le front et l'incapacité de se reproduire biologiquement.

Des hommes artificiels pour aider les hommes authentiques, les humains biologiques, à porter le fardeau de l'empire galactique, pour épaissir les rangs
clairsemés de l'humanité. Mais maintenus à leur place. Oh oui, très fermement maintenus à leur place.

Le couloir était vide, et Sutton, ses pieds nus claquant sur le plancher, suivit l'androïde.

La porte devant laquelle ils s'arrêtèrent annonçait :

THOMAS H. DAVIS
(Humain)
Chef des opérations

— Entrez, dit l'androïde.

Sutton entra. L'homme qui était derrière le bureau leva les yeux et sentit sa gorge se serrer.

— Je suis un humain, dit Sutton. Je n'en ai peut-être pas l'air, mais je le suis.

L'homme désigna de la main un fauteuil.

— Asseyez-vous, dit-il.

Sutton s'exécuta.

— Pourquoi n'avez-vous pas répondu à nos signaux ? demanda Davis.

— Mon installation était démolie, répondit Sutton.

— Votre astronef n'a pas d'immatriculation.

— Les pluies l'ont effacée et je n'avais pas de peinture.

— La pluie n'efface pas la peinture.

— La pluie de la Terre. Là où j'étais, elle l'efface.

— Et vos moteurs ? questionna Davis. Nous n'en avons rien détecté.

— Ils ne marchaient pas, dit Sutton.

La pomme d'Adam de Davis frémit.

— Ne marchaient pas ? Comment naviguiez-vous ?

— Par énergie.

— Par énergie... répéta Davis suffoqué.

Sutton le regarda, glacial :

— Rien d'autre à me demander ?

Davis était confondu. L'interrogatoire se trouvait désorganisé. Les réponses étaient toutes irrégulières. Il tripota son crayon.

— Voyons simplement les formalités habituelles, voulez-vous ?

Il tira un bloc de formulaires devant lui.

— Nom ?

— Asher Sutton.

— Origine du v... Voyons, attendez un instant ! Asher Sutton ?

Davis plaqua son crayon sur le bureau, repoussa le bloc.

— Exact.

— Pourquoi ne me l'avez-vous pas dit tout de suite ?

— Vous ne m'en avez pas laissé le loisir.

Davis paraissait bouleversé :

— Si j'avais su...

— C'est cette barbe, dit Sutton.

— Mon père parlait souvent de vous. Jim Davis. Peut-être vous souvenez-vous de lui.

Sutton secoua la tête.

— C'était un grand ami de votre père. C'est-à-dire... ils se connaissaient bien.

— Comment va mon père ? demanda Sutton.

— Très bien, dit Davis avec enthousiasme. Il se maintient. Prend de l'âge, mais reste solide.

— Mon père et ma mère, dit Sutton froidement, sont morts voilà cinquante ans. Au moment de la pandémie d'Argus.

Il se leva, fit carrément face à Davis.

— Si vous en avez terminé, dit-il, j'aimerais me rendre à mon hôtel. Ils me trouveront sûrement une chambre.

— Certainement, Mr Sutton, certainement. Quel hôtel ?

— *Aux Armes d'Orion.*

Davis chercha dans un tiroir, sortit un annuaire, en tourna les pages, parcourut une colonne d'un doigt tremblant.

— Cherry 26-3489, dit-il. Le téléporteur est là-bas.

Il montra une cabine dans le mur.

— Merci, dit Sutton.

— A propos de votre père, Mr Sutton...

— Je sais. Merci de m'avoir mis au courant.

Il lui tourna le dos et se dirigea vers le téléporteur. Avant d'en fermer la porte, il se retourna.

Davis était au vidéophone et parlait rapidement.

3

En vingt ans les *Armes d'Orion* n'avaient pas changé.

Pour Sutton, lorsqu'il sortit du téléporteur, l'hôtel avait la même apparence que le jour où il l'avait quitté. Un peu plus minable et un peu plus rococo... mais c'était presque un foyer, le murmure assourdi d'une activité discrète, un décor banal, l'atmosphère paisible, doigt sur les lèvres, pointe des pieds, toute cette respectabilité appliquée dont il s'était souvenu et dont il avait rêvé durant les longues années loin de la Terre.

Sur le mur, la fresque était toujours la même. Un peu ternie d'avoir fonctionné si longtemps, mais celle-là même que Sutton n'avait pas oubliée. Le même Pan aux pattes de bouc pourchassait toujours des nymphes terrorisées à travers les mêmes monts et les mêmes vallées. Et le même lapin surgissait de derrière un buisson et contemplait la scène avec toute son indifférence habituelle en mâchant son éternelle touffe de trèfle.

L'ameublement autoréglable, acheté en un temps où la direction avait envisagé d'ouvrir l'hôtel à la clientèle extra-terrestre, était déjà démodé vingt ans auparavant. Mais il était toujours là. Il avait été repeint, dans des tons pastel, ses dispositifs d'autoréglage toujours limités aux formes humaines.

Le sol élastique avait perdu un peu de sa souplesse et le cactus cétien devait être finalement mort car un pot de géraniums franchement terriens occupait maintenant sa place.

Le réceptionniste coupa le vidéophone et se retourna vers le hall.

— Bonjour, Mr Sutton, dit-il de sa voix polie d'androïde. (Puis il ajouta, presque comme en y pensant après coup :) Nous nous demandions quand nous vous reverrions.

— Vingt ans, dit Sutton avec une pointe d'ironie, vous avez vraiment eu le temps de vous le demander...

— Nous vous avons gardé votre ancien appartement, dit le réceptionniste. Nous savions que vous le voudriez. Mary l'a toujours entretenu, prêt à vous recevoir, depuis votre départ.

— C'était très gentil de votre part, Ferdinand.

— Vous n'avez vraiment pas changé. Votre barbe, c'est tout. Je vous ai reconnu dès que je me suis retourné et que je vous ai vu.

— Ma barbe et mes vêtements, dit Sutton. Mes vêtements sont en assez mauvais état.

— Je ne pense pas, dit Ferdinand, que vous ayez des bagages, Mr Sutton ?

— Non, pas de bagages.

— Vous voulez peut-être votre petit déjeuner, Mr Sutton. Nous le servons encore.

Sutton hésita, s'apercevant soudain qu'il avait faim. Et il se demanda un instant comment son estomac accepterait la nourriture.

— Je pourrais vous trouver un paravent, dit Ferdinand.

Sutton secoua la tête.

— Non. Je ferais mieux de faire un peu de toilette et de me raser. Faites-moi monter le petit déjeuner et de quoi me vêtir.

— Des œufs brouillés, peut-être ? Vous aimiez toujours des œufs brouillés comme petit déjeuner.

— Cela me paraît très bien, dit Sutton.

Il s'éloigna lentement de la réception et se dirigea vers l'ascenseur. Il allait fermer la porte quand il entendit une voix :

— Un instant, s'il vous plaît.

Une jeune fille arrivait en courant dans le hall, grande et mince, des cheveux de cuivre. Elle se glissa dans l'ascenseur, s'adossa à la paroi.

— Merci, dit-elle. Merci beaucoup de m'avoir attendue.

Son teint, nota Sutton, était d'une blancheur de magnolia et ses yeux d'un gris de granit avec des ombres dans leur profondeur.

Il ferma doucement la porte.

— J'ai eu plaisir à vous attendre, dit-il.

Elle eut un très léger sourire, et il ajouta :

— Je n'aime pas les chaussures. Elles serrent trop les pieds.

Il appuya brutalement sur le bouton et l'ascenseur démarra d'un coup. Les numéros des étages s'allumèrent l'un après l'autre. La cabine s'arrêta.

— C'est mon étage, dit Sutton.

La porte s'était ouverte et il était presque sorti lorsqu'elle parla :

— Monsieur...

— Oui, qu'y a-t-il ?

— Je n'ai pas voulu rire. Vraiment, vraiment pas du tout.

— Vous aviez le droit de rire, dit Sutton et la porte se referma derrière lui.

Il resta là un moment, luttant contre une tension soudaine qui l'avait saisi comme une puissante étreinte.

Attention, se dit-il. Du calme, mon garçon. Tu es revenu chez toi. C'est ici l'endroit dont tu rêvais. Quelques pas dans le couloir et tu seras enfin chez toi. Tu tendras la main, tu tourneras le bouton, tu pousseras la porte et tout sera là... exactement comme tu te le rappelais. Ton fauteuil préféré, les fresques animées sur le mur, la petite fontaine avec les sirènes de Vénus... et les fenêtres où tu pourras t'asseoir et t'emplir les yeux du spectacle de la Terre.

Mais tu ne peux pas te laisser envahir par des émotions. Tu ne peux pas perdre la tête ni t'attendrir.

Car ce type de l'astroport t'a menti. Et les hôtels ne gardent pas des appartements en attente pendant vingt ans. Il y a quelque chose d'anormal. Je ne sais pas quoi, mais quelque chose. Quelque chose de terriblement anormal.

Il avança lentement d'un pas... puis d'un autre, luttant contre sa tension nerveuse, contre une sensation de sécheresse qui le prenait à la gorge.

L'une des fresques, il s'en souvenait, représentait un ruisseau dans une forêt, avec des oiseaux qui voletaient dans les arbres. Et aux moments les plus inattendus, l'un des oiseaux se mettait à chanter, généralement à l'aurore ou au coucher du soleil. Et le murmure de l'eau était une mélodie joyeuse qu'on restait à écouter dans son fauteuil pendant des heures.

Il savait qu'il courait, mais ne ralentit pas.

Ses doigts saisirent la poignée de la porte et la tournèrent. L'appartement était bien là... le fauteuil préféré, le murmure mélodieux de l'eau, les ébats des sirènes.

Il eut le sentiment du danger en franchissant le seuil et tenta de faire volte-face et de s'enfuir, mais trop tard. Il sentit son corps s'effondrer en avant sur le plancher.

— Johnny ! cria-t-il et son cri gargouilla dans sa gorge. Johnny !

Dans son cerveau, une voix murmura. « Tout va bien, Ash. Nous faisons bloc. »

Et ce furent les ténèbres.

4

Quelqu'un était dans la pièce et Sutton garda ses paupières closes, sa respiration lente.

Quelqu'un, dans la pièce, allait et venait tranquillement. S'arrêtant devant la fenêtre, se déplaçant pour regarder la fresque animée du ruisseau dans la forêt. Et dans le silence de la pièce, Sutton entendait le gai babil du ruisseau par-dessus le clapotis de la fontaine, entendait le chant léger des oiseaux dans les arbres peints, imaginait que même ainsi, de loin, il pouvait sentir l'odeur d'humus de la forêt et le parfum frais et humide de la mousse qui poussait au bord du ruisseau.

La personne qui était dans la pièce la retraversa et vint s'asseoir dans un fauteuil. Elle sifflota un petit air, presque imperceptiblement. Un petit air joyeux, rythmé, que Sutton n'avait jamais entendu.

Quelqu'un m'a examiné en détail, se dit Sutton. M'a d'abord, très vite, mis hors de combat avec un gaz ou une poudre, puis m'a examiné minutieusement. Il me semble en avoir quelques souvenirs... comme dans un brouillard très lointain. Des lumières qui brillaient et un sondage dans mon cerveau. Et j'aurais pu lutter contre cela mais je savais que cela n'en valait pas la peine. Et d'ailleurs grand bien leur fasse pour tout ce qu'ils ont trouvé. Il se congratula mentalement, satisfait de lui-même. Oui, grand bien leur fasse pour tout ce qu'ils ont pu tirer de mon esprit.

Mais ils n'ont trouvé que ce qu'ils pouvaient trouver et ils s'en sont allés. Ils ont laissé quelqu'un pour me surveiller et ce quelqu'un est encore dans la pièce.

Il remua sur le lit et ouvrit les yeux, mais à peine, et se composant à dessein un regard vague.

L'homme quitta son fauteuil et Sutton vit qu'il était vêtu de blanc. Il traversa la pièce et se pencha sur le lit.

— Ça va bien, maintenant ? demanda-t-il.

Sutton leva une main et la passa sur son visage, d'un air désorienté.

— Oui. Je crois que oui.

— Vous avez perdu connaissance, dit l'homme.

— Peut-être quelque chose que j'ai mangé, dit Sutton.

L'homme secoua la tête.

— Le voyage, plus que probablement. Il a dû être très dur.

— Oui, fit Sutton, très dur.

Vas-y, pensa-t-il. Vas-y, pose encore des questions. Ce sont les instructions que tu as reçues. Profite de ce que je suis encore mal remis, et tire de moi tout ce que tu pourras. Vas-y, pose des questions et gagne ton sale argent.

Mais il se trompait. L'homme se redressa.

— Je crois que cela ira très bien, dit-il. Si vous ressentiez quoi que ce soit, appelez-moi. Ma carte est sur la cheminée.

— Merci, docteur, dit Sutton.

Il le regarda traverser de nouveau la pièce, attendit d'entendre claquer la porte, puis s'assit sur le lit. Ses vêtements étaient en tas sur le plancher. Sa mallette ? Oui, elle était là, posée sur un fauteuil. Soigneusement fouillée, sans aucun doute, et tout son contenu probablement photocopié.

Et des rayons-espions, aussi, plus que vraisemblablement. Dans tout l'appartement. Des oreilles à l'écoute, des yeux aux aguets.

Mais qui ? se demanda-t-il. Personne ne savait qu'il revenait. Personne n'avait pu le savoir. Pas même Adams. Nul moyen de le savoir. Et nul moyen par lequel il aurait pu le leur faire savoir.

Bizarre.

Bizarre, la manière dont Davis, à l'astroport, avait reconnu son nom et lui avait raconté un mensonge en manière d'explication. Bizarre, la manière dont Ferdinand avait prétendu qu'on lui avait gardé son appartement pendant vingt ans. Bizarre aussi que Ferdinand se soit retourné et lui ait parlé comme si vingt ans n'étaient rien.

C'était organisé, se dit Sutton. Cela fonctionnait comme un système automatique. Bien réglé et qui m'attendait.

Mais pourquoi quelqu'un l'aurait-il attendu ? Personne ne savait quand il reviendrait. Ni s'il reviendrait jamais.

Et même si quelqu'un l'avait su, pourquoi se donner tant de mal ?

Car ils ne pouvaient pas savoir, pensa-t-il... Ils ne peuvent pas savoir ce que je détiens, ils ne peuvent même pas le deviner. Même s'ils savaient que je revenais, si incroyable que ce soit, il serait encore plus incroyable qu'ils sachent la véritable raison de mon retour.

Et s'ils la savaient, se dit-il, ils n'y croiraient pas.

Son regard tomba sur la mallette posée sur le fauteuil et la considéra.

Non, s'ils la savaient, se répéta-t-il, ils n'y croiraient pas.

Lorsqu'ils inspecteraient l'astronef, bien entendu, ils se poseraient des questions. Encore pourrait-il y avoir quelque explication à ce qui était arrivé. Mais ils n'avaient pas pris le temps d'inspecter l'astronef.

Ils n'avaient pas attendu un instant. Ils me guettaient et m'ont manipulé dès la seconde où j'ai atterri.

Davis m'a poussé dans le téléporteur et s'est jeté sur son téléphone comme un fou. Et Ferdinand savait que j'arrivais, il savait qu'il me verrait quand il se retournerait. Et la fille, la fille aux yeux gris de granit ?

Sutton se leva et s'étira. Me baigner et me raser, d'abord, pensa-t-il. Puis des vêtements et un petit déjeuner. Et un coup de vidéophone ou deux.

N'agis pas comme si tu avais la frousse, se dit-il encore. Agis avec naturel, cure-toi le nez. Parle tout seul. Enlève-toi un point noir. Gratte-toi le dos contre le chambranle d'une porte. Agis comme si tu croyais être seul. Mais méfie-toi.

Quelqu'un te guette.

5

Sutton finissait son petit déjeuner quand l'androïde arriva.

— Je m'appelle Herkimer, dit-il, et j'appartiens à
Mr Geoffrey Benton.

— C'est Mr Benton qui vous envoie ici ?

— Oui. Il vous lance un défi.

— Un défi ?

— Oui. Vous savez : pour un duel.

— Mais je n'ai pas d'arme.

— Vous ne pouvez pas être sans arme, dit Herkimer.

— Je ne me suis jamais battu en duel de ma vie, dit
Sutton. Et je n'ai pas l'intention de commencer maintenant.

— Vous courez un gros risque.

— Que voulez-vous dire, un gros risque ? Si je n'ai
pas d'arme...

— Mais vous ne pouvez pas être sans arme. Le
code a été changé depuis un an ou deux. Aucun homme de moins de cent ans ne peut se trouver sans
arme.

— Mais si c'est le cas ?

— Voyons, dit Herkimer, alors quiconque en aurait envie peut vous abattre comme un lapin !

— Vous êtes certain de cela ?

Herkimer fouilla dans sa poche, en sortit un petit livre. Il mouilla son doigt et feuilleta les pages.

— C'est écrit là, dit-il.

— Inutile, dit Sutton, Je vous crois sur parole.

— Alors, vous acceptez le défi ?

Sutton eut une grimace.

— Je suppose que j'y suis obligé. Mr Benton attendra, j'espère, que j'ai acheté un pistolet.

— Ce ne sera pas nécessaire, répliqua jovialement Herkimer, j'en ai apporté un. Mr Benton agit toujours ainsi. Simple affaire de courtoisie, vous comprenez. Au cas où la personne n'en aurait pas.

Il mit la main dans sa poche et tendit l'arme. Sutton la prit et la posa sur la table.

— Pas l'air très maniable, ce machin, dit-il.

Herkimer se raidit.

— C'est l'arme traditionnelle, déclara-t-il. La meilleure qu'on fabrique. Elle tire des balles de 45. Cartouches chargées à la main. La ligne de mire est réglée à quinze mètres.

— On tire là-dessus ? demanda Sutton, le doigt tendu.

Herkimer acquiesça de la tête :

— Cela s'appelle la détente mais vous n'avez pas à tirer, vous appuyer simplement.

— Pourquoi au juste Mr Benton me lance-t-il ce défi ? demanda Sutton. Je ne le connais pas. Je n'ai même jamais entendu parler de lui.

— Vous êtes célèbre, dit Herkimer.

— Pas que je sache.

— Vous êtes un agent spécial de la Sûreté Galactique, remarqua Herkimer. Vous revenez d'une longue et périlleuse mission. Vous portez une mallette d'aspect mystérieux. Et des reporters vous attendent dans le hall.

Sutton hocha la tête.

— Je vois. Quand Benton tue quelqu'un, il préfère qu'il soit célèbre.

— C'est mieux, oui, dit Herkimer. Cela fait davantage de publicité.

— Mais je ne connais pas Mr Benton. Comment saurais-je sur qui je dois tirer ?

— Je vais vous le montrer, au vidéophone.

Il marcha vers le bureau, forma un numéro et recula.

— C'est lui, dit-il.

Sur l'écran, un homme était assis devant un échiquier. La partie était en cours. De l'autre côté de la table, se trouvait un magnifique joueur robotique.

L'homme allongea la main, et après réflexion, joua son cavalier. Le robot cliqueta et gloussa. Il avança un pion. Benton arrondit les épaules et se pencha sur l'échiquier. Il passa une main derrière sa tête et se gratta la nuque.

— Oscar l'a coincé, dit Herkimer. Il le coince toujours. Mr Benton n'a pas gagné une seule partie depuis dix ans.

— Alors, pourquoi continue-t-il de jouer ?

— Il est têtu. Mais Oscar est têtu lui aussi.

Il fit un geste de la main.

— Les machines peuvent être beaucoup plus entêtées que les hommes. C'est ainsi qu'elles ont été construites.

— Mais Benton devait savoir, quand il a fait fabriquer Oscar, que celui-ci le battrait, observa Sutton. Un homme ne peut pas battre un joueur robotique, tout simplement.

— Mr Benton le savait, dit Herkimer, mais il ne le croyait pas. Il voulait prouver le contraire.

— Il ne manque pas de présomption.

Herkimer le regarda calmement.

— Je crois que vous avez raison, monsieur. Je l'ai souvent pensé moi-même.

Sutton ramena son regard vers Benton, qui était toujours penché sur l'échiquier, un poing serré contre la bouche.

Son visage aux veines saillantes était rose, bien lavé, joufflu, et son regard sombre, si concentré qu'il fût, conservait quand même une certaine lueur de finesse et de bonhomie.

— Vous le reconnaîtrez maintenant ? demanda Herkimer.

Sutton hocha la tête.

— Oui. Je crois que je pourrai le repérer. Il n'a pas l'air tellement dangereux.

— Il a tué seize hommes, dit Herkimer d'un ton raide. Il a l'intention de ne ranger ses pistolets que lorsqu'il sera arrivé à vingt-cinq.

Il regarda Sutton droit dans les yeux et ajouta :

— Vous serez le dix-septième.

— J'essaierai de lui faciliter les choses, dit Sutton avec douceur.

— Comment préférez-vous que cela se passe, monsieur ? demanda Herkimer. Dans les formes ou non ?

— Disons sans cérémonie.

Herkimer n'approuvait pas.

— Il y a certaines conventions...

— Vous pouvez dire à Mr Benton, dit Sutton, que je n'ai pas l'intention de lui tendre un piège.

L'androïde ramassa son chapeau et se couvrit.

— Bonne chance, monsieur, dit-il.

— Merci beaucoup, Herkimer, dit Sutton.

La porte se ferma et Sutton resta seul. Il se tourna de nouveau vers l'écran. Benton tentait de replier ses tours. Oscar ricana, fit glisser un fou de trois cases sur l'échiquier, et mit le roi de Benton en échec.

Sutton coupa le vidéophone.

Il passa une main sur son menton maintenant rasé.

Etait-ce une coïncidence ou était-ce prévu ? Difficile à savoir.

L'une des sirènes avait grimpé sur le bord de la fontaine, son petit corps de sept ou huit centimètres en équilibre précaire. Elle siffla vers Sutton. Il se retourna vivement à ce bruit et elle plongea dans le bassin se moquant de lui avec des gestes impudiques.

Sutton se pencha, fouilla dans le classeur du vidéophone et en sortit le répertoire INF-JAT. Il feuilleta rapidement les pages.

INFORMATION — Terrienne.

Et les rubriques :
Conversation
Correspondance
Coutumes

Cela devait être ça. *Coutumes*

Il trouva *Duel*, nota le numéro, remit le répertoire en place. Il tourna le cadran, appuya sur le bouton de communication directe.

Le visage sophistiqué et artificiel d'un robot envahit l'écran :

— A votre service, monsieur, prononça-t-il.

— J'ai été provoqué en duel, dit Sutton.

Le robot attendit une question.

— Je ne veux pas me battre en duel, reprit Sutton. N'y a-t-il pour moi aucun moyen, légal, de refuser ? J'aimerais le faire élégamment mais là n'est pas l'essentiel.

— Il n'y a aucun moyen, répondit le robot.

— Aucun moyen ?

— Avez-vous moins de cent ans ?

— Oui.

— Etes-vous sain de corps et d'esprit ?

— Je le pense.

— Vous l'êtes ou vous ne l'êtes pas. Décidez-vous.

— Je le suis.

— Vous n'appartenez pas à une religion reconnue qui interdit de tuer ?

— Je suppose que je pourrais me classer comme chrétien, dit Sutton. Je crois qu'il existe un Commandement à ce sujet.

Le robot secoua la tête.

— Cela ne compte pas.

32

— Il est clair et précis, insista Sutton. Il dit : « Tu ne tueras pas. »

— C'est exact, répondit le robot. Mais il est tombé en discrédit. C'est vous, les hommes, qui l'avez discrédité. Vous n'y avez jamais obéi. Ou l'on obéit à une loi ou elle tombe en désuétude. Vous ne pouvez pas tantôt l'oublier et tantôt l'invoquer.

— Je crois que je suis perdant alors, dit Sutton.

— D'après la révision de l'an 7990, dit le robot, votée en congrès, tout humain de sexe masculin, de moins de cent ans, sain de corps et d'esprit, et qui n'est pas tenu par des obligations ou des croyances religieuses, soumises à un tribunal d'enquête, doit se battre en duel chaque fois qu'un défi lui est lancé.

— Je vois, murmura Sutton.

— L'histoire du duel, dit le robot, est très intéressante.

— C'est de la barbarie.

— Peut-être. Mais les humains sont encore barbares à bien d'autres égards.

— Vous êtes plutôt impertinent !

— J'en ai assez de tout cela, répliqua le robot. J'en ai assez de votre suffisance, à vous les humains. Vous prétendez avoir mis la guerre hors la loi, et en réalité il n'en est rien. Vous avez simplement fait en sorte que nul n'ose se battre contre vous. Vous dites que vous avez aboli le crime et c'est vrai, sauf les crimes commis par des humains. Et beaucoup de crimes que vous avez abolis n'en sont nullement, sauf du point de vue des humains.

— Vous prenez beaucoup de risques, mon ami, dit doucement Sutton, en parlant de cette façon.

— Vous pouvez me déconnecter quand vous voudrez, répondit le robot. Cela ne vaut pas la peine d'exister lorsqu'on fait le travail que je fais.

Il vit l'expression du visage de Sutton et poursuivit rapidement.

— Essayez de voir les choses telles qu'elles sont,

monsieur. A travers toute son histoire, l'Homme a été un tueur. Il était rusé et brutal même dès les origines. Il était faible, mais il trouva comment utiliser une massue ou des pierres, et quand les pierres n'étaient pas assez coupantes, il les tailla pour qu'elles le soient. Il y avait des créatures, d'abord, qu'il n'aurait pas dû tuer. C'est elles qui auraient dû le tuer. Mais il était rusé et il avait sa massue et ses silex et il tua le mammouth et le tigre à dents de sabre, et d'autres qu'il n'aurait pu affronter à mains nues. Ainsi conquit-il la Terre sur les animaux. Il les extermina, sauf ceux auxquels il permit de vivre pour les services qu'ils lui rendaient. Et même tandis qu'il se battait avec les animaux, il se battait aussi avec ses semblables. Après que les animaux eurent disparu, il continua de se battre... homme contre homme, nation contre nation.

— Mais c'est du passé, dit Sutton. Il n'y a pas eu de guerre depuis plus d'un millier d'années. Les humains n'ont plus besoin de se battre maintenant.

— C'est exactement la question, répondit le robot. Il n'y a plus aucune nécessité de se battre, plus aucune nécessité de tuer. Oh, de temps en temps, peut-être, sur une planète éloignée où un humain doit tuer pour protéger sa vie ou maintenir la dignité et la puissance humaines. Mais, dans l'ensemble, il n'y a plus aucune nécessité de tuer.

« Et pourtant vous tuez. Il vous faut tuer. C'est la vieille brutalité qui reste en vous. Vous êtes ivres de puissance, et tuer, c'est montrer sa puissance. C'est devenu une habitude en vous... une chose que vous avez conservée depuis les cavernes. Il ne reste plus rien à tuer sinon à tuer l'autre, alors vous vous tuez les uns les autres et vous appelez cela vous battre en duel. Vous savez que c'est mal et vous vous conduisez d'une manière hypocrite. Vous avez montré tout un beau système d'arguties ambiguës pour que cela prenne une apparence respectable, courageuse et

34

noble. Vous dites que cela est traditionnel et cheva-
leresque... et même si vous ne le dites pas en ces
termes, vous le pensez. Vous revêtez cet acte des pa-
rures de votre passé pervers, vous l'enveloppez de
mots et les mots ne sont que du clinquant.

— Ecoutez, dit Sutton. Je ne veux pas me laisser
entraîner dans ce duel. Je ne crois pas que ce soit...

La voix du robot prit un ton de joie vindicative :

— Pourtant vous devrez vous battre en duel. Il
n'y a aucun moyen de reculer. Peut-être aimeriez-vous
quelques conseils utiles. Je connais toutes sortes d'astuces...

— Je croyais que vous n'approuviez pas le duel.

— Je ne l'approuve pas, dit le robot, mais c'est mon
travail. C'est ainsi. J'essaie de le faire bien. Je peux
vous raconter l'histoire personnelle de tous les hommes qui se sont battus en duel depuis toujours. Je
peux vous parler pendant des heures des avantages
de la rapière sur le pistolet. Ou si vous préférez le
contraire, je peux le faire tout aussi bien. Je peux
tout vous raconter sur les tueurs du vieux Far West
américain et sur les gansters de Chicago et sur les
duels au mouchoir et au couteau et...

— Non, merci, dit Sutton.

— Cela ne vous intéresse pas ?

— Je n'ai pas le temps.

— Mais, monsieur, implora le robot, je n'en ai pas
souvent l'occasion. Je ne reçois pas beaucoup d'appels. Une petite heure simplement...

— Non, dit Sutton fermement.

— Très bien. Peut-être me direz-vous qui vous a
lancé ce défi ?

— Benton, Geoffrey Benton.

Le robot émit un sifflement.

— Est-il si terrible que cela ? demanda Sutton.

— Effectivement, dit le robot.

Sutton coupa le vidéophone.

Il resta calmement assis dans son fauteuil, le regard

fixé sur le pistolet. Lentement, il allongea la main et le prit. La crosse se plaçait bien dans sa paume. Son doigt se recourba sur la détente. Il leva l'arme et visa la poignée de la porte.

L'arme était facile à manier. Presque comme si elle faisait partie de lui-même. Elle donnait une sensation de puissance... de puissance et de domination. Comme s'il se sentait soudain plus fort, plus grand... et plus dangereux.

Il poussa un soupir et la déposa.

Le robot avait raison.

Il se tourna vers le vidéophone, appuya sur le signal d'appel de la réception dans le hall. Le visage de Ferdinand apparut.

— Est-ce que quelqu'un m'attend en bas, Ferdinand ?

— Personne.

— Personne ne m'a demandé ?

— Personne.

— Pas de reporters ? Ni de photographes ?

— Non, Mr Sutton. En attendiez-vous ?

Sutton ne répondit pas. Il coupa la communication, il se sentait ridicule.

6

Les hommes étaient éparpillés dans toute la galaxie. Un homme seul ici, une poignée là. D'infimes êtres de muscles, d'os et de matière grise pour tenir une galaxie en respect. De faibles épaules pour porter le manteau de la grandeur humaine déployé à travers les années-lumière.

Car l'Homme avait volé trop vite, avait poussé trop loin — au delà de ses capacités physiques. Ce n'était pas par la force qu'il tenait ses avant-postes stellaires, mais grâce à autre chose... par la puissance de sa volonté, par son colossal orgueil, par sa conviction féroce que l'Homme était la plus importante créature vivante que la galaxie ait engendrée. Tout cela, en dépit de bien des preuves qu'il ne l'était pas... des preuves qu'il considérait, pesait, et rejetait, dédaigneux de toute grandeur qui n'était pas brutale et agressive.

Trop éparpillés, se dit Christopher Adams. Trop éparpillés et sur des distances trop grandes. Un homme, avec une douzaine d'androïdes et une centaine de robots, pouvait tenir un système solaire. Pouvait le tenir jusqu'à ce qu'il y ait davantage d'hommes ou que quelque chose craque.

Avec le temps, il y aurait davantage d'hommes, si le taux de natalité se maintenait. Mais il faudrait bien des siècles avant que les lignes avancées soient plus solides car les hommes ne tenaient que les points clés... Une planète dans un système entier et pas dans tous les systèmes. Les hommes les avaient négligés parce qu'ils n'étaient pas assez nombreux, ils avaient installé des sphères stratégiques d'influence, s'étaient désintéressés de tout, sauf des systèmes les plus riches, les plus importants.

Il restait de la place pour s'étendre, de la place pour un million d'années. S'il restait encore des hommes dans un million d'années. Si les habitants de ces autres planètes laissaient vivre les hommes, si jamais ne venait le jour où ils seraient prêts à payer le prix terrible de l'extermination de la race humaine.

Ce prix serait élevé, se dit Adams, mais cela pourrait être entrepris, et ce serait facile. Une simple affaire de quelques heures. Des humains, le matin, plus d'humains, le soir. Qu'importait qu'un millier d'autres meurent pour chaque humain tué... ou dix mille, ou cent mille ? En certaines circonstances, un tel prix pourrait bien être considéré comme très bas.

Même maintenant, il existait des îlots de résistance où l'on n'allait qu'avec précaution... ou même que l'on évitait soigneusement. Comme 61 du Cygne par exemple.

Il fallait du discernement... et une certaine tolérance... et une bonne dose de brutalité latente, mais par-dessus tout, de l'orgueil, la conviction absolue, inébranlable que l'Homme était sacro-saint, qu'il ne pouvait être touché, qu'il pouvait à peine mourir.

Et cinq hommes étaient morts, trois humains et deux androïdes près d'une rivière qui coulait sur Aldéraban XII, à quelques kilomètres à peine d'Andrelon, la capitale de la planète.

Ils étaient morts d'une mort violente, c'était hors de doute.

Les yeux d'Adams cherchèrent le paragraphe du dernier rapport de Thorne.

Une énergie avait été employée de l'extérieur. Nous avons trouvé un trou percé par sa chaleur à travers le blindage du moteur atomique. L'énergie devait être contrôlée, sinon elle aurait abouti à une destruction absolue. Les écrans automatiques exercèrent leur action et détournèrent le jet d'énergie, mais la machine fut mise hors de contrôle et alla percuter contre l'arbre. Les environs étaient saturés d'une intense radiation.

Un garçon sérieux, Thorne, se dit Adams, il ne laisserait pas échapper un seul détail. Il avait envoyé des robots avant que l'endroit ait eu le temps de refroidir. Mais il n'y avait pas grand-chose à trouver... pas grand-chose qui fournisse une explication. Juste un tas de points d'interrogation.

Cinq hommes étaient morts et une fois cela dit, c'était tout ce qu'on savait. Car ils avaient été brûlés et défigurés au point qu'il n'en restait rien de reconnaissable, pas d'empreintes digitales, pas de fond d'œil qui puisse servir à leur identification.

Non loin des corps carbonisés, la machine s'était écrasée contre un arbre, s'était complètement tordue autour du tronc qu'elle avait à moitié coupé en deux. Une machine qui, comme les hommes, n'était pas identifiable. Une machine qui ne ressemblait à aucune autre dans la galaxie, et jusqu'à maintenant du moins, une machine incompréhensible.

Thorne l'examinerait à fond. Il la reconstituerait en trois dimensions, jusqu'au dernier fragment de verre et de plastique brisé. Il en ferait faire l'analyse détaillée, demanderait des diagrammes, et les robots la mettraient dans des appareils analyseurs qui la décortiqueraient et l'enregistreraient, molécule par molécule.

Et peut-être trouverait-on quelque chose. Peut-être.

Adams repoussa le rapport et s'adossa dans son fauteuil. L'esprit ailleurs, il épela son nom inscrit sur la vitre de la porte de son bureau, le lisant à l'envers, lentement et avec un soin exagéré. Comme s'il n'avait jamais vu ce nom. Comme s'il ne le connaissait pas. Cherchant à en éclaircir le mystère.

Puis la ligne qui était en dessous :
DIRECTEUR, OFFICE DES RELATIONS EXTRA-TERRESTRES, SECTEUR SPATIAL 16.

Et encore la ligne suivante :
SERVICE DE LA SURETE GALACTIQUE (JUSTICE).

Le soleil du début de l'après-midi tombait obliquement d'une fenêtre, en travers de son visage, soulignant sa courte moustache grise, ses cheveux blanchissant sur les tempes.

Cinq hommes étaient morts...

Il aurait voulu pouvoir chasser cette idée de sa tête. Il avait autre chose à faire. Cette affaire Sutton, par exemple. Les rapports la concernant lui parviendraient d'ici une heure environ.

Mais il y avait une photographie... une photographie prise par Thorne qu'il ne pouvait oublier.

Une machine écrasée et des corps brisés et un long sillon fumant dans les herbes. La rivière argentée coulait dans un silence qu'on sentait même là sur cette photo, et dans le lointain, la dentelure arachnéenne d'Andrelon se découpait sur un ciel rose.

Adams eut un léger sourire intérieur. Aldébaran XII, imagina-t-il, devait être un monde ravissant. Il n'y était jamais allé et n'irait jamais... car il y avait trop de planètes, oui, trop de planètes pour qu'un homme puisse même rêver de les visiter toutes.

Un jour peut-être, quand les téléporteurs fonctionneraient à travers des années-lumière au lieu de misérables kilomètres... alors peut-être un homme pourrait-il très simplement faire un saut sur n'importe quelle planète de son choix, pour un jour ou une heure, ou juste pour dire qu'il y était allé...

Mais Adams n'avait pas besoin d'être là-bas... Il avait des yeux et des oreilles sur place, comme il en avait sur chacune des planètes occupées de son secteur tout entier.

Thorne y était et Thorne était un garçon capable. Il ne prendrait pas de repos avant d'avoir arraché la dernière parcelle d'information à ces débris et à ces corps déchiquetés.

Je voudrais pouvoir l'oublier, se disait Adams. C'est important, mais pas par-dessus tout.

Un signal bourdonna, Adams abaissa une touche sur son bureau.

— Qu'y a-t-il ?

Une voix d'androïde répondit :

— C'est Mr Thorne au mentophone, monsieur. Il appelle d'Andrelon.

— Merci, Alice, dit Adams.

Il ouvrit un tiroir, en sortit le casque, le mit sur sa tête, le régla, les doigts assurés. Des pensées voletèrent dans son cerveau, des pensées disjointes, désordonnées, faibles et lointaines. Des pensées fantomatiques qui erraient à travers l'univers — épaves résiduelles de l'esprit de créatures, dans le temps et dans l'espace, impossibles à imaginer.

Adams eut un sursaut de recul. Il ne s'y habituerait jamais, se dit-il. J'aurai toujours ce geste d'un gosse qui s'attend à recevoir une gifle.

Les pensées fantomatiques caquetaient et babillaient.

Adams ferma les yeux et se cala dans son fauteuil.

— Allô, Thorne, dit-il mentalement.

La pensée de Thorne arriva, affaiblie et déformée à travers une distance de plus de cinquante années-lumière.

— C'est vous, Adams ? Je vous reçois très faiblement ici.

— Oui, c'est moi. Que se passe-t-il ?

Une pensée chantonnant sur un ton aigu arriva, sautilla dans son cerveau.

Débute ton boniment... chipe le poisson... l'oxygène est hors de prix...

Adams chassa la pensée de son esprit, se concentra davantage.

— Répétez, Thorne, un fantôme est passé et vous a couvert...

La pensée de Thorne était maintenant plus forte, plus distincte.

— Je voulais vous parler d'un nom. Il me semble que je l'ai déjà entendu mais je n'en suis pas certain.

— Quel nom ?

Thorne espaçait maintenant ses pensées, les émettait lentement en les accentuant pour les faire passer à travers les interférences.

— Asher Sutton.

Adams se dressa dans son fauteuil, bouche bée.

— Comment ? rugit-il.

Va vers l'ouest... chantonna une voix dans son cerveau, *va vers l'ouest et puis tout droit...*

La pensée de Thorne revint :

— ... C'était le nom qui était sur la page de garde...

— Répétez, implora Adams. Répétez doucement. La communication a encore été couverte. Je n'ai rien pu saisir de vos pensées.

Les pensées de Thorne revinrent, lentes, chacune puissamment appuyée.

— Voilà. Vous vous souvenez de cette machine écrasée que nous avons découverte ici ? Cinq hommes tués...

— Oui, oui. Bien entendu que je m'en souviens.

— Bon, nous avons trouvé un livre sur l'un des cadavres. Le livre était brûlé, complètement calciné par les radiations. Les robots en ont fait ce qu'ils ont pu, mais ils ne pouvaient pas grand-chose. Un mot par-ci par-là. Rien dont on puisse tirer un sens quelconque...

L'interférence mentale ronronna et gronda. Des demi-pensées passèrent. Des lambeaux désordonnés de pensées qui n'auraient eu aucune équivalence, aucune signification pour un esprit humain, même si elles avaient été entièrement perçues.

— Répétez, demanda désespérément Adams. Répétez.

— Vous vous souvenez de cette machine écrasée. Cinq hommes...

— Oui, oui. J'ai compris cela. Jusqu'au moment où vous parliez du livre. Mais où en arrive-t-on à Sutton ?

— C'est tout ce que les appareils robotiques ont pu déchiffrer, dit Thorne. Juste trois mots : « par Asher Sutton. » Comme s'il avait été l'auteur. Comme si le livre avait été écrit par lui. C'était inscrit sur l'une des premières pages. La page de titre peut-être. Tel livre par Asher Sutton.

Il y eut un silence. Même les voix fantomatiques se turent pendant un instant. Puis une pensée chuintante, zézayante intervint... une pensée de bébé, informe, piaulante. Et cette pensée était incompréhensible, intraduisible, presque dépourvue de sens. Mais hideuse à mettre les nerfs à vif dans son inhumanité.

Adams sentit un frisson de terreur passer soudain dans la moelle de ses os, il saisit les bras de son fauteuil des deux mains et s'y cramponna, tandis qu'une immonde serre griffue lui tordait les entrailles.

Brusquement, la pensée disparut. Cinquante années-lumière filèrent dans le froid de l'espace.

Adams se détendit, sentit la sueur de ses aisselles couler le long de ses côtes.

— Vous êtes là, Thorne ? demanda-t-il.

— Oui. J'en ai écopé un peu, moi aussi.

— Affreux, non ?

— J'ai rarement entendu pire, reconnut Thorne.

Il y eut un instant de silence. Puis les pensées de Thorne reprirent :

— Je perds peut-être simplement du temps. Mais il m'a semblé que je me souvenais de ce nom.

— Certainement. Sutton est allé sur 61 du Cygne.

— Ah, c'est celui-là !

— Il est revenu ce matin.

— Alors, ça ne peut pas avoir été lui. Peut-être est-ce quelqu'un du même nom.

— Peut-être...

— Rien d'autre à signaler, ajouta Thorne. C'était simplement le nom qui me tracassait.

— Continuez votre enquête. Tenez-moi au courant si vous trouvez du nouveau.

— Je n'y manquerai pas. Au revoir.

— Merci d'avoir appelé.

Adams enleva le casque. Il ouvrit les yeux et la vue de son bureau, banal et bien terrien, avec le soleil qui brillait à travers la fenêtre, fut presque un choc physique.

Il s'affaissa sans force dans son fauteuil, réfléchit, rassembla ses souvenirs.

L'homme était venu à la tombée du jour, surgissant de l'ombre dans le patio. Il s'était assis dans le noir et avait parlé comme n'importe quel autre homme. Si ce n'est que les choses qu'il avait dites étaient insensées.

Quand il reviendra, Sutton devra être tué. Je suis votre successeur.

Des paroles insensées.

Incroyables.

Impossibles.

Et pourtant, peut-être aurais-je dû écouter. Peut-être aurais-je dû lui prêter attention au lieu de m'emporter.

Sauf qu'on ne tue pas un homme qui revient après vingt ans d'absence. Spécialement un homme comme Sutton.

Sutton est un homme, un vrai. L'un des meilleurs dont dispose le service. Aussi habile qu'on peut l'être, de vastes connaissances en psychologie extra-terrestre, une autorité en politique galactique. Aucun autre

44

n'aurait pu accomplir cette mission sur 61 du Cygne aussi bien que lui.

Si c'était lui. Je ne le sais pas, bien sûr. Mais il sera là demain et il me racontera tout. Un homme a bien droit à un jour de repos au bout de vingt ans.

Lentement, Adams rangea le mento-casque, allongea une main presque hésitante et appuya sur une touche.

Alice répondit.

— Envoyez-moi le dossier Asher Sutton.

— Bien, Mr Adams.

Adams s'installa confortablement dans son fauteuil.

La chaleur du soleil se faisait doucement sentir sur ses épaules. Le tic-tac de la pendule était rassurant.

C'était banal et réconfortant après le murmure des voix fantomales venues du fond de l'espace. Des pensées que nul ne pouvait situer, que nul ne pouvait suivre pour affirmer : « Celle-ci est partie de là et à tel moment. »

Cependant, on essayait, pensa Adams. L'homme essaie n'importe quoi, prend n'importe quel risque. Joue sans avoir la moindre chance.

Il eut un petit rire intérieur. En pensant à la bizarrerie de cette recherche.

Des milliers de gens à l'écoute de ces pensées désordonnées venant on ne savait d'où dans le temps et dans l'espace, guettant un indice, un signe, qui les mettrait sur la voie. Cherchant une miette de sens dans ce flot jacassant... A la poursuite d'un mot ou d'une phrase ou d'une pensée dissociée qui pourrait être traduite en une philosophie nouvelle, une technique ou une science nouvelles... ou quelque chose de nouveau dont la race humaine n'avait jamais même rêvé.

Un concept nouveau, se dit Adams en se parlant à lui-même. Un concept entièrement nouveau.

Il se morigéna.

Un concept nouveau pourrait être dangereux. La situation actuelle ne pouvait admettre quoi que ce soit qui sorte de la routine, qui ne cadre pas avec les habitudes humaines de pensée et d'action.

On ne pouvait tolérer la moindre perturbation. Il ne pouvait exister que la pure détermination entêtée de survivre, de serrer les dents et de tenir. De maintenir le *statu quo*.

Plus tard, un jour, dans des siècles, il pourrait y avoir temps, lieu et place pour un concept nouveau. Quand l'emprise de l'Homme serait plus ferme, quand le front serait mieux garni, quand une ou deux erreurs ne constitueraient plus un désastre.

L'Homme, pour le moment, était maître de tous les facteurs. Il avait la supériorité partout... Une faible supériorité, d'accord, mais une supériorité. Et il fallait que cela demeure ainsi. Rien ne devait faire pencher la balance dans le mauvais sens. Pas un mot, ni une pensée, ni un acte, ni un chuchotement.

7

Apparemment, ils le guettaient depuis un certain temps et ils l'interceptèrent lorsqu'il sortit de l'ascenseur pour se rendre à la salle à manger.

Ils étaient trois, alignés devant lui, paraissant bien résolus à ne pas le laisser s'échapper.

— Mr Sutton ? demanda l'un d'eux, et Sutton fit oui de la tête.

L'homme avait un aspect assez misérable. Il n'avait peut-être pas dormi tout habillé, mais c'était la première impression qu'il donnait. Il serrait une casquette élimée entre des doigts courts et sales. Ses ongles étaient bordés d'un noir de crasse.

— Que puis-je pour vous ? demanda Sutton.

— Nous voudrions vous parler, monsieur, si vous le permettez, dit la femme qui faisait partie du trio. Vous voyez, nous sommes une sorte de délégation.

Elle croisa ses mains grasses sur un ventre replet et fit de son mieux pour prendre un air radieux. L'effet en était gâché par les mèches de cheveux épars qui s'échappaient de son chapeau minable.

— J'allais déjeuner, fit Sutton, d'un ton hésitant, essayant d'avoir l'air pressé, et de faire passer un peu d'irritation dans sa voix tout en restant dans les limites de la civilité.

La femme garda son air radieux.

— Je suis Mme Jellicoe, dit-elle comme s'il devait

être heureux d'en être informé. Et ce monsieur, celui qui vous a parlé, est Mr Hamilton. Et voici le capitaine Stevens.

Le capitaine Stevens, remarqua Sutton, était un individu massif, mieux habillé que ses deux compagnons. Ses yeux bleus semblaient pétiller malicieusement, comme s'il voulait dire à Sutton : « Ces gens-là ne me plaisent pas plus qu'à vous, mais je suis avec eux et je ferai du mieux que je pourrai. »

— Capitaine ? dit Sutton. D'un vaisseau stellaire, je suppose ?

Stevens acquiesça :

— En retraite, dit-il. (Il s'éclaircit la gorge :) Nous sommes navrés de vous ennuyer, Sutton. Nous avons essayé de nous rendre à votre appartement mais nous n'avons pas pu. Nous avons attendu plusieurs heures. J'espère que vous ne nous décevrez pas.

— Cela ne prendra qu'un instant, promit Mme Jellicoe.

— Nous pourrions nous asseoir là-bas, dit Hamilton en tortillant sa casquette dans ses doigts sales. Nous vous avons gardé un fauteuil.

— Comme vous voudrez, répondit Sutton.

Il les suivit dans le coin d'où ils étaient sortis pour venir vers lui et prit place dans le fauteuil.

— Maintenant, dit-il, dites-moi de quoi il s'agit dans tout cela.

Mme Jellicoe prit une profonde respiration :

— Nous représentons la Ligue pour l'Egalité des Androïdes.

Stevens l'interrompit, réussissant à éviter le long discours que Mme Jellicoe semblait sur le point d'entreprendre.

— Je suis certain, dit-il, que Mr Sutton a entendu parler de nous à un moment ou un autre. La Ligue existe depuis de longues années.

— J'ai entendu parler de la Ligue, dit Sutton.

— Peut-être, dit Mme Jellicoe, avez-vous lu nos prospectus ?

— Non, dit Sutton. Je ne peux pas dire que j'en ai lus.

— En voilà quelques-uns, alors, dit Hamilton.

Il fouilla dans une poche intérieure de son manteau, en sortit une poignée de prospectus et de brochures défraîchies. Il les tendit à Sutton qui les prit du bout des doigts et les posa sur le plancher près de son fauteuil.

— En bref, dit Stevens, nous représentons la tendance selon laquelle on devrait accorder aux androïdes l'égalité avec la race humaine. Ils sont authentiquement humains à tous points de vue sauf un.

— Ils ne peuvent pas avoir d'enfants, laissa échapper Mme Jellicoe.

Stevens haussa ses sourcils roussâtres et jeta un regard à Sutton comme s'excusant à demi.

Il s'éclaircit de nouveau la gorge :

— C'est tout à fait exact, monsieur, reprit-il, ainsi que vous le savez probablement. Ils sont stériles, tout à fait stériles. En d'autres mots, la race humaine peut fabriquer, chimiquement, un corps parfaitement humain, mais elle a été incapable de résoudre le mystère de la conception biologique. De nombreux essais ont été tentés pour reproduire les chromosomes et les gènes, les ovules fertiles et le sperme, mais aucun n'a réussi.

— Un jour, peut-être... dit Sutton.

Mme Jellicoe secoua la tête.

— Nous ne sommes pas destinés à tout savoir, Mr Sutton, déclara-t-elle d'un ton dévôt. Il y a un Tout-Puissant qui nous garde de tout connaître. Il y a...

Stevens lui coupa la parole :

— En bref, monsieur, nous entendons faire accepter l'égalité entre la race humaine biologique, la race humaine née, et la race humaine chimiquement fabriquée qu'on appelle les androïdes. Nous soutenons

que les deux races sont fondamentalement semblables, que toutes deux sont humaines, que chacune a
droit à l'héritage commun de la race humaine.

« Nous, la race humaine biologique, originelle,
avons créé les androïdes afin de renforcer notre population, afin qu'il y ait plus d'êtres humains pour
occuper les postes de commandement et les centres
administratifs disséminés à travers la galaxie. Vous
n'ignorez probablement pas que la seule raison pour
laquelle nous n'avons pas pu prendre la galaxie plus
étroitement sous notre contrôle est le manque de
personnel dirigeant humain.

— Je le sais très bien, dit Sutton.

Et il pensait : Ce n'est pas étonnant. Pas étonnant
que la Ligue pour l'Egalité soit considérée comme
une bande de cinglés. Une vieille folle, un gros ba-
lourd répugnant, un capitaine en retraite de la flotte
de commerce spatiale, ne sachant comment passer
leur temps et n'ayant rien d'autre à faire.

— Voilà des milliers d'années, poursuivait Stevens,
que l'esclavage a été aboli entre une race humaine
biologique et une autre. Mais aujourd'hui, nous avons
un nouvel esclavage entre les humains biologiques
et les humains fabriqués. Car les androïdes sont une
propriété. Ils ne vivent pas leur vie en maîtres de
leur propre destinée, mais asservis, aux ordres d'une
forme de vie identique... identique à tous points de
vue sauf que l'une est biologiquement féconde et
que l'autre est stérile.

Et ça, pensa Sutton, c'est certainement quelque
chose qu'il a appris par cœur dans un livre. Comme
un agent d'assurances ou un vendeur d'encyclopédies
à domicile.

— Qu'attendez-vous de moi à ce propos ? dit-il tout
haut.

— Nous désirons que vous signiez une pétition, dit
Mme Jellicoe.

— Et que je verse une cotisation ?

50

— Pas du tout, dit Stevens. Votre signature sera suffisante. C'est tout ce que nous vous demandons. Nous sommes toujours heureux d'obtenir la preuve que des hommes prestigieux sont avec nous, que les hommes et les femmes de la galaxie qui réfléchissent, comprennent que nous luttons pour la justice.

Sutton repoussa son fauteuil et se leva.

— Mon nom ne vous apportera pas beaucoup de prestige.

— Mais, Mr Sutton...

— Je suis d'accord sur vos objectifs, dit Sutton, mais je suis sceptique sur vos méthodes pour y parvenir. (Il leur adressa un petit salut. Ils étaient encore assis dans leurs fauteuils :) Et maintenant il faut que j'aille déjeuner, conclut-il.

Il avait déjà franchi la moitié du hall quand quelqu'un lui saisit le bras. Il se retourna à moitié furieux. C'était Hamilton, sa casquette élimée à la main.

— Vous avez oublié quelque chose, dit-il en lui tendant les prospectus qu'il avait laissés sur le sol.

8

Sur le bureau d'Adams, un appel bourdonna. Il appuya sur une touche.

— Oui, dit-il, qu'y a-t-il ?

Les paroles d'Alice se bousculaient :

— Le... le dossier, monsieur. Le... le dossier Sutton...

— Que voulez-vous dire à propos du dossier Sutton ?

— Il a disparu

— C'est que quelqu'un s'en sert.

— Non, monsieur, ce n'est pas cela. Il a été volé.

Adams se leva brusquement.

— Volé ?

— Volé, confirma Alice. Exactement, monsieur. Il y a vingt ans.

— Mais il y a vingt ans...

— Nous avons vérifié tous les détails, dit Alice. Il a été volé exactement trois jours après que Mr Sutton fut parti pour 61 du Cygne.

9

L'avocat se présenta sous le nom de Wellington. Il avait peint son front d'une mince couche de laque plastique pour dissimuler la marque de son tatouage, mais le signe apparaissait si l'on regardait avec attention. Et sa voix était celle d'un androïde.

Il posa avec beaucoup de soin son chapeau sur la table, s'assit précautionneusement dans un fauteuil et mit sa serviette sur ses genoux. Il tendit un rouleau de papier à Sutton.

— Votre journal, monsieur, dit-il. Il était à votre porte. J'ai pensé que vous pourriez avoir envie de le lire.

— Merci, dit Sutton.

Wellington toussota.

— Vous êtes bien Asher Sutton ? demanda-t-il.

Sutton acquiesça.

— Je représente un certain robot qui était plus connu sous le nom de Buster. Vous vous souvenez peut-être de lui ?

Sutton se pencha vivement en avant.

— Si je me souviens de lui ? Voyons, il a été un second père pour moi. Il m'a élevé après que mes parents furent morts tous les deux. Il a été dans ma famille depuis près de quatre mille ans.

Wellington toussota de nouveau.

— Tout à fait exact, dit-il.

Sutton s'enfonça dans son fauteuil, écrasant le journal dans son poing.

— Ne me dites pas que...

Wellington fit un geste apaisant.

— Non, il n'a pas d'ennuis. Enfin, pas encore. Sauf si vous décidez de lui en faire.

— Que lui est-il arrivé ? demanda Sutton.

— Il s'est enfui.

— Grand Dieu ! Il s'est enfui. Et où cela ?

Wellington se tortilla, mal à l'aise dans son fauteuil :

— Vers l'une des étoiles de la Tour, je crois.

— Mais, objecta Sutton, c'est très loin. Presque aux extrêmes confins.

Wellington hocha la tête :

— Il s'est acheté un corps tout neuf et un astronef et l'a équipé de tous les approvisionnements nécessaires.

— Avec quoi ? questionna Sutton. Buster n'avait pas d'argent.

— Oh ! si, il en avait. De l'argent qu'il avait économisé — comment avez-vous dit ? — depuis quatre mille ans ou à peu près. Des pourboires d'invités, des cadeaux de Noël, une chose ou une autre. Tout cela s'additionne... en quatre mille ans. Placé à intérêts, vous comprenez ?

— Mais pourquoi ? demanda Sutton. Qu'a-t-il l'intention de faire ?

— Il a obtenu une concession sur une planète. Il n'est pas parti subrepticement. Il s'est enregistré comme colon, afin que vous puissiez le retrouver si vous le désirez. Il a utilisé le nom de votre famille, monsieur. Cela le gênait un peu. Mais il espérait que cela ne vous ennuierait pas.

Sutton secoua la tête :

— Mais pas du tout, dit-il. Il a bien droit à ce nom, au moins autant que moi.

— Donc, cela ne vous gêne pas. Toute cette affaire, je veux dire. Après tout, il vous appartenait.

— Non, dit Sutton, cela ne m'ennuie pas. Mais j'espérais bien le revoir. J'ai appelé notre vieille maison, mais ça ne répondait pas. J'ai pensé qu'il était peut-être sorti.

Wellington fouilla dans la poche intérieure de sa veste.

— Il a laissé une lettre pour vous, dit-il en la tendant.

Sutton la prit. Son nom était écrit sur l'enveloppe.

— Il m'a aussi laissé en garde une vieille malle, ajouta Wellington. En disant qu'elle contenait certains vieux papiers de famille que vous pourriez trouver intéressants.

Sutton resta assis en silence, le regard perdu dans la pièce, sans rien voir.

Il y avait un pommier devant la porte. Chaque année, le jeune Ash Sutton mangeait toujours ses pommes quand elles étaient encore vertes et Buster l'avait soigné à chaque fois, puis l'avait corrigé et lui avait appris à faire mieux attention à son organisme. Et quand le gosse qui habitait un peu plus bas sur la route l'avait rossé alors qu'il revenait de l'école, ç'avait été Buster qui l'avait emmené dans la cour de derrière et lui avait appris comment on se bat autant avec sa tête qu'avec ses poings.

Sutton serra les poings inconsciemment, en se rappelant son sentiment de satisfaction, ses jointures rougies. Le gosse du bas de la route, il s'en souvenait, avait soigné un œil poché pendant une semaine, et puis il était devenu son meilleur ami.

— A propos de la malle, monsieur, dit Wellington. Voulez-vous qu'elle vous soit livrée ?

— Oui, dit Sutton, s'il vous plaît.

— Elle sera ici demain matin.

L'androïde ramassa son chapeau, et se leva :

— Permettez-moi de vous remercier, monsieur, pour mon client. Il m'avait bien dit que vous seriez compréhensif.

— Pas compréhensif, dit Sutton. Simplement juste. Il a pris soin de nous pendant de longues années. Il a bien mérité sa liberté.

— Au revoir, monsieur, dit Wellington.

— Au revoir, et merci beaucoup.

L'une des sirènes sifflota impertinemment à l'adresse de Sutton.

— Un de ces jours, ma jolie, lui dit-il, tu feras cela une fois de trop.

Elle lui fit un pied de nez et plongea dans la fontaine.

La porte se referma derrière Wellington.

Lentement, Sutton ouvrit la lettre, en lissa l'unique feuillet :

Cher Ash — Je suis allé voir Mr Adams aujourd'hui et il m'a dit qu'il craignait que vous ne reveniez pas, mais je lui ai dit que je savais que vous reviendriez. Je n'agis donc pas ainsi en croyant que vous ne reviendrez pas et que vous n'en saurez jamais rien... car je sais que vous reviendrez. Depuis que vous m'avez quitté pour voler de vos propres ailes, je me suis senti vieux et inutile. Dans une galaxie où il y a tant de choses à faire, je ne faisais rien. Vous m'aviez dit que vous vouliez simplement que je continue de rester dans la vieille maison et que je ne me fasse aucun souci. Je savais que vous disiez cela parce que vous étiez bon et que vous ne vouliez pas me vendre même si je ne vous servais plus à rien. Aussi je vais faire quelque chose que j'ai toujours eu envie de faire. Je vais m'installer sur une planète. Elle a l'air agréable et je devrais pouvoir y faire quelque chose. J'arrangerai mon domaine et je me bâtirai une maison et peut-être un jour viendrez-vous m'y rendre visite.

Votre Buster.

P.S. — *Si jamais vous avez besoin de moi, vous pourrez savoir où je suis au bureau de la colonisation.*

Doucement, Sutton replia la feuille et la mit dans sa poche.

Assis dans son fauteuil, il écouta vaguement le murmure du ruisseau qui coulait à travers le paysage, au-dessus de la cheminée. Un oiseau chanta, un poisson sauta dans l'eau calme d'un méandre du ruisseau, presque à la limite de la fresque animée.

Demain, se disait-il, je verrai Adams. Peut-être arriverai-je à savoir s'il est derrière ce qui est arrivé. Quoique, pourquoi y serait-il ? Je travaille pour lui. J'exécute ses ordres. Il secoua la tête. Non, ce ne pouvait pas être Adams.

Mais il fallait que ce soit quelqu'un. Quelqu'un qui l'attendait à l'affût, qui à présent même le guettait.

Il haussa mentalement les épaules, prit le journal et l'ouvrit.

C'était *La Presse Galactique* et, depuis vingt ans, sa présentation n'avait pas changé. Des colonnes traditionnelles d'impression grise du haut en bas de la page, interrompues seulement par des titres laconiques. Les informations terriennes commençaient en haut et à gauche de la première page, suivies par les informations martiennes, par les informations vénusiennes, la colonne consacrée aux astéroïdes, la colonne et demie des satellites de Jupiter... puis les planètes plus lointaines Les informations venant du reste de la galaxie se trouvaient dans les pages intérieures. Un paragraphe ou deux pour chaque nouvelle. Comme les vieilles colonnes de nouvelles locales dans les journaux de province, bien des siècles auparavant.

Néanmoins, se dit Sutton, en ouvrant largement le journal, c'était la seule manière de s'en tirer. Il y avait tellement d'informations... des informations à propos de tant de mondes, de tant de secteurs de la galaxie... des nouvelles concernant des humains, des nouvelles concernant des androïdes, des robots, des nouvelles concernant des extra-terrestres. Chacune devait être résumée, condensée, comprimée, chaque mot devait en remplacer cent.

Il existait d'autres journaux, bien entendu, qui

couvraient des secteurs particuliers et ceux-là donnaient les nouvelles locales avec beaucoup plus de détails. Mais sur la Terre, on avait besoin d'informations sur l'ensemble de la galaxie... car la Terre était la capitale de la galaxie... une planète qui n'était qu'une capitale... une planète qui ne produisait pas de nourriture, qui ne permettait aucune industrie, qui ne s'occupait que de gouverner. Une planète dont chaque parcelle était l'œuvre de paysagistes et soignée comme une pelouse, un parc ou un jardin.

Sutton parcourut du regard la colonne des nouvelles de la Terre. Une secousse tellurique dans l'est de l'Asie. Une nouvelle ville sous-marine pour le logement des représentants ou des fonctionnaires de mondes recouverts par les eaux. La livraison de trois nouveaux vaisseaux interstellaires pour la ligne du Secteur 19. Et puis...

Asher Sutton, agent spécial de la Sûreté galactique, est rentré aujourd'hui de 61 du Cygne où il avait été envoyé, il y a vingt ans. Tout espoir de le voir revenir avait été abandonné depuis plusieurs années. Dès son atterrissage, une garde a été établie autour de son astronef et il s'est cloîtré aux Armes d'Orion. Toutes les tentatives de le joindre pour en obtenir une déclaration ont échoué. Peu après son arrivée, il a été défié en duel par Geoffrey Benton. Mr Sutton a choisi le pistolet, sans cérémonie.

Sutton relut l'entrefilet. *Toutes les tentatives de le joindre...*

Herkimer avait dit que des reporters et des photographes attendaient dans le hall et, dix minutes plus tard, Ferdinand avait juré qu'il n'y en avait pas. Il n'avait pas eu d'appels au vidéophone. On n'avait pas essayé de le joindre. Ou avait-on essayé ? Les tentatives avaient été adroitement stoppées. Stoppées par la même personne qui l'avait guetté, le même pouvoir qui était présent dans l'appartement quand il en avait franchi le seuil.

Il laissa tomber le journal et réfléchit.

Il avait été défié par l'un des meilleurs duellistes de la Terre, sinon le meilleur.

Le vieux robot de sa famille s'était enfui... ou avait été persuadé de s'enfuir.

Les tentatives de la presse pour le joindre avaient été bloquées... froidement.

Le vidéophone bourdonna et il sursauta.

Un appel.

Le premier depuis qu'il était arrivé.

Il se retourna dans son fauteuil et appuya sur la touche.

Un visage de femme apparut. Des yeux d'un gris de granit et un teint de magnolia, l'auréole d'une chevelure de cuivre.

— Je m'appelle Eva Armour, dit-elle. C'est moi qui vous avais demandé de m'attendre dans l'ascenseur.

— Je vous ai reconnue, dit Sutton.

— Je vous appelle pour vous faire des excuses.

— Ce n'est pas nécessaire...

— Mais si, Mr Sutton. Vous avez cru que je me moquais de vous et vraiment je n'y songeais pas.

— J'avais un air bizarre, dit Sutton. Vous aviez le droit de rire.

— Voulez-vous m'inviter à dîner ? demanda-t-elle.

— Certainement. J'en serais enchanté.

— Et m'emmener quelque part ensuite, suggéra-t-elle, pour finir la soirée.

— Avec plaisir.

— Je vous rejoindrai dans le hall à 7 heures, dit-elle, et je ne serai pas en retard.

L'écran du vidéo s'éteignit et Sutton se raidit dans son fauteuil.

Pour finir, avait-elle dit. Et il craignait bien qu'elle pût avoir raison.

Pour finir... se dit-il en lui-même, tu auras de la chance si tu es encore vivant demain.

Adams était assis, silencieux, en face des quatre hommes qui étaient venus le voir dans son bureau. Il essayait de deviner ce qu'ils pouvaient penser. Mais leurs visages étaient fermés.

Clark, l'ingénieur des constructions spatiales, serrait un livre dans sa main et son expression était figée et grave. Clark ne plaisantait pas... jamais. Anderson, l'anatomiste, un colosse bourru, allumait sa pipe et, pour le moment, cela semblait être pour lui la chose la plus importante du monde. Blackburn, le psychologue, considérait le bout allumé de sa cigarette, les sourcils froncés, et Shulcross, l'expert en linguistique, était affalé mollement dans son fauteuil, comme un sac vide.

— Clark, dit Adams, si vous commenciez.

— Nous avons visité à fond son astronef, dit Clark, et nous en avons conclu qu'il ne pouvait pas voler.

— Pourtant il a volé, dit Adams, Sutton l'a ramené ici. Clark haussa les épaules.

— Il aurait aussi bien pu utiliser un tronçon de bois. Ou un morceau de rocher. L'un ou l'autre aurait pu faire l'affaire. L'un ou l'autre aurait aussi bien volé, sinon mieux, que ce tas de ferraille.

— De ferraille ?

— Les moteurs étaient K.-O., dit Clark. Seuls les automatismes de sécurité les empêchaient de se désintégrer. Les hublots étaient fêlés, certains brisés. Une tuyère avait éclaté et était fichue. Tout le vaisseau était de travers.

— Vous voulez dire qu'il était tordu ?

— Il avait heurté quelque chose, déclara Clark. Heurté à grande vitesse et violemment. Les joints de la coque avaient cédé, les plaques métalliques étaient faussées, le vaisseau était complètement hors d'usage. Même si l'on avait pu faire démarrer les moteurs, on n'aurait jamais pu le piloter. Même avec les tuyères en bon état, on n'aurait pu le tenir en ligne de vol. Avec n'importe quel système de propulsion, il aurait simplement volé en tire-bouchon.

Anderson s'éclaicit la gorge.

— Que serait-il arrivé si Sutton avait été à bord au moment de la collision ?

— Il aurait été tué, dit Clark.

— Vous en êtes certain ?

— Cela ne fait aucun doute. Même un miracle n'aurait pu le sauver. Nous avons pensé à cela, nous aussi, et nous avons étudié la chose à fond. Nous avons établi un graphique, en y introduisant les facteurs de force les plus pondérés afin d'en déterminer les effets théoriques...

Adams l'interrompit :

— Cependant il devait être dans l'astronef...

Clark, secoua la tête avec obstination.

— S'il s'y trouvait, il est mort. Notre graphique démontre qu'il n'avait aucune chance de survivre. Si une force ne l'avait pas tué, une douzaine d'autres l'auraient fait.

— Sutton est revenu, fit remarquer Adams.

Ils se regardèrent tous les deux, presque avec colère.

Anderson rompit le silence :

— A-t-il essayé de réparer son astronef ?

Clark secoua la tête :

— Il n'y a aucune trace qui le prouve. C'eût été

inutile d'essayer. Sutton ne connaissait rien en mécanique. Pas la moindre des choses. Je l'ai vérifié. Il ne l'avait pas étudiée et n'avait pour elle aucun goût naturel. Et il faut un homme qui s'y connaît pour réparer un moteur atomique. Simplement le remettre en état, pas le reconstruire. Et en la circonstance, il aurait fallu une reconstruction complète.

Shulcross parla pour la première fois, doucement, tranquillement, sans abandonner son attitude mollasse.

— Peut-être nous y prenons-nous mal, dit-il. Nous commençons par le milieu. Si nous commencions par le commencement, que nous établissions d'abord les fondements, nous pourrions peut-être parvenir à une meilleure idée de ce qui est réellement arrivé.

Ils se tournèrent tous vers lui, se demandant ce qu'il voulait dire.

Shulcross vit que c'était à lui de continuer. Il s'adressa à Adams :

— Avez-vous une idée du genre de monde que peut être ce 61 du Cygne, la planète où est allé Sutton ?

Adams eut un pâle sourire.

— Nous n'en sommes pas très assurés. Peut-être assez semblable à la Terre. Nous n'avons jamais pu en approcher assez près pour le savoir. C'est la septième planète de l'étoile 61 du Cygne. Cela aurait pu être n'importe laquelle des seize planètes de ce système, mais on a calculé mathématiquement que la septième planète était celle qui avait le plus de chance de permettre la vie.

Il marqua un temps, regarda les visages qui l'entouraient et vit qu'ils attendaient la suite.

— L'étoile 61, reprit-il, est l'une de nos proches voisines. Elle fut l'un des premiers soleils vers lesquels l'homme se dirigea lorsqu'il quitta le système solaire. Et depuis, elle nous a toujours inquiétés.

— Parce que nous ne réussissions pas à en déchiffrer l'énigme, dit Anderson avec une grimace.

— C'est exact. Un système mystérieux dans une galaxie qui n'aurait guère de secrets pour l'Homme dès qu'il décidait d'y aller voir et de prendre la peine de les résoudre. Nous nous sommes, bien entendu, trouvés en face de toutes sortes de choses étranges. Des conditions d'existence sur des planètes, que nous n'avons pas pu surmonter jusqu'à aujourd'hui. Des créatures bizarres, dangereuses. Des systèmes économiques et des concepts philosophiques qui nous ont stupéfiés et qui nous donnent encore la migraine chaque fois que nous y pensons. Mais nous avons toujours pu, à tout le moins, savoir ce qui nous causait des difficultés, ce qui nous arrêtait. Avec le Cygne ce fut différent. Nous n'avons même pas pu y arriver. Les planètes sont enveloppées soit par des nuages, soit par un écran d'énergie, nous n'avons jamais pu voir la surface d'aucune d'entre elles. Et quand vous parvenez à quelques milliards de kilomètres de ce système, vous vous mettez à... glisser. (Il se tourna vers Clark :) C'est bien le mot, n'est-ce pas ?

— Il n'y a pas de mot pour cela, dit Clark, mais glisser exprime assez bien le phénomène. Vous n'êtes pas bloqué, ni ralenti, vous êtes dévié. Comme si votre vaisseau avait rencontré une plaque de glace, bien que ce soit plus glissant que la glace. Quoi que ce soit, on n'en détecte rien. Pas un signe, rien que l'on puisse voir ni rien qui provoque même la moindre oscillation sur les instruments, mais vous le rencontrez et vous glissez hors de votre trajectoire. Vous corrigez et vous glissez encore hors de votre trajectoire. Dans les premiers temps, cela rendait littéralement fous les hommes d'essayer d'atteindre ce système et de ne jamais pouvoir en approcher à plus d'un kilomètre d'une certaine ligne imaginaire.

— Comme si, ajouta Adams, quelqu'un avait tracé

du doigt une limite à ne pas franchir autour du système.

— C'est à peu près cela, dit Clark.

— Pourtant Sutton est passé à travers, dit Anderson.

Adams inclina la tête.

— Sutton est passé à travers, répéta-t-il.

— Je n'aime pas cela, déclara Clark. Je n'aime rien de tout cela. Quelqu'un a eu une idée formidable. Nos vaisseaux sont trop gros, a-t-on dit. Si nous en utilisions de plus petits, nous pourrions nous faufiler. Comme si ce qui nous arrêtait était un filet ou quelque chose de ce genre.

— Sutton est passé à travers, dit Adams, avec entêtement. On l'a lancé d'un vaisseau dans une vedette de sauvetage et il est passé. Sa petite machine est passée alors que les gros astronefs ne le pouvaient pas.

Clark secoua la tête avec la même obstination.

— Cela n'a aucun sens, dit-il. La petitesse ou la grosseur n'a rien à voir là-dedans. Il existe un autre facteur. Quelque part. Un facteur que nous n'avons jamais même imaginé. Sutton est bien passé, mais il s'est écrasé, et s'il était dans la vedette quand elle s'est écrasée, il est mort. Mais il n'est pas passé parce que son astronef était petit. Ce fut pour une autre raison.

Tous se turent, tendus, réfléchissant, attendant.

— Pourquoi avait-on choisi Sutton ? demanda finalement Anderson.

— La vedette était petite, répondit calmement Adams. Nous ne pouvions envoyer qu'un seul homme. Nous avons choisi l'homme que nous estimions pouvoir faire le meilleur travail, s'il passait.

— Et Sutton était cet homme ?

— Il était le meilleur, dit Adams d'un ton sec.

— Bon, apparemment, il était le meilleur, dit Anderson paisiblement. Il est passé.

— Ou on l'a laissé passer, dit Blackburn.

— Pas forcément, fit Anderson.

— On peut tout de même conclure cela, soutint Blackburn. Pourquoi voulions-nous pénétrer dans le système du Cygne ? Pour découvrir s'il était dangereux. C'était bien cela l'idée, n'est-ce pas ?

— C'était l'idée, répondit Adams. Tout ce qui est inconnu est potentiellement dangereux. Vous ne pouvez pas dire le contraire jusqu'à ce que vous en soyez certain. Sutton avait reçu comme instructions de déterminer si 61 était dangereux.

— Et si l'on suit le même raisonnement, ils voulaient en savoir autant sur nous, dit Blackburn. Nous avions rôdé et fureté autour d'eux depuis plusieurs milliers d'années. Ils pouvaient avoir aussi grande envie d'en savoir autant sur nous que nous sur eux.

Anderson hocha la tête.

— Je vois ce que vous voulez dire. Ils auraient couru le risque d'un homme seul, s'ils pouvaient l'attirer jusqu'à eux, mais n'auraient pas laissé un vaisseau armé pénétrer avec tout un équipage jusqu'à portée de tir.

— Exactement, dit Blackburn.

Adams écarta brusquement ces propos, et dit à Clark :

— Vous avez parlé de dégâts. Etaient-ils récents ?

Clark secoua la tête.

— Ils datent de vingt ans, à mon avis. Il y avait une couche de rouille. Et une partie des canalisations électriques commençait à être en très mauvais état.

— Supposons maintenant, dit Anderson, que Sutton, par quelque miracle, ait eu assez de connaissances pour réparer son vaisseau. Même dans ce cas, il aurait eu besoin de fournitures.

— Il lui en aurait fallu des masses ! fit Clark.

— Les habitants de 61 du Cygne pourraient les lui avoir procurées, suggéra Shulcross.

— S'il y a des habitants, dit Anderson.

65

— Je ne crois pas qu'ils auraient pu le faire, déclara Blackburn. Une race qui s'abrite derrière un écran d'énergie n'a pas le sens de la mécanique. S'ils connaissaient la mécanique, ils seraient allés dans l'espace. Au lieu de se protéger contre ce qui pouvait venir de l'espace. Je suis prêt à parier que les gens du Cygne ont l'esprit non mécanique.

— Mais l'écran ? demanda Anderson.

— Il n'a aucun besoin d'être mécanique, dit carrément Blackburn.

Clark claqua sa main ouverte sur son genou :

— A quoi servent toutes ces spéculations ? Sutton n'a pas réparé son vaisseau. Il l'a ramené, on ne sait comment, sans réparation. Il n'a même pas essayé de le remettre en état. Tout est recouvert de couches de rouille et on n'y trouve pas une marque d'outil.

Shulcross se pencha en avant :

— Il y a une chose que je ne comprends pas, dit-il. Clark dit que certains hublots étaient brisés. Cela signifie que Sutton a franchi onze années-lumière en étant exposé au vide de l'espace.

— Il s'est servi d'un scaphandre spatial, dit Blackburn.

— Il n'y en avait pas à bord, dit tranquillement Clark.

Il jeta un regard autour de la pièce comme s'il craignait que quelqu'un en dehors de leur petit cercle puisse écouter. Il baissa la voix.

— Et ce n'est pas tout. Il n'y avait pas de nourriture ni d'eau non plus.

Anderson secoua sa pipe contre la paume de sa main et le tapotement résonna sourdement dans la pièce. Soigneusement, délibérément, comme s'il se forçait à ne penser qu'à cela, il fit tomber la cendre de sa main dans un cendrier.

— J'ai peut-être une explication à cela, dit-il. Ou du moins une indication. Il reste encore beaucoup à

66

faire avant que nous arrivions à la solution. Et même alors nous ne pourrons avoir de certitude.

Il avait l'air gêné, conscient de tous les regards tournés vers lui.

— J'hésite à dire ce à quoi je pense, dit-il.

Personne ne souffla mot.

La pendule sur le mur dévidait son tic-tac.

Au loin, par la fenêtre ouverte, un criquet émit son bruit strident dans le calme de l'après-midi.

— Je ne crois pas, dit Anderson, que cet homme soit humain.

La pendule continua son tic-tac. Le criquet se tut.

Enfin Adams parla :

— Mais ses empreintes digitales correspondent. Les fonds d'œil aussi.

— Oh, c'est Sutton, d'accord, admit Anderson. Cela ne fait pas de doute. Sutton dans son apparence extérieure. Sutton en chair et en os. Le même corps, ou du moins une partie du même corps qui a quitté la Terre, voici vingt ans.

— Où voulez-vous en venir ? demanda Clark. S'il est le même, il est humain.

— Vous prenez un vieil astronef, dit Anderson, et vous le trafiquez. Vous ajoutez un machin ici, un autre là, vous enlevez quelque chose, vous modifiez autre chose. Qu'est-ce que vous obtenez ?

— Une machine truquée, dit Clark.

— C'est exactement ce que je voulais vous faire dire, reprit Anderson. Quelqu'un ou quelque chose a fait cela avec Sutton. Il est une machine truquée. Et la meilleure machine humaine que j'aie jamais vue. Il possède deux cœurs et son système nerveux est incohérent... euh, pas exactement incohérent, mais différent. Et il possède un système circulatoire supplémentaire. Pas exactement un système circulatoire, mais cela y ressemble. Seulement, il n'est pas relié au cœur. Pour le moment, dirai-je, il n'est pas utilisé. C'est comme un système de rechange. Un système se met à fonctionner mal et vous pouvez passer au système de rechange pendant que vous réparez l'autre.

Anderson mit sa pipe dans sa poche, se frotta les mains presque comme s'il se les lavait.

— Voilà, dit-il, c'est dit.

— Cela me semble impossible ! s'écria Blackburn.

Anderson ne parut pas l'avoir entendu et pourtant il lui répondit :

— Nous avons eu Sutton endormi à notre disposition pendant presque une heure, et nous avons tout enregistré de lui centimètre par centimètre, sur bande magnétique et sur film. Cela prend du temps pour analyser un cas comme celui-là. Nous n'avons pas encore terminé.

« Mais nous avons échoué sur un point. Nous avons utilisé un psychomètre et nous n'avons rien obtenu. Pas un frémissement, pas une pensée. Pas même la moindre fuite. Son esprit était fermé, totalement clos.

— Un défaut dans l'appareil, suggéra Adams.

— Non, dit Anderson. Nous avons vérifié. Le psychomètre fonctionnait très bien.

Il regarda autour de lui, d'un visage à un autre.

— Peut-être n'avez-vous pas saisi ce que cela implique, dit-il. Quand un homme est sous narcose ou endormi, ou en tout autre cas où il est inconscient, un psychomètre révélera tout sur lui. Il en tirera des choses qu'en état d'éveil l'intéressé jurerait ne pas savoir. Même lorsqu'un homme lutte contre le psychomètre, il y a certaines fuites et ces fuites augmentent à mesure que sa résistance mentale s'épuise.

— Mais cela n'a pas marché avec Sutton, dit Shulcross.

— C'est exact. Cela n'a pas marché avec Sutton. Je vous dis qu'il n'est pas humain.

— Et vous pensez qu'il est assez différent, physiquement, pour pouvoir vivre dans l'espace, vivre sans nourriture ni eau ?

— Je ne sais pas, avoua Anderson. (Il se mouilla les lèvres et son regard fit le tour de la pièce, comme un animal cherchant à s'échapper :) Je ne sais pas, répéta-t-il. Je ne sais tout simplement pas.

— Ne nous laissons pas démonter, dit doucement Adams. L'étrangeté n'a rien d'insolite pour nous. Ce fut peut-être le cas autrefois, quand les hommes allèrent pour la première fois dans l'espace. Mais aujourd'hui...

Clark l'interrompit impatiemment :

— L'étrangeté en soi ne m'inquiète pas. Mais quand un homme sort à ce point de la normale... (Il avala sa salive, se tourna vers Anderson :) Pensez-vous qu'il soit dangereux ?

— C'est possible.

— Même s'il l'est, il ne peut pas nous faire grand mal, dit calmement Adams. Son appartement est littéralement bourré de dispositifs d'espionnage.

— A-t-on déjà des rapports ? demanda Blackburn.

— Rien de particulier, Sutton se laisse vivre tranquillement. Il a eu quelques appels vidéo. Il en a lancé quelques-uns. Il a eu une visite ou deux.

— Il sait qu'il est surveillé, dit Clark. Il joue la comédie.

— On prétend, dit Blackburn, que Benton l'a défié en duel.

Adams inclina la tête :

— Oui, c'est exact. Et Ash a tenté de se dérober. Cela ne paraît pas montrer qu'il soit dangereux.

— Peut-être, émit Clark comme avec espoir, que Benton réglera cette affaire pour nous.

— J'ai comme l'impression, dit Adams avec un mince sourire, qu'Ash pourrait bien avoir passé l'après-midi à mijoter un sale coup contre notre Mr Benton.

Anderson avait repris sa pipe et la bourrait ; Clark fouillait ses poches à la recherche d'une cigarette.

Adams regarda Shulcross.

— Vous avez quelque chose à dire, Mr Shulcross ? L'expert en linguistique acquiesça.

— Mais ce n'est pas tellement excitant. Nous avons ouvert la mallette de Sutton et nous y avons trouvé un manuscrit. Nous l'avons photocopié et remis bien en place. Mais jusqu'ici, cela ne nous a rien apporté. Nous ne pouvons pas en lire un mot.

— Codé ? fit Blackburn.

Shulcross secoua la tête :

— Si c'était un code, nos robots l'auraient décrypté. En une heure ou deux. Non, ce n'est pas un code. C'est un langage. Et avant qu'on en ait trouvé la clé, un langage ne peut pas être déchiffré.

— Vous avez vérifié, bien entendu ?

Shulcross eut un sourire maussade.

— Jusqu'aux anciennes langues mortes de la Terre... jusqu'à Babylone et la Crète. Nous avons tenté des recoupements avec tous les dialectes de la galaxie. Aucun n'en est proche.

— Un langage, fit Blackburn. Un langage nouveau. Cela signifie que Sutton a découvert quelque chose.

— Sutton en est capable, dit Adams. Il est le meilleur agent dont je dispose.

Anderson s'agita dans son fauteuil.

— Vous avez de la sympathie pour Sutton ? demanda-t-il. Une sympathie personnelle ?

— Oui, dit Adams.

— Adams, reprit Anderson. Il y a une chose qui m'étonne, une chose qui m'a paru bizarre depuis le début.

— Oui, qu'est-ce que c'est ?

— Vous saviez que Sutton revenait. Vous le saviez presque à la minute près. Et vous lui avez tendu une vraie souricière. Comment cela se fait-il ?

— Simple intuition.

Pendant un long moment tous les quatre restèrent assis à le regarder. Puis ils virent qu'il n'avait pas l'intention d'en dire plus. Ils se levèrent pour s'en aller.

11

Au fond de la salle, s'égrena le rire excité d'une femme. Les lumières passèrent d'un bleu sombre d'avril à un gris violacé de délire, et la salle devint un autre monde flottant dans un calme subit qui n'était pas tout à fait le silence. Un parfum vint, porté par une brise qui effleurait la joue d'un froid de glace... un parfum qui évoquait des orchidées noires dans un ailleurs de terreur et de fièvre.

Le plancher oscilla sous les pieds de Sutton et il sentit la petite main d'Eva qui se crispait sur son bras.

Le Zag leur parla. Ses paroles n'étaient que des sons mats et creux qui tombaient un à un d'une carcasse momifiée.

« Que désirez-vous ? Ici, vous vivez la vie que vous voulez... vous trouvez l'occasion que vous cherchez... Vous possédez les choses dont vous rêvez... »

— Il existe une rivière, dit Sutton, un petit ruisseau...

La lumière passa au vert, un vert féérique qui luisait d'une vie douce, tranquille, d'une vie exubérante, printanière, plein d'espérance de choses à venir, et il y avait des arbres, des arbres éclairés, auréolés du vert éclatant et ensoleillé des premiers bourgeons éclos.

Sutton remua les orteils et reconnut l'herbe, la première herbe tendre du printemps, il sentit les anémones et les sanguinaires qui n'avaient presque pas d'odeur... et le parfum plus fort des œillets qui fleurissaient sur la colline de l'autre côté du ruisseau.

Il est trop tôt, se dit-il, pour que les œillets soient en fleur.

Le ruisseau murmurait sur les galets, courant vers le Grand Trou. Sutton marchait rapidement à travers l'herbe de la prairie, sa canne à pêche serrée dans une main, la boîte de vers dans l'autre.

Une mésange bleue passa comme un éclair dans les arbres qui se dressaient sur le talus au bout de la prairie et un rouge-gorge chanta au sommet du gros orme qui s'élevait au-dessus du Grand Trou.

Sutton retrouva sur la berge l'endroit pelé qui formait comme un siège avec le tronc de l'orme pour dossier. Il s'y assit et se pencha en avant pour regarder dans l'eau. Le courant était fort, sombre et profond, il venait battre en gargouillant le long de la berge avec une force qui faisait naître de minuscules tourbillons.

Sutton retint son souffle, contenant son émotion. D'une main tremblante, il choisit le plus gros ver, le sortit de la boîte et l'enfila sur l'hameçon.

Haletant, il lança sa ligne dans l'eau, inclina sa canne pour l'avoir mieux en main. Le bouchon dériva dans le courant tournoyant, flotta dans un remous qui ramenait l'eau en arrière. Après une saccade, il disparut presque, puis revint à la surface et flotta de nouveau.

Sutton se pencha, tendu, les bras douloureux de cette tension. Mais malgré cela, il savourait le bonheur du jour... la paix et la tranquillité absolue... la fraîcheur du matin, la douce chaleur du soleil, le bleu du ciel, la blancheur des nuages. L'eau lui parlait et il se sentit grandir, devenir un être qui comprenait, faisait partie du pur ravissement des collines et du ruisseau et de la prairie... la terre, les nuages, et le soleil.

Et le bouchon plongea d'un coup !

Sutton ferra sec et sentit le poids du poisson qu'il avait pris. Le poisson décrivit un arc par-dessus sa tête et tomba dans l'herbe derrière lui. Il posa sa canne, se leva d'un bond et courut.

Le chub(1) se débattait dans l'herbe. Il prit la ligne et la souleva. C'était une belle prise ! Au moins quinze centimètres de long !

A demi suffoqué d'émotion, il tomba sur les genoux, saisit le poisson, retira l'hameçon avec des doigts que leur tremblement rendait maladroits.

— Un poisson de quinze centimètres pour commencer, dit-il à l'adresse du ciel et du ruisseau et de la prairie. Peut-être en prendrai-je une douzaine qui, tous, auront quinze centimètres de long. Peut-être certains seront-ils même plus gros. Peut-être...

— Bonjour, dit une voix enfantine.

Sutton se retourna, toujours à genoux.

Une petite fille se tenait près de l'orme, et il lui sembla un instant qu'il l'avait déjà vue quelque part. Puis il se rendit compte qu'il ne la connaissait pas et il se renfrogna un peu, car les filles n'étaient pas bonnes à grand-chose quand il s'agissait de pêche. Il espéra qu'elle s'en irait vite. Mais ce serait bien son genre de tourner autour de lui et de lui gâcher sa journée.

— Je m'appelle... dit-elle, en donnant un nom qu'il ne saisit pas parce qu'elle zézayait un peu.

Il ne répondit pas.

— J'ai huit ans, ajouta-t-elle.

— Je m'appelle Asher Sutton, lui dit-il, et j'ai dix ans, bientôt onze.

Elle resta plantée là à le regarder, tirant timidement sur le tablier à carreaux qu'elle portait. Il re-

_____

(1) Petit « poisson blanc » américain (N.d.T.).

74

marqua que ce tablier était propre et empesé, raide et bien net, et qu'elle le froissait en le tiraillant ainsi.

— Je suis en train de pêcher, annonça-t-il en s'efforçant le plus qu'il put de ne pas avoir l'air d'y attacher trop d'importance. Et je viens d'en prendre un gros.

Il vit ses yeux s'élargir de terreur soudaine à la vue de quelque chose qui arrivait derrière lui et il fit volte-face, non plus sur les genoux, mais dressé sur ses pieds, et sa main se glissa dans la poche de sa veste.

Tout était gris violacé et on entendait un rire aigu de femme, et un visage était devant lui... un visage qu'il avait vu cet après-midi et qu'il n'oublierait jamais.

Un visage empâté, celui d'un homme évolué qui, même à ce moment, rayonnait de jovialité, rayonnait en dépit du regard dangereux, en dépit du pistolet qui s'élevait déjà dans une poigne grasse et velue.

Sutton sentit ses doigts toucher la crosse du pistolet qu'il portait, les sentit s'en saisir et l'arracher de sa poche. Mais il était déjà trop tard, il le savait, trop tard pour tirer avant le jet de flamme craché par l'arme qui avait déjà quelques secondes d'avance.

La colère flamba en lui, froide, furieuse, mortelle. Colère contre cette poigne grasse, ce visage souriant... ce visage qui souriait aussi bien derrière un échiquier que derrière un pistolet Le sourire d'un orgueilleux qui voulait battre un robot construit pour jouer parfaitement aux échecs... un orgueilleux qui croyait pouvoir abattre Asher Sutton.

Cette colère, constata-t-il, était plus que de la colère, quelque chose de plus fort et de plus terrible que la simple réaction des surrénales humaines. Elle faisait partie de lui et de quelque chose qui était plus que lui, plus que cet être mortel de sang et de chair nommé Asher Sutton. Une créature redoutable d'essence non humaine.

Le visage qui était devant lui s'affaissa... ou sembla s'affaisser. Il changea et le sourire disparut. Sutton sentit la colère s'élancer de son cerveau et frapper avec la force d'un projectile le personnage faiblissant qu'était Geoffrey Benton.

Le pistolet de Benton tonna et sa flamme jaillit rouge-sang dans la lumière violette. Puis Sutton sentit le bruit sourd de son propre pistolet, le choc de son recul contre sa main et son poignet quand il appuya sur la détente.

Benton s'effondrait, en tournant sur lui-même, plié en deux à la hauteur de l'estomac, et Sutton eut encore une brève vision de son visage teinté de violet, avant qu'il ne s'affale sur le sol. La surprise, l'angoisse et une terreur insurmontable étaient inscrites sur ces traits déformés au point de ne plus rien avoir d'humain.

Le fracas des pistolets avait réduit la salle au silence, et dans la lumière crue où flottait la fumée de la poudre, Sutton vit les taches blanches de nombreux visages qui le fixaient. Des visages dont la plupart étaient sans expression, bien que certains eussent la bouche ouverte, béante.

Il sentit qu'on le tirait par le coude et il avança, guidé par la main qui lui avait pris le bras. Il avait soudain l'impression d'être sans énergie, vidé ; sa colère était tombée et il se dit : « Je viens de tuer un homme. »

— Vite, disait la voix d'Eva Armour. Il faut que nous sortions d'ici. Ils vont se précipiter sur vous. Comme une meute déchaînée.

— C'était vous, fit-il. Je me souviens maintenant. Je n'avais pas saisi le nom d'abord. Vous l'avez murmuré... ou je crois que vous zézayiez, et je ne l'ai pas entendu.

La jeune fille l'entraînait toujours.

— Ils avaient conditionné Benton. Ils croyaient que c'était tout ce dont ils avaient besoin. Ils n'avaient

76

jamais imaginé que vous puissiez avoir le dessus dans un duel avec lui.

— C'était vous la petite fille, dit gravement Sutton. Vous aviez un tablier à carreaux et vous ne cessiez de tirer dessus comme si vous étiez timide.

— Au nom du ciel, de quoi parlez-vous ?

— Voyons, j'étais à la pêche, dit Sutton, et je venais d'en prendre un gros quand vous êtes arrivée...

— Vous êtes fou. Vous n'étiez absolument pas à la pêche.

Elle ouvrit une porte, le poussa dehors et l'air frais de la nuit lui frappa au visage.

— Attendez une seconde, s'écria-t-il. (Il se retourna, saisit brutalement les bras de la jeune fille.) Ils ? lança-t-il. De qui parlez-vous ? Qui sont ces « ils » ?

Elle le regarda avec de grands yeux.

— Vous voulez dire que vous ne savez pas ?

Il secoua la tête, déconcerté.

— Pauvre Ash ! fit-elle.

Sa chevelure de cuivre rutilait comme une flamme dans le clignotement de l'enseigne qui s'allumait et s'éteignait au-dessus de la façade de la Maison du Zag :

REVES A LA DEMANDE
Vivez la vie que vous n'avez pas eue
Rêvez-en une qui soit difficile pour nous

Un portier androïde demanda doucement :

— Vous désirez une voiture, monsieur ?

Tandis qu'il parlait, la voiture arrivait déjà par l'allée dans un glissement silencieux, comme un gros scarabée noir sorti de la nuit. L'androïde tendit le bras, ouvrit largement la portière.

— Faites vite ! dit-il.

Quelque chose dans sa voix douce, mal articulée, fit se hâter Sutton. Il monta dans la voiture et entraîna Eva. L'androïde claqua la portière.

Sutton écrasa l'accélérateur et la voiture bondit, vrombissante, dans l'allée en courbe, passa sur la route rapide, rugit d'impatience déchaînée en fonçant vers les collines lointaines

— Où allons-nous ? demanda Sutton.

— Retournons aux *Armes d'Orion*, dit-elle. Ils n'oseraient rien y tenter contre vous. Votre appartement est bourré de rayons-espions.

Sutton eut un petit rire.

— Il faut que j'y fasse attention, sinon je marcherais dessus. Mais comment le savez-vous ?

— C'est mon travail de le savoir.

— Amie ou ennemie ?

— Amie, dit-elle.

Il tourna la tête et la regarda. Elle s'était blottie sur le siège. Oui, c'était une petite fille... mais elle n'avait pas de tablier à carreaux et elle n'était pas timide.

— Je ne crois pas, dit Sutton, que cela servirait à quelque chose de vous poser des questions.

Elle secoua la tête.

— Si je le faisais, reprit-il, vous me mentiriez probablement.

— S'il le fallait.

— Je pourrais vous obliger à répondre.

— Vous pourriez, mais vous ne le ferez pas. Vous voyez, Ash, je vous connais très bien.

— Vous ne m'avez rencontré qu'hier.

— Oui, je sais, dit-elle, mais je vous étudie depuis vingt ans.

— Vous n'avez pas du tout pensé à moi ! dit-il en riant. Vous avez simplement...

— Et, Ash...

— Oui ?

— Je pense que vous êtes merveilleux.

Il lui lança un rapide coup d'œil. Elle était toujours blottie dans son coin du siège ; le vent avait rabattu une mèche de ses cheveux cuivrés en travers de son visage... Son corps était exquis et son visage radieux. Et pourtant, se dit-il, et pourtant...

— Cela, c'est gentil de votre part, murmura-t-il, et j'ai envie de vous embrasser pour me l'avoir dit.

— Vous pouvez m'embrasser, Ash, quand vous voudrez.

Il resta interdit un instant, puis ralentit la voiture et l'embrassa.

12

La malle arriva le lendemain matin alors que Sutton terminait son petit déjeuner.

Elle était vieille et en piteux état, son antique gaine de cuir brut tombait en lambeaux, révélant son squelette d'acier terni, rongé çà et là par la rouille. Les souris avaient complètement dévoré le cuir d'un côté. Sutton se souvenait d'elle... c'était celle qui était dans le coin, tout au fond du grenier, quand il était enfant et qu'il y montait pour jouer, les après-midi de pluie.

Il ramassa l'exemplaire soigneusement plié de l'édition du matin de la *Presse Galactique* qui était arrivé avec le plateau du petit déjeuner et il l'ouvrit.

L'entrefilet qu'il cherchait était à la première page, le troisième dans la colonne des nouvelles de la Terre.

Mr Geoffrey Benton a été tué hier soir lors d'une rencontre sans cérémonie, dans l'un des centres de divertissement du quartier de l'université. Le vainqueur était Mr Asher Sutton qui est revenu hier seulement d'une mission sur 61 du Cygne.

Il y avait une phrase de conclusion, la plus dure qui pût être écrite à propos d'un duelliste.

Mr Benton a tiré le premier et a manqué son adversaire.

Sutton replia le journal et le posa soigneusement sur la table. Il alluma une cigarette.

J'avais pensé que ce serait moi, se dit-il, je n'avais jamais tiré avec ce genre de pistolet auparavant... c'est à peine si je savais que cela existait. Sinon que je l'avais lu. Mais je ne m'intéressais pas au duel, et les duellistes, les collectionneurs et les antiquaires étaient les seuls qui pouvaient connaître ces armes anciennes.

Bien entendu, en réalité, je ne l'ai pas tué. Benton s'est tué lui-même. S'il ne m'avait pas manqué — et il n'avait aucune excuse pour me manquer — l'entrefilet aurait été rédigé à l'inverse :

Mr Asher Sutton a été tué hier soir lors d'une rencontre...

« Pour finir la soirée », avait dit Eva Armour, et elle devait savoir. Nous irons dîner et ensuite finir la soirée. Finir la soirée et Geoffrey Benton vous tuera chez le Zag.

Oui, se dit Sutton, elle devait savoir. Elle en sait trop. Par exemple, au sujet des rayons-espions dans cet appartement. Et au sujet de quelqu'un qui aurait conditionné Benton pour me défier en duel et me tuer.

Elle a répondu « amie » quand je lui ai demandé « amie ou ennemie », mais un mot, c'est facile. N'importe qui peut prononcer un mot et il n'y a aucun moyen de savoir s'il est sincère ou non.

Elle a dit qu'elle m'avait étudié depuis vingt ans et c'est faux, car il y a vingt ans, je partais pour le Cygne et j'étais sans importance. Un simple rouage dans une grande machine. Je suis toujours sans importance pour tout le monde, sauf pour moi, et pour une grande idée dont aucun être humain, sauf moi, ne peut rien savoir. Car qu'importe que le manuscrit ait été photocopié, il n'existe personne capable de le lire.

Elle a répondu « amie » quand je lui ai demandé « amie ou ennemie ». Et elle savait que Benton avait été conditionné pour me défier en duel et me tuer.

Et elle m'a appelé et m'a demandé de l'emmener dîner.

Et les mots sont faciles à dire. Mais il est d'autres choses que les mots et qui ne sont pas si faciles à faire passer du mensonge à la vérité... la manière dont ses lèvres ont répondu aux miennes, la douceur de ses doigts caressant ma joue.

Il écrasa sa cigarette, se leva et marcha jusqu'à la malle. La serrure était rouillée et la clé dure à tourner, mais il réussit à l'ouvrir et souleva le couvercle.

La malle était à moitié remplie de papiers très soigneusement rangés. En les regardant, Sutton ne put s'empêcher de rire. Buster avait toujours été un méthodique. Mais il est vrai que tous les robots le sont. Méthodiques et — comment avait dit Herkimer ? — têtus, c'était bien cela. Méthodiques et têtus.

Il s'accroupit sur le plancher près de la malle et commença de fouiller. De vieilles lettres réunies en paquets bien ficelés. Un vieux carnet de notes datant du temps de ses études. Une liasse de documents agrafés et qui étaient sans doute périmés. Un album bourré de coupures de presse qui n'avaient pas été collées. Un album à demi plein d'une collection de timbres sans valeur.

Il s'assit sur ses talons et tourna doucement les pages de l'album ; son enfance lui revenait à la mémoire. Des timbres sans valeur parce qu'il n'avait pas d'argent pour en acheter d'autres. Des timbres aux couleurs criardes parce qu'ils lui plaisaient. La plupart d'entre eux en assez mauvais état, mais il y avait eu un temps où ils avaient paru merveilleux.

Cette folie des timbres, se rappela-t-il, n'avait duré que deux ans... trois au plus. Il s'était plongé dans des catalogues, avait fait des échanges, acheté des pochettes bon marché, appris le jargon de la philatélie... perforé, non perforé, teintes, filigranes, gravure...

Il sourit intérieurement au plaisir de ces souvenirs. Il y avait eu des timbres qu'il aurait désirés mais n'aurait jamais pu avoir, et il en avait étudié les images jusqu'à ce qu'il les connaisse par cœur. Il leva les yeux, fixa le mur d'en face et essaya de se rappeler à quoi ressemblaient quelques-uns d'entre eux mais il n'en avait plus aucun souvenir. Cette chose qui autrefois avait eu tant d'importance était enterrée sous plus de cinquante années d'autres choses de bien plus d'importance.

Il mit l'album de côté et revint à la malle.

Encore des carnets de notes et des lettres. Et des coupures de journaux éparses. Une clé à mâchoires d'une forme curieuse. Un os tout rongé qui avait probablement été la propriété et la joie d'un des chiens de la famille, bien aimé mais aujourd'hui oublié.

Des vieilleries, se dit Sutton. Buster aurait pu éviter de perdre son temps et les faire simplement brûler.

Deux vieux journaux. Un fanion d'école mangé aux mites. Une épaisse enveloppe qui n'avait jamais été ouverte.

Sutton la lança sur le tas de papiers qu'il avait sortis de la malle, puis il hésita, avança la main et la reprit.

Le timbre avait l'air bizarre. La couleur d'abord.

Sa mémoire fonctionnait de nouveau et il revit le timbre tel qu'il l'avait vu quand il était adolescent... Pas le timbre lui-même, bien sûr, mais son image dans un catalogue.

Il regarda l'enveloppe de plus près et eut un brusque sursaut.

Le timbre était ancien, incroyablement ancien... incroyablement ancien et valait... Grand Dieu, combien pouvait-il valoir ?

Il essaya de déchiffrer l'oblitération, mais elle était si effacée par le temps qu'elle se brouillait sous ses yeux.

Il se leva, porta l'enveloppe sur la table et se pencha, essayant de deviner le nom de la ville.

BRIDGEP..., *WIS...*

Bridgeport, probablement. Et Wis ?... Un ancien Etat, peut-être. Une division politique perdue dans la brume du passé.

Jul... 198...

Juillet 1980 et quelque !

Cela datait de six mille ans !

La main de Sutton trembla.

Une enveloppe non décachetée, mise à la poste soixante siècles plus tôt. Mêlée à ce tas de vieilleries, glissée entre un os rongé et une drôle de clé à mâchoires.

Une enveloppe non décachetée... avec un timbre qui valait une fortune.

Sutton relut l'oblitération. Bridgeport, Wis... on aurait dit le 11... le 11 juillet 198... Le chiffre de l'année était trop effacé pour pouvoir le lire. Peut-être avec une bonne loupe serait-ce possible.

L'adresse était pâle mais encore lisible.

Mr John H. Sutton,
Bridgeport, Wisconsin

Voilà ce que WIS signifiait : Wisconsin.

Et le nom était Sutton.

Naturellement, il fallait que ce fût Sutton.

Qu'avait dit l'avocat androïde de Buster ? Une malle pleine de papiers de famille.

Il faudra que je regarde dans un atlas historique, se dit Sutton, pour voir où se trouvait au juste le Wisconsin.

Mais John Sutton ? John H. Sutton. Cela, c'était autre chose. Simplement un autre Sutton, qui n'était plus que poussière depuis une multitude d'années. Un homme qui oubliait parfois d'ouvrir ses lettres.

Sutton retourna l'enveloppe et l'examina. Aucun signe qu'on eût tenté de l'ouvrir. La colle ne tenait plus qu'à peine et quand il passa un ongle sous un coin du rabat, elle tomba en poussière. Le papier, constata-t-il, était devenu fragile et devait être manié avec précaution.

Une malle pleine de papiers de famille, avait dit l'androïde Wellington quand il était venu, s'était assis tout au bord d'un fauteuil et avait posé soigneusement son chapeau sur la table.

En fait, c'était une malle pleine de vieilleries : des os et des clés à mâchoires, des agrafes et des coupures de journaux. De vieux carnets de notes et des lettres. Et une enveloppe qui avait été mise à la poste il y a six mille ans et n'avait jamais été ouverte.

Buster avait-il eu connaissance de cette enveloppe ?... Et tout en se posant la question, Sutton en était persuadé.

Et Buster avait voulu la cacher... et il y avait réussi. Il l'avait enfouie parmi d'autres vieux objets, sachant bien qu'elle serait retrouvée, mais par celui à qui elle était destinée. Car la malle avait été délibérément arrangée pour paraître sans importance. Elle était vétuste et délabrée, la clé était dans la serrure ; tout semblait dire : il n'y a rien là-dedans mais si vous avez du temps à perdre, allez-y, regardez. Et si quelqu'un avait regardé, le fouillis n'aurait paru rien de plus que ce qu'il était... un bric-à-brac de vieilleries sans autre valeur que sentimentale.

Sutton allongea un doigt et tapota la lettre posée sur la table.

John H. Sutton, un ancêtre éloigné de six mille ans. Son sang coule dans mes veines, quoiqu'il ait été bien des fois dilué. Un homme qui vécut et respira, qui mangea et mourut, qui contempla le lever du soleil sur les vertes collines du Wisconsin... si le Wisconsin, où qu'il pût être avait des collines, un homme qui avait connu la chaleur torride l'été et grelotté de froid l'hiver. Qui lisait les journaux et discutait de politique avec ses voisins, qui s'inquiétait à propos de beaucoup de choses, importantes ou non, pour la plupart sans grande importance, comme le sont les soucis en général.

Il allait pêcher dans la rivière à quelque distance de chez lui et il avait dû bricoler dans son jardin, sur ses vieux jours, quand il n'avait plus grand-chose d'autre à faire.

Un homme comme moi, bien que sans doute avec quelques petites différences. Lui aussi avait un appendice vermiforme et celui-ci lui avait peut-être causé des ennuis. Il avait des dents de sagesse et elles aussi pouvaient lui avoir donné du tracas. Et il était probablement mort à quatre-vingts ans ou peu après, quoiqu'il pût aussi bien être mort beaucoup plus tôt. Alors que moi, quand j'aurai quatre-vingts ans, se dit Sutton, je ne ferai qu'atteindre la force de l'âge.

Cependant, il devait y avoir eu des compensations. John H. Sutton avait vécu plus près de la Terre, car la Terre était tout son bien. Sa vie n'avait pas été empoisonnée par la psychologie extra-terrestre, et la Terre était alors un endroit où l'on vivait au lieu d'être le siège du gouvernement où rien n'était cultivé pour sa valeur utile, où pas un rouage ne tournait pour l'économie. Il avait pu choisir ce qu'il ferait dans la vie parmi toutes les vastes possibilités de l'entreprise humaine au lieu d'être embrigadé dans une fonction gouvernementale, astreint à la tâche de gouverner l'étendue fragile d'un empire galactique.

Et, longtemps avant lui, avaient existé des Sutton maintenant disparus, et après lui, bien d'autres Sutton, disparus eux aussi. La chaîne de la vie passe doucement d'une génération à la suivante et aucun de ses maillons ne se distingue des autres, sauf çà et là un maillon que l'on aperçoit par accident. Par un accident de l'histoire ou pour n'avoir pas, par accident, ouvert une lettre.

Le carillon de la porte résonna. Sutton sursauta,

ramassa la lettre et la glissa dans la poche intérieure de sa veste.

— Entrez ! fit-il.

C'était Herkimer.

— Bonjour, monsieur.

Sutton lui lança un regard furieux :

— Que voulez-vous ?

— Je suis votre propriété, répondit affablement Herkimer. Je fais partie de votre tiers des biens de Benton.

— Mon tiers ?...

Puis il se souvint.

C'était la loi. Quiconque tue son adversaire en duel hérite du tiers des biens du mort. C'était la loi... une loi qu'il avait oubliée.

— J'espère que vous n'y voyez pas d'objection, dit Herkimer. Je suis très complaisant, j'apprends très vite et j'aime le travail. Je peux cuisiner, coudre, faire les courses et je sais lire et écrire.

— Et tout aller raconter sur moi.

— Oh non, je ne ferai jamais cela.

— Pourquoi ?

— Parce que vous êtes mon maître.

— On verra cela, fit Sutton aigrement.

— Mais vous n'héritez pas que de moi, dit Herkimer. Il y a d'autres choses. Un astéroïde, un astéroïde de chasse, peuplé du meilleur gibier et un astronef. Petit, c'est vrai, mais très pratique. Plusieurs milliers de dollars aussi, avec un domaine sur la côte ouest, un paquet d'actions d'entreprises extravagantes de développement planétaire, et pas mal d'autres petites choses trop nombreuses pour les citer.

Herkimer fouilla dans sa poche et en sortit un carnet de notes.

— Je les ai par écrit, si vous voulez que je vous les lise.

— Pas maintenant, dit Sutton. J'ai du travail.

Herkimer s'épanouit.

— Quelque chose que je peux faire, sans doute. Ou quelque chose en quoi je peux vous aider.

— Non, dit Sutton. Je vais aller voir Adams.

— Je pourrais porter votre mallette. Celle qui est là-bas.

— Je ne l'emporte pas.

— Mais, monsieur...

— Tu t'assois, tu te croises les bras et tu attends que je revienne.

— Je vais faire des bêtises, prévint l'androïde. Je sens que je ferai des bêtises...

— Très bien, alors, il y a une chose que tu peux faire. La mallette dont tu as parlé. Tu peux la surveiller.

— Bien, monsieur, dit Herkimer, visiblement désappointé.

— Et ne perds pas ton temps à essayer de lire ce qui est dedans. Tu ne le pourrais pas.

— Oh ! fit Herkimer encore plus désappointé.

— Autre chose. Une jeune fille du nom d'Eva Armour habite dans cet hôtel. Sais-tu quelque chose sur elle ?

Herkimer secoua négativement la tête.

— Mais j'ai une cousine...

— Une cousine ?

— Naturellement. Une cousine. Elle a été fabriquée dans le même laboratoire que moi, ce qui en fait ma cousine.

— Tu as des tas de cousins et de cousines, alors.

— Oui. J'en ai des milliers. Et nous avons un sens profond de la solidarité. Comme cela devrait être, dit Herkimer très sérieusement, dans toutes les familles.

— Et tu crois que ta cousine pourrait savoir ?

Herkimer hocha la tête.

— Elle travaille dans cet hôtel. Elle peut certainement m'apprendre quelque chose.

Il prit un des prospectus qui étaient sur la table.

— Je vois, monsieur, dit-il, qu'ils sont venus vous trouver.

— De qui parles-tu ? demanda Sutton.

— Des gens de la Ligue pour l'Egalité. Ils sont à l'affût de tous ceux qui peuvent avoir quelque importance. Ils ont rédigé une pétition...

— En effet, ils m'en ont parlé. Ils voulaient que je la signe.

— Et vous ne l'avez pas signée, n'est-ce pas, monsieur ?

— Non, dit sèchement Sutton.

Il fixa Herkimer.

— Tu es un androïde, dit-il brusquement. J'aurais cru que tu serais d'accord avec eux.

— Monsieur, dit Herkimer, leurs intentions sont peut-être bonnes, mais ils s'y prennent mal. Ils demandent la charité pour nous, la pitié. Nous ne voulons ni charité ni pitié.

— Que voulez-vous ?

— Que les humains nous acceptent comme des égaux. Mais nous acceptent pour nos mérites, non par faveur spéciale, non par pure tolérance.

— Je comprends, dit Sutton. Je crois que je l'ai compris dès qu'ils m'ont mis le grappin dessus dans le hall. Sans que je puisse l'exprimer par des mots.

— Voilà, monsieur, comment il faut voir les choses. La race humaine nous a créés. C'est de là que vient la rancœur. Les humains nous ont fabriqués exactement dans le même esprit qu'un fermier élève son bétail. Ils nous ont fabriqués pour un certain usage et nous emploient pour cet usage. Ils peuvent être bons avec nous mais cette bonté cache de la pitié. Ils ne nous permettent pas de faire montre de nos capacités personnelles. Nous n'avons aucun droit propre ; on ne nous accorde en propre aucun des droits fondamentaux de l'espèce humaine. Nous...

Il s'interrompit, l'éclat de ses yeux s'éteignit et son visage s'apaisa.

— Je vous ennuie, monsieur, dit-il.

— Je suis de votre côté dans cette affaire, déclara vivement Sutton. N'oublie jamais cela, Herkimer, je suis de votre côté et je l'ai déjà prouvé en ne signant pas cette pétition.

Il regarda l'androïde dans les yeux. Impudents et sournois, se dit-il. C'est ainsi que nous les avons créés. C'est la marque de l'esclavage qui va de pair avec la marque sur le front.

— Tu peux être assuré, dit-il, que je ne ressens aucune pitié à ton égard.

— Merci, monsieur. Merci pour nous tous.

Sutton se dirigea vers la porte.

— On doit vous féliciter, monsieur, dit Herkimer. Vous vous en êtes très bien tiré, hier soir.

Sutton se retourna.

— Benton m'a raté. Je n'ai pas pu faire autrement que de le tuer.

— Ce n'est pas seulement cela, monsieur. C'est la première fois que j'ai entendu parler d'un homme tué par une balle dans le bras.

— Dans le bras !

— Exactement, monsieur. La balle lui a fracassé le bras mais il n'avait aucune autre blessure.

— Il était bien mort, n'est-ce pas ?

— Oh oui, dit Herkimer. Tout ce qu'il y a de plus mort.

13

Adams alluma son briquet et attendit que la flamme se stabilise. Son regard était fixé sur Sutton et n'avait rien d'affectueux ; l'incertitude, l'irritation se lisaient sur son visage, avec aussi un certain manque d'assurance, bien dissimulé mais présent.

Cette manière de regarder fixement, se disait Sutton, est un vieux truc à lui. Il vous regarde fixement, garde le visage figé d'un sphinx et si vous n'êtes pas habitué à lui et à tous ses trucs, il vous ferait croire qu'il est Dieu en personne.

Mais il n'exécute plus son numéro aussi bien qu'avant. Maintenant il faut qu'il fasse un effort ; il n'avait pas d'effort à faire il y a vingt ans. Il était dur comme du granit en ce temps-là. Et le granit commence à s'effriter.

Il a quelque chose dans l'esprit. Quelque chose qui ne tourne pas rond.

Adams passa la flamme du briquet sur le fourneau bourré de sa pipe, en la faisant aller et venir, prenant délibérément son temps, faisant attendre Sutton.

— Vous savez, bien entendu, dit Sutton d'une voix tranquille, que je ne peux pas être franc avec vous.

La flamme du briquet s'éteignit et Adams se redressa dans son fauteuil.

— Quoi donc ? fit-il.

Sutton se félicita. Je l'ai pris à contre-pied. Je lui

ai fait rater son coup. Un pion sorti du jeu. Voilà ce que c'est... un pion sorti du jeu.

— Vous savez naturellement, maintenant, que je suis revenu sur un astronef qui ne pouvait pas voler. Vous savez que je n'avais pas de scaphandre spatial, que les hublots étaient brisés et la coque trouée, que je n'avais ni vivres ni eau et que 61 du Cygne est à onze années-lumière de distance.

Adams secoua la tête d'un air morne.

— Oui, nous savons tout cela.

— Comment je suis revenu ou ce qui m'est arrivé n'a rien à voir avec mon rapport et je n'ai pas l'intention de vous le dire.

— Alors pourquoi en parler ? gronda Adams.

— Simplement pour que nous nous comprenions bien tous les deux, dit Sutton. Pour que vous ne posiez pas un tas de questions qui resteront sans réponse. Cela nous fera gagner beaucoup de temps.

Adams s'adossa dans son fauteuil et tira sur sa pipe avec contentement.

— Vous avez été envoyé à la recherche de renseignements, Ash. Tous les renseignements possibles. Tout ce qui rendrait le Cygne plus compréhensible. Vous représentiez la Terre, vous étiez payé par la Terre et vous avez certainement une dette envers la Terre.

— J'ai une dette envers le Cygne aussi. Je dois ma vie au Cygne. Mon astronef s'est écrasé et j'ai été tué.

Adams hocha la tête d'un air presque gêné.

— Oui, c'est ce que Clark a dit. Que vous aviez été tué.

— Qui est Clark ?

— Un ingénieur des constructions spatiales. Il vit et il dort avec des astronefs et des plans. Il a étudié votre vaisseau et il a établi un graphique des coordonnées des forces. Il en a déduit que si vous étiez à l'intérieur du vaisseau quand il s'est écrasé, vous n'aviez pas la moindre chance de survie. (Adams regarda le plafond :) Clark a dit que si vous étiez dans le vaisseau quand il s'est écrasé, vous auriez été réduit en bouillie.

— C'est merveilleux, dit sèchement Sutton, ce qu'un homme peut faire avec des chiffres.

Adams le poussa davantage :

— Anderson a dit que vous n'êtes pas un être humain.

— Je suppose qu'Anderson a tiré cela de l'examen du vaisseau...

— Sans vivres ni air. C'était la seule conclusion logique que n'importe qui pût tirer.

— Anderson se trompe. Si je n'étais pas humain, vous ne m'auriez jamais revu. Je ne serais pas revenu du tout. Mais j'avais la nostalgie de la Terre et vous attendiez mon rapport.

— Vous avez pris votre temps ! répliqua Adams sur un ton de reproche.

— Il fallait que je sois certain. Il fallait que je sache, voyez-vous. Il fallait que je puisse revenir et vous dire quelque chose d'assuré. Il fallait que je vous dise si les habitants du Cygne étaient dangereux ou s'ils ne l'étaient pas.

— Et qu'en est-il ?

— Ils ne sont pas dangereux.

Adams attendit et Sutton resta muet.

— Et c'est tout ? demanda enfin Adams.

— C'est tout.

Adams tapota ses dents avec le tuyau de sa pipe.

— Je n'aimerais pas beaucoup avoir à envoyer un autre homme pour vérifier, dit-il. Particulièrement après que j'ai dit à tout le monde que vous rapporteriez tous les renseignements.

— Cela ne servirait à rien, dit Sutton. Personne ne pourrait passer.

— Vous l'avez fait.

— Oui, j'étais le premier. Parce que j'étais le premier ; et j'ai été aussi le dernier.

De l'autre côté du bureau, Adams eut un sourire glacé.

— Vous avez pris ces gens en affection, Ash.

— Ce n'étaient pas des gens.

— Bon... ces êtres, alors.

— Ce n'étaient même pas des êtres. Il est difficile de vous dire exactement ce qu'ils étaient. Vous ririez de moi si je vous disais ce que je crois réellement.

Adams émit un grognement :

— Essayez du mieux que vous pourrez.

— Des abstractions symbiotiques. Oui, c'est à peu près cela. En tout cas, c'est le mieux que je puisse dire.

— Vous voulez dire qu'ils n'existent pas en réalité ? demanda Adams.

— Oh, ils existent bien. Ils sont là et l'on est conscient de leur présence. Aussi conscient que je le suis de la vôtre ou de la mienne.

— Et on les comprend ?

— Oui, on les comprend.

— Et personne ne peut retourner sur le Cygne ?

Sutton secoua la tête :

— Pourquoi ne rayez-vous pas le Cygne de votre liste ? Faites comme s'il n'existait pas. Aucun danger ne peut venir du Cygne. Ses habitants ne donneront jamais de tracas à l'Homme, et l'Homme ne pourra jamais y mettre le pied. Il est inutile d'essayer.

— Ils n'ont pas l'esprit mécanique ?

— Non, ils n'ont pas l'esprit mécanique.

Adams changea de sujet.

— Voyons, quel âge avez-vous, Ash ?

— Soixante et un ans.

— Hum ! Encore un enfant. Vous débutez dans la vie.

Sa pipe s'était éteinte et il la gratta du doigt, explorant le fourneau, les sourcils froncés.

— Quels sont vos projets ?

— Je n'ai pas de projets.

— Vous voulez rester dans le service, n'est-ce pas ?

— Cela dépend de ce que vous en pensez, dit Sutton. J'ai supposé, bien entendu, que vous ne voudriez pas de moi.

— Nous vous devons vingt années de salaire, dit Adams presque aimablement. Leur montant est à votre disposition. Vous pourrez le toucher en vous en allant. Vous avez également droit à trois ou quatre ans de congé. Pourquoi ne les prendriez-vous pas maintenant ?

Sutton ne répondit rien.

— Revenez un peu plus tard, dit Adams. Nous en reparlerons.

— Je ne changerai pas de décision.

— Personne ne vous le demande.

Sutton se leva lentement.

— Je suis désolé, dit Adams, de ne pas avoir votre confiance.

— Je suis parti pour accomplir une mission, répondit d'un ton tranchant Sutton. J'ai accompli cette mission. J'ai fait mon rapport.

— Exact.

— Je suppose que vous resterez en contact avec moi.

Les yeux d'Adams eurent une lueur sardonique :

— Très certainement, Ash. Je resterai en contact avec vous.

14

Sutton s'assit tranquillement dans le fauteuil et quarante années s'effacèrent de sa vie.

Car tout était comme s'il était revenu en arrière de quarante ans... jusqu'aux tasses de thé elles-mêmes.

Par les fenêtres ouvertes du cabinet du Dr Raven, on entendaient des voix jeunes et le bruit de pas des étudiants qui passaient sur le trottoir. Le vent murmurait dans les ormes et c'était un bruit qu'il reconnaissait bien. Au loin, la cloche d'une chapelle tintait et une jeune fille riait de l'autre côté de l'allée.

Le Dr Raven lui tendit sa tasse de thé.

— Je ne crois pas me tromper, dit-il, et ses yeux pétillaient : trois morceaux de sucre et pas de crème.

— C'est bien cela, dit Sutton, étonné qu'il s'en souvienne.

Mais se souvenir, se dit-il, c'était facile. Moi-même, il me semble être capable de me souvenir de presque tout. Comme si de vieilles collections d'habitudes avaient été conservées brillantes et bien astiquées dans mon esprit au cours de toutes ces années, en attente, comme un service d'argenterie auquel on tient, rangé sur une étagère, jusqu'à ce que vienne le moment de s'en servir de nouveau.

— Je me souviens de petites choses, dit le Dr Raven, de petites choses insignifiantes, comme le nombre de morceaux de sucre ou ce qu'un homme a dit voici soixante ans, mais moins bien de choses importantes... les choses qu'on s'attendrait à ce qu'un homme n'oublie pas.

Le manteau de la cheminée montait jusqu'au plafond et les armoiries de l'université ressortaient sur le marbre blanc poli avec le même éclat que le dernier jour où Sutton les avaient vues.

— Vous vous demandez probablement, dit-il, pourquoi je suis venu.

— Pas du tout, répondit le Dr Raven. Tous mes étudiants reviennent me voir. Et je suis heureux de les revoir. Cela me rend très fier.

— Je me suis moi-même demandé pourquoi, reprit Sutton, et je crois que je le sais, mais c'est difficile à dire.

— Alors, n'allons pas trop vite... Rappelez-vous la manière dont nous procédions. Nous commencions à discuter à propos de telle ou telle chose et finalement, avant même de nous en rendre compte, nous atteignions le vif du sujet.

Sutton eut un rire bref.

— Oui, je me souviens. Des subtilités théologiques. Les différences essentielles en religions comparées. Dites-moi, docteur, vous y avez passé toute une vie, vous en savez plus sur les religions, terriennes et autres, que personne sur Terre. Avez-vous pu conserver votre foi ? N'avez-vous jamais été tenté de vous écarter des dogmes de votre race ?

Le Dr Raven posa sa tasse de thé.

— J'aurais dû le savoir, dit-il, que vous m'embarrasseriez. Vous le faisiez sans cesse. Vous aviez l'inquiétante capacité de tomber juste sur la question à laquelle il était difficile de répondre.

— Je ne vous embarrasserai pas davantage, dit Sutton. J'ai le sentiment que vous avez découvert certains points valables, sinon, pourrait-on dire, supérieurs, dans des religions extra-terrestres.

— Vous avez trouvé une nouvelle religion ?

— Non, dit Sutton. Pas une religion.

La cloche de la chapelle continuait de tinter et la jeune fille qui avait ri s'en était allée. Les bruits de pas sur le trottoir s'étaient beaucoup éloignés.

— Avez-vous jamais eu, demanda Sutton, comme la sensation d'être assis à la droite de Dieu et d'entendre quelque chose que vous saviez que vous n'auriez jamais dû entendre ?

Le Dr Raven secoua la tête.

— Non, je ne crois pas avoir jamais eu cette sensation.

— Si vous l'aviez eue, qu'auriez-vous fait ?

— Je crois que j'aurais été aussi troublé que vous l'êtes.

— Nous avons vécu par la seule foi, depuis huit mille ans au moins et probablement depuis plus longtemps encore. Certainement plus longtemps encore. Certainement plus longtemps. Car ce doit avoir été la foi, la faible lueur d'une certaine foi, qui poussa l'homme de Néanderthal à peindre les tibias en rouge et à placer les crânes de manière qu'ils fissent face à l'Orient.

— La foi, dit doucement le Dr Raven, est un puissant moteur.

— Oui, puissant, dit Sutton, mais par sa force même, elle est notre propre aveu de faiblesse. L'aveu que nous ne sommes pas assez forts pour nous tenir debout tout seuls, qu'il nous faut un bâton pour nous appuyer, l'espoir et la conviction exprimés qu'il existe un pouvoir suprême qui nous viendra en aide et nous guidera.

— N'êtes-vous pas devenu amer, Ash ? Auriez-vous découvert quelque chose ?

— Pas amer, dit Sutton.

Quelque part, une pendule égrenait son tic-tac, soudain très fort dans le brusque silence.

— Docteur, demanda Sutton, que savez-vous de la destinée ?

— C'est étrange de vous entendre parler de destinée, dit Raven. Vous avez toujours été un homme qui n'était absolument pas enclin à s'incliner devant la destinée.

— Je veux parler de la prédestination, expliqua Sutton. Pas de la destinée abstraite, mais du fait réel, de la croyance réelle en la destinée. Qu'en disent les témoignages ?

— Il y a toujours eu des hommes qui crurent à la prédestination, dit le Dr Raven. Certains d'entre eux, semble-t-il, avec quelque justification. Mais pour la plupart, ils ne l'appelaient pas destinée. Ils l'appelaient chance, ou intuition ou inspiration ou autrement. Il y a eu des historiens qui ont parlé de destinée manifeste, mais ce n'étaient que des mots. Simplement une affaire de sémantique. Bien entendu, il y a eu quelques fanatiques et d'autres qui crurent à la destinée mais pratiquèrent le fatalisme.

— Mais il n'y a pas de preuve, dit Sutton. Pas de preuve réelle d'une chose appelée destinée. Une force réelle. Une chose vivante, essentielle. Quelque chose qu'on peut toucher du doigt.

— Aucune que je connaisse, Ash. La destinée, après tout, n'est qu'un mot. Ce n'est pas quelque chose qu'on puisse établir comme un fait. La foi aussi, à une époque, peut n'avoir été rien de plus qu'un mot, comme la destinée aujourd'hui. Mais des millions de gens et des milliers d'années en ont fait une force réelle, une chose qui peut être définie et invoquée, et une chose qui fait vivre.

— Mais les intuitions et la chance, protesta Sutton, ce ne sont que des circonstances dues au hasard !

— Elles pourraient être de faibles signes de la destinée. Des lueurs qui transparaissent. L'incidence d'un vaste flux du comportement des événements. On ne peut pas savoir, bien sûr. L'homme reste aveugle devant tant de choses jusqu'à ce qu'il en ait des preuves. Des tournants de l'Histoire ont tenu à une intuition. La foi inspirée d'un individu en son propre génie a changé le cours des événements plus de fois qu'on ne peut le compter.

Il se leva, s'approcha de la bibliothèque et rejeta la tête en arrière.

— J'ai, quelque part, un livre... dit-il. Vais-je le retrouver ?

Il le chercha mais en vain.

— Cela ne fait rien, reprit-il, je le dénicherai plus tard si cela vous intéresse encore. Il parle d'une ancienne tribu africaine qui avait une croyance bizarre. Elle croyait que l'esprit de chaque homme ou son âme ou son ego ou quel que soit le nom que vous lui donniez, avait son semblable, son double, sur une lointaine étoile. Si je me souviens bien, elle savait même quelle étoile et pouvait la désigner dans le ciel nocturne.

Il se détourna de la bibliothèque et fixa son regard sur Sutton.

— Ce pourrait être cela la destinée, vous savez, dit-il. Oui, ce pourrait bien être cela, après tout.

Il traversa la pièce, pour aller se placer devant la cheminée les mains derrière le dos, sa tête à la chevelure argentée un peu inclinée de côté.

— Pourquoi vous intéressez-vous tellement au destin ? demanda-t-il.

— Parce que j'ai découvert le destin, dit Sutton.

15

Le visage sur l'écran de video était masqué et Adams déclara d'un ton de colère glaciale :

— Je ne reçois pas de communication de gens masqués.

— Vous recevrez celle-ci, dit la voix derrière le masque. Je suis l'homme à qui vous avez parlé dans votre patio. Vous vous souvenez ?

— Vous m'appelez du futur, je suppose, dit Adams.

— Non, je suis toujours dans votre temps. Je vous ai surveillé.

— Vous avez surveillé Sutton aussi ?

La tête masquée acquiesca.

— Vous l'avez vu, maintenant. Qu'en pensez-vous ?

— Il cache quelque chose, dit Adams, et il n'est pas entièrement humain.

— Vous allez le faire tuer ?

— Non, je ne crois pas. Il sait quelque chose que nous avons besoin de savoir. Et nous ne le saurons pas en le tuant.

— Il vaudrait mieux, dit la voix masquée, que ce qu'il sait meure avec lui.

— Peut-être pourrons-nous arriver à nous entendre si vous me dites de quoi il s'agit dans tout cela.

— Je ne peux pas vous le dire, Adams. Je voudrais le pouvoir. Je ne peux pas vous dire l'avenir.

— Et jusqu'à ce que vous me le disiez, s'écria

Adams, je ne vous laisserai pas changer le passé !

Cet homme est effrayé, pensait-il. Effrayé et quasi désespéré. Il pourrait tuer Sutton à n'importe quel moment s'il le voulait, mais il a peur. Sutton doit être tué par un homme de son propre temps... Il le faut, littéralement, car le temps ne peut tolérer l'extension de la violence d'une époque à une autre.

— A propos... dit l'homme du futur.

— Oui, fit Adams.

— J'allais vous demander comment vont les choses sur Aldébaran XII ?

Adams se raidit dans son fauteuil, la colère montant en lui.

— Si ce n'avait pas été Sutton, dit l'homme masqué, il n'y aurait pas eu d'incident sur Aldébaran XII.

— Mais Sutton n'était pas encore revenu, s'exclama Adams. Il n'était pas même ici...

Sa voix s'éteignit, car il se souvint de quelque chose. Le nom sur la page de titre... « par Asher Sutton. »

— Ecoutez, fit Adams, parlez, pour l'amour du ciel, si vous avez quelque chose à me faire savoir !

— Vous voulez dire que vous n'avez pas deviné ce que cela pourrait être ?

Adams secoua la tête.

— C'est la guerre, dit la voix.

— Mais il n'y a pas de guerre.

— Pas dans votre temps, mais dans un autre.

— Mais comment...?

— Vous vous souvenez de Michaelson ?

— L'homme qui est allé une seconde dans le temps ?

La tête masquée s'inclina et l'écran s'éteignit. Adams sentit un frisson d'horreur parcourir tout son corps.

Le signal du vidéophone bourdonna ; mécaniquement, il appuya sur la touche.

C'était Nelson, sur l'écran.

— Sutton vient de quitter l'université, dit-il. Il a passé une heure avec le Dr Horace Raven. Si vous ne vous en souvenez pas, le Dr Raven est un professeur de religions comparées.

— Oh, fit Adams, oh, c'est donc cela !

Il tapota des doigts sur son bureau, à demi irrité, à demi effrayé.

Ce serait dommage, se dit-il, de tuer un homme tel que Sutton. Mais cela vaudrait peut-être mieux. Oui, cela serait peut-être le mieux.

16

Clark avait dit qu'il était mort et Clark était un ingénieur. Il avait établi un graphique et la mort y était inscrite ; les mathématiques affirmaient que certaines forces et certaines tensions réduiraient un corps humain en bouillie.

Et Anderson avait dit qu'il n'était pas humain, mais comment Anderson pouvait-il le savoir ?

La route tournait un peu plus loin, ruban argenté sous la clarté de la lune et les bruits et les odeurs de la nuit s'étendaient sur le pays. L'odeur nette et fraîche des plantes qui poussent, l'odeur mystérieuse de l'eau. Un ruisseau coulait à travers le marais qui était sur la droite et Sutton, derrière son volant, tandis qu'il prenait le virage, eut une brève vision de l'eau qui serpentait, brillante sous la lune. Le coassement des grenouilles formait un fond de bruit irréel qui flottait sur les collines et les lucioles étaient de minuscules et dansantes lanternes qui lançaient leur signal dans le noir.

Et comment Anderson pouvait-il le savoir ? Comment, se demandait Sutton, à moins qu'il ne m'ait examiné ? A moins qu'il ait été celui qui a tenté de fouiller mon cerveau après que j'ai été assommé en entrant dans mon appartement ?

Adams avait montré son jeu et Adams ne montrait jamais son jeu, sauf s'il voulait qu'on le voie. A moins qu'il n'ait un as bien caché dans sa manche.

Il voulait que je sache, réfléchit Sutton. Il voulait que je sache mais ne pouvait pas me le dire. Il ne pouvait pas me dire qu'il m'avait tout entier sur bande magnétique et sur film, et que c'était lui qui avait piégé l'appartement.

Mais il pouvait me le laisser savoir en lâchant juste une petite chose, une petite chose calculée, comme à propos d'Anderson. Il savait que je saisirais et il croit qu'il peut me flanquer la frousse.

Les phares révélèrent, un instant, la masse gris sombre d'une maison blottie au flanc d'une colline, puis il y eut un autre virage. Un oiseau de nuit, noir, spectral, voleta à travers la route et l'ombre de son vol dansa dans le cône de lumière.

C'était bien Adams, se dit Sutton. C'était lui qui me guettait. Il savait, d'une manière ou d'une autre, que je revenais, et il était prêt à me recevoir. Il m'avait marqué et étiqueté avant que je touche le sol et il m'a fait examiner en détail avant que je sache ce qui se passait. Et assurément, il avait découvert beaucoup plus que ce à quoi il s'attendait.

Sutton eut un ricanement. Et ce ricanement devint un hurlement, dévalant la pente de la colline dans une gerbe de flammes... une gerbe de flammes qui sombra dans le marais, s'éteignit un instant puis rejaillit, bleue et rouge.

Les freins grincèrent, les pneus crissèrent sur la chaussée lorsque Sutton fit volter la voiture pour l'arrêter. Avant même qu'elle eût stoppé, il avait bondi et courait sur la pente vers l'étrange engin noir qui flambait dans le marécage.

Il pataugeait, mouillé jusqu'aux chevilles, et les herbes coupantes lui cinglaient les jambes. Les flaques luisaient, noires et visqueuses, à la lueur de l'engin en feu. Les grenouilles continuaient de coasser à l'autre bout du marais.

Quelque chose se débattait dans une mare d'eau

boueuse, éclairée par les flammes, près de l'engin qui brûlait, et Sutton en se précipitant vit que c'était un homme.

Il aperçut la clarté d'yeux épouvantés, pitoyables, qui brillaient dans le rougeoiement de l'incendie tandis que l'homme tendait ses bras embourbés et essayait de s'éloigner. Il vit ses dents luire quand la douleur tordit son visage d'une affreuse angoisse. Il perçut l'odeur de la chair brûlée, carbonisée et ne s'y trompa pas.

Il se pencha, passa ses mains sous les aisselles de l'homme, d'un effort le redressa puis le traîna pour le sortir du marais. Ses pieds s'enfonçaient dans la boue et il entendait derrière lui l'horrible clapotis du corps qu'il tirait à travers l'eau et la vase.

Le sol redevint ferme sous ses pas et il commença de remonter la pente jusqu'à la voiture. Des sons émanaient de la tête ballottante de l'homme qu'il soutenait, des sons indistincts, larmoyants qui auraient peut-être formé des mots si l'on avait eu le temps de les écouter.

Sutton jeta un rapide coup d'œil par-dessus son épaule et vit les flammes jaillir droit dans le ciel : une colonne bleue qui illuminait la nuit. Les oiseaux du marais, réveillés dans leur nid, s'envolèrent aveuglés, pris de panique dans la lumière crue, emplissant l'obscurité de leurs cris rauques de terreur.

— La pile atomique, fit tout haut Sutton, la pile atomique...

Elle ne pourrait pas résister longtemps dans une flambée pareille. Le blindage céderait et le marécage ne serait plus qu'un cratère et les collines seraient calcinées d'un bout à l'autre de l'horizon.

— Pas de pile atomique, dit la tête ballottante. Non... pas de pile atomique.

Le pied de Sutton se prit dans une racine et il tomba sur les genoux. L'homme échappa à ses mains gluantes de boue.

Il se débattit, tentant de se retourner.

Sutton l'aida, et l'homme se trouva allongé sur le dos, le visage tourné vers le ciel.

Il est jeune, constata Sutton... jeune sous son masque de boue et de douleur.

— Plus de pile atomique, dit l'homme, je l'ai larguée.

Il y avait une note d'orgueil dans ses paroles, l'orgueil du devoir accompli. Mais prononcer ces quelques mots lui avait coûté cher. Il gisait, immobile, si immobile qu'il aurait pu avoir cessé de vivre.

Puis sa respiration revint, sifflante, dans sa gorge. Sutton vit le sang battre à ses tempes sous la peau brûlée et rongée. La bouche de l'homme remua et des mots sortirent, des mots hésitants, embrouillés.

— ... Une bataille... en 83... je l'ai vu venir... tenté... saut dans le temps... (Les mots gargouillèrent et se perdirent, puis jaillirent de nouveau :) ... avait... nouvelles armes... faisaient flamber le métal...

Il tourna la tête et parut voir Sutton pour la première fois. Il sursauta puis retomba en arrière, haletant de son effort.

— Sutton !

Sutton se pencha sur lui :

— Je vais vous porter. Vous emmener chez un médecin.

— Asher Sutton !

Les deux mots ne furent qu'un murmure.

Un instant, Sutton entrevit la lueur triomphante, presque fanatique, qui passa dans les yeux du mourant, comprit à demi le geste du bras qui se levait, le signe énigmatique que formaient les doigts.

Puis la lueur s'évanouit, le bras retomba et les doigts s'écartèrent.

Sutton sut, avant même de poser son oreille contre la poitrine de l'homme, qu'il était mort.

Lentement, Sutton se leva.

Les flammes s'éteignaient et les oiseaux étaient partis. L'engin était à moitié enfoui dans la boue et sa forme ne ressemblait à rien qu'il ait déjà vu.

« Asher Sutton », avait dit l'homme. Et ses yeux s'étaient illuminés et il avait fait un signe avant de mourir. Et il avait parlé d'une bataille en 83.

Quel quatre-vingt-trois ?

L'homme avait tenté un saut dans le temps... Qui avait jamais entendu parler de saut dans le temps ?

Je n'ai jamais vu cet homme auparavant, pensa Sutton avec force, comme s'il niait quelque chose de criminel. Et je jure que c'est la vérité, je ne le reconnais même pas à présent. Pourtant il a prononcé mon nom et l'on aurait dit qu'il me connaissait, qu'il était heureux de me voir et il a fait un signe... un signe qui accompagnait mon nom.

Il regarda longuement le mort qui gisait à ses pieds, pitoyable, les jambes recroquevillées qui semblaient pendiller même à plat sur le sol, les bras raidis, la tête renversée, la bouche ouverte, les dents qui brillaient sous la lune.

Sutton s'agenouilla, palpa minutieusement le corps, ses mains cherchant quelque chose... une poche gonflée où il aurait pu trouver un indice sur l'homme qui gisait là.

Car il me connaissait. Et il faut que je sache comment il me connaissait. Tout cela est incompréhensible.

La poche de poitrine contenait un petit livre. Sutton le prit. Le titre était doré sur le cuir noir, et même à la lueur de la lune, Sutton put lire les lettres qui étincelaient sur la couverture et lui sautaient aux yeux :

CECI EST LA DESTINEE
par Asher Sutton

Il resta figé. Il demeura là, accroupi sur le sol, comme un animal apeuré, frappé par les lettres dorées sur la couverture de cuir.

Le livre ! Le livre qu'il avait l'intention d'écrire, mais qu'il n'avait pas encore écrit ! Le livre qu'il n'écrirait pas avant des mois !

Et pourtant il le tenait là, écorné, fatigué d'avoir été lu.

Involontairement, un gémissement étranglé lui monta à la gorge.

Il sentit le froid du brouillard qui venait du marais, entendit le cri solitaire d'un oiseau aquatique.

Un engin étrange s'était abattu dans le marécage, désemparé et en flammes. Un homme s'en était échappé, mais à deux doigts de la mort. Avant de mourir, il avait reconnu Sutton et prononcé son nom. Dans sa poche se trouvait un livre qui n'était même pas encore écrit.

Tels étaient les faits... les faits purs et simples. Sans explication.

Un faible bruit de voix humaines se fit entendre dans la nuit. Sutton se remit vivement sur pied, tendu, et attendit, prêtant l'oreille. Les voix furent de nouveaux perceptibles.

Quelqu'un avait entendu le fracas et venait voir. Il arrivait par la route, et appelait d'autres gens qui avaient également entendu la déflagration.

Sutton remonta rapidement la pente jusqu'à sa voiture.

Cela ne servait absolument à rien d'attendre, se dit-il. Ceux qui approchaient ne lui apporteraient que des ennuis.

Un homme guettait dans le bosquet de lilas de
l'autre côté de la route et un autre était tapi dans
l'ombre du mur de la cour.

Sutton approcha lentement, comme en se promenant, prenant son temps.

— Johnny, dit-il silencieusement.

— Oui, Ash.

— Aucun autre ? Juste ces deux-là ?

— Je crois qu'il y en a encore un autre mais je
ne peux pas le situer. Ils sont tous armés.

Sutton perçut une impulsion rassurante dans son
esprit, un sentiment de confiance en soi, et aussi
d'aide et de solidarité.

— Tiens-moi au courant, Johnny.

Il sifflota une ou deux mesures d'un air oublié
depuis longtemps, mais qui restait encore présent
dans sa mémoire après vingt ans.

Le garage de voitures en location était deux blocs
de maisons derrière lui, l'hôtel *Aux Armes d'Orion*,
deux blocs de maisons plus loin sur la route. Entre
lui et l'hôtel, deux hommes armés l'attendaient. Deux
et peut-être plus.

Entre le garage et l'hôtel, il n'y avait rien que le
paysage sophistiqué d'une Terre résidentielle, admi-
nistrative. Une Terre dédiée à la beauté et à la tâche
de gouverner... cultivée avec le même soin qu'un

jardin, chaque mètre carré dessiné par des architectes paysagistes, avec des bouquets d'arbustes, des allées d'arbres et des parterres de fleurs amoureusement entretenus.

Un endroit idéal, se dit Sutton, pour un get-apens.

Adams ? se demanda-t-il. Bien que ce pût difficilement être Adams. Il savait quelque chose qu'Adams espérait découvrir, et tuer l'homme qui détient les renseignements qu'on désire, si irrité soit-on contre lui, est tout à fait puéril.

Ou ceux dont Eva avait parlé... ceux par qui Benton avait été conditionné, prêt à le tuer.

Ils étaient plus vraisemblables qu'Adams, parce que celui-ci voulait qu'il reste en vie, alors que ceux-là, quels qu'ils fussent, seraient très satisfaits de le supprimer.

Il mit la main dans la poche de sa veste comme s'il cherchait une cigarette et ses doigts touchèrent l'acier de l'arme qu'il avait utilisée contre Benton. Il les laissa se serrer autour d'elle puis il les retira, sortit la main de sa poche et trouva les cigarettes dans une autre.

Ce n'est pas encore le moment, se dit-il. Il serait temps plus tard de se servir de l'arme s'il avait à l'utiliser, s'il avait une chance de l'utiliser.

Il s'arrêta pour allumer une cigarette, avec des gestes lents, prenant son temps, gagnant du temps.

Le pistolet ne vaudrait pas grand-chose, il le savait mais c'était mieux que rien. Dans l'obscurité, il n'aurait pas réussi à atteindre la façade d'une maison, mais il ferait du bruit, et les hommes qui guettaient ne s'attendaient sûrement pas à du bruit. Si le bruit leur avait été indifférent, ils auraient pu sortir depuis un bon moment et le mitrailler. A mort.

— Ash, dit Johnny, il y en a un troisième. Dans le buisson qui est un peu plus loin. Il a l'intention de te laisser passer et ainsi, ils te tiendront sous le feu de trois côtés.

— Bon, grogna Sutton, donne-moi des détails.

— Les arbustes aux fleurs blanches. Ils sont à la lisière. Très près de l'allée, de façon à pouvoir tourner autour et se trouver derrière au moment où tu passeras.

Sutton tira sur sa cigarette, ce qui la fit luire comme un œil rouge dans la nuit

— On s'en occupe, Johnny ?

— Oui, on ferait mieux...

Sutton reprit son allure de promeneur et distingua bientôt les arbustes à quatre pas de lui, tout au plus.

Un pas.

Je me demande ce que tout cela signifie.

Deux pas.

Arrête de te poser des questions. Agis, tu te les poseras après.

Trois pas.

Il est là. Je le vois.

Sutton s'élança de l'allée d'une seule enjambée. Le pistolet sortit de sa poche et, à l'enjambée suivante, cracha deux fois, très vite.

L'homme, caché derrière les buissons, se plia en avant, chancela puis s'effondra à plat ventre. Son arme lui tomba des doigts, et d'un geste rapide, Sutton la ramassa. C'était, il la reconnut, une arme terrible, capable de tuer même en ratant presque son but, grâce au champ de distorsion qu'engendrait son faisceau électronique. Une arme qui était nouvelle et secrète, vingt ans plus tôt, mais que maintenant, apparemment, n'importe qui pouvait se procurer.

Le pistolet à la main, Sutton fit demi-tour et courut, zigzaguant à travers les plates-bandes, baissant la tête sous les branches basses, piétinant un parterre de tulipes. Du coin de l'œil, il vit un éclair. Le jet de flamme silencieux d'un pistolet et la trajectoire étincelante qu'il traça dans la nuit.

Il se lança à travers un buisson épineux, franchit

un ruisseau, se trouva dans un bosquet de conifères et de bouleaux. Il s'arrêta pour reprendre son souffle, jeta un regard en arrière vers l'endroit d'où il était venu.

Tout était calme et paisible, un paysage argenté dessiné par la lune. Rien ni personne ne bougeait. Le pistolet avait cessé depuis longtemps de tirer.

Soudain, la voix de Johnny l'avertit.

— Ash ! Derrière toi. Ami....

Sutton se retourna, l'arme à demi levée.

Herkimer courait dans le clair de lune, comme un chien sur une piste.

— Mr Sutton, monsieur...

— Oui, Herkimer.

— Faut que nous filions...

— Oui, fit Sutton, je crois. Je suis tombé dans un piège. Ils étaient trois à me guetter.

— Pire que cela, dit Herkimer, ce ne sont pas seulement les Révisionnistes et Morgan, mais Adams aussi.

— Adams ?

— Adams a donné l'ordre de vous abattre à vue.

Sutton sursauta.

— Comment le savez-vous ? cria-t-il brutalement.

— La jeune fille, Eva. Celle dont vous me parliez. Elle me l'a dit.

L'androïde avança, fit face à Sutton.

— Vous devez avoir confiance en moi, monsieur. Vous avez dit ce matin que je raconterais tout sur vous, mais je ne le ferai jamais. J'ai été de votre côté dès le début.

— Mais la jeune fille ? dit Sutton.

— Eva est de votre côté, elle aussi, monsieur. Nous nous sommes mis à votre recherche, dès que nous avons su, mais nous n'avons pas pu vous rattraper à temps. Eva attend dans l'astronef.

— Un astronef, dit Sutton. Un astronef et quoi encore ?

— C'est votre propre astronef, monsieur, dit Herkimer. Celui que vous avez hérité de Benton. L'astronef et moi.

— Et vous voulez que je vous suive et que je monte dans cet astronef et...

— Pardonnez-moi, monsieur, dit Herkimer.

Il agit si vite que Sutton ne put rien faire.

Il vit le poing arriver et tenta de lever son pistolet. Une fureur froide grandit soudain en lui, puis il y eut un choc énorme et sa tête fut rejetée en arrière, et pendant un instant, avant que ses paupières ne se ferment, il vit une ronde d'étoiles dans un firmament tournoyant.

Il sentit ses genoux fléchir sous lui et son corps s'effondra.

Mais il était déjà complètement inconscient quand il toucha le sol.

18

Eva Armour l'appelait doucement.

— Ash, Ash ! Réveillez-vous.

Les oreilles de Sutton perçurent le murmure étouffé des fusées au ralenti, la vibration sourde d'un petit astronef fonçant dans l'espace.

— Johnny ! appela l'esprit de Sutton.

— Nous sommes dans un astronef, Ash.

— Combien sont-ils dedans ?

— L'androïde et la fille. Celle qui se nomme Eva. Et ils sont de ton côté. Je te l'ai dit. Pourquoi n'y as-tu pas prêté attention ?

— Je ne peux me fier à personne.

— Pas même à moi ?

— Pas à ton jugement, Johnny. La Terre est nouvelle pour toi.

— Pas nouvelle, Ash. Je connais la Terre et les Terriens. Beaucoup mieux que tu ne les connais. Tu n'es pas le premier Terrien avec qui j'ai vécu.

— Je n'arrive pas à me rappeler, Johnny. Il y a quelque chose que je dois me rappeler. J'essaie et tout reste vague. Les choses importantes, bien sûr, les choses que j'ai apprises, celles que j'ai écrites et que j'ai emportées avec moi, oui. Mais pas l'endroit lui-même ni les gens.

— Ce ne sont pas des gens, Ash.

— Je sais. Je n'arrive pas à me rappeler.

— Tu n'es pas censé te rappeler, Ash. Tout était trop inhumain. Tu ne veux pas porter de tels souvenirs en toi... tu ne devais pas garder des souvenirs aussi inhumains, parce que quand on les conserve trop fidèlement, on en fait bientôt partie. Et il fallait que tu restes humain, Ash. Nous devons te garder humain.

— Mais un jour, il faudra que je me souvienne. Un jour...

— Quand il faudra que tu t'en souviennes, tu t'en souviendras. Je ferai ce qu'il faut pour cela.

— Johnny...

— Quoi donc, Ash ?

— Cela ne t'ennuie pas que je t'appelle Johnny ?

— Pourquoi, Ash ?

— Je ne devrais pas t'appeler Johnny. C'est irrévérencieux et familier... mais amical. C'est le nom le plus amical que je connaisse. C'est pourquoi je t'appelle Johnny.

— Cela ne m'ennuie pas. Pas du tout.

— Tu comprends quelque chose dans tout cela, Johnny ? A propos de Morgan ? Et des Révisionnistes ?

— Non, Ash.

— Mais tu vois quelque chose se dessiner ?

— Je commence à voir, oui.

Eva Armour le secoua.

— Réveillez-vous, Ash, disait-elle. Ne m'entendez-vous pas, Ash ? Réveillez-vous.

Sutton ouvrit les yeux. Il était étendu sur une couchette et la jeune fille continuait à le secouer.

— Ça va, dit-il. Vous pouvez arrêter. Ça va comme cela.

Il se dégagea de la couchette et s'assit sur le bord. Il leva la main et tâta sa mâchoire.

— Herkimer a dû vous frapper, dit Eva. Il ne voulait pas vous frapper, mais il n'arrivait pas à

116

vous raisonner et nous n'avions pas de temps à perdre.

— Herkimer ?

— Oui, bien sûr. Vous vous souvenez de Herkimer. L'androïde de Benton. C'est lui qui pilote cet astronef.

L'astronef, constata Sutton, était petit, mais propre et confortable et aurait pu contenir un ou deux passagers de plus. Herkimer, dans son langage précis de livre de classe, avait dit qu'il était petit mais très pratique.

— Puisque vous m'avez enlevé, dit Sutton à la jeune fille, je suppose que cela ne vous ennuie pas de me dire où nous allons.

— Cela ne nous ennuie pas du tout, dit Eva. Nous allons sur l'astéroïde que vous avez hérité de Benton. Il y a une habitation avec de bonnes provisions de nourriture, et personne ne pensera à venir nous chercher là.

— C'est parfait, dit Sutton avec un sourire. Cela me plairait assez de chasser un peu.

— Vous ne chasserez absolument pas ! dit une voix derrière eux.

Sutton se retourna, Herkimer était près la porte qui menait au poste de pilotage.

— Vous allez écrire un livre, dit doucement Eva. Vous en avez sûrement entendu parler. Le livre dont les Révisionnistes...

— Oui, dit Sutton, j'en ai entendu parler...

Il s'interrompit, se souvenant soudain, et sa main tâta involontairement sa poche de poitrine. Le livre y était, bien entendu, et quelque chose qui se froissa sous ses doigts, à travers l'étoffe. Il s'en souvint aussi. La lettre... cette lettre incroyablement ancienne que John H. Sutton avait oublié d'ouvrir six mille ans auparavant.

— A propos de ce livre... commença Sutton.

Il s'interrompit de nouveau, car il allait dire qu'ils

n'avaient pas besoin de s'inquiéter pour qu'il écrive le livre, vu qu'il en avait déjà un exemplaire. Mais quelque chose l'arrêta. Il n'était pas sûr que ce fût habile, pour le moment, de leur apprendre qu'il avait le livre.

— J'ai apporté votre mallette, dit Herkimer, le manuscrit y est au complet. J'ai vérifié.

— Avec beaucoup de papier ? demanda Sutton moqueur.

— Avec beaucoup de papier.

Eva se pencha vers Sutton, si près qu'il pouvait sentir le parfum de sa chevelure de cuivre.

— Ne voyez-vous pas, demanda-t-elle, combien il est important que vous écriviez ce livre ? Ne comprenez-vous pas ?

Sutton secoua la tête.

Important, se disait-il. Important pour quoi ? Et pour qui ? Et pour quand ?

Il se souvenait de la bouche ouverte que la mort avait frappée, des dents qui luisaient sous la lumière de la lune, et les paroles du mourant retentissaient encore dans ses oreilles.

— Je ne comprends pas, dit-il. Peut-être pourrez-vous m'expliquer...

— C'est vous qui devez écrire le livre, dit-elle, en secouant la tête.

19

L'astéroïde était enveloppé de la pénombre perpé-
tuelle des mondes éloignés du soleil et ses pics gla-
cés s'élançaient comme des aiguilles d'argent vers les
étoiles.

L'air était vif et froid, et plus ténu que sur la Terre,
et l'étonnant, se disait Sutton, était même que l'on
pût garder de l'air sur cet astéroïde. Quoiqu'au prix
que cela avait coûté pour le rendre habitable, comme
pour n'importe quelle autre petite planète, il semblait
que tout fût possible.

Une affaire d'un milliard de dollars, estima Sutton.
Le coût des réacteurs atomiques, seul, devait atteindre la moitié de ce chiffre et sans eux, il n'y aurait
pas l'énergie nécessaire pour faire fonctionner les
machines à atmosphère et à gravité qui fournissaient
l'air et le maintenaient en place.

Autrefois, se disait-il, l'Homme s'était contenté,
avait dû se contenter de chercher la solitude dans un
cottage sur la rive d'un lac ou dans un pavillon de
chasse, ou à bord d'un yacht, mais maintenant, avec
toute une galaxie à sa disposition, l'Homme aména-
geait un astéroïde avec un milliard de dollars ou
achetait une planète à bon compte.

— Voilà l'habitation, dit Herkimer.

Sutton regarda dans la direction vers laquelle il
pointait le doigt. Très haut sur l'horizon déchiqueté,

il vit un bâtiment au toit en bosse, noir, avec une lumière.

— Pourquoi cette lumière ? demanda Eva. Y a-t-il quelqu'un ?

Herkimer secoua la tête.

— Ils ont dû oublier d'éteindre une lumière la dernière fois, quand ils sont partis.

Des sapins et des bouleaux, fantomatiques à la lueur des étoiles, s'alignaient par groupes épars, comme des soldats en marche, à l'assaut de la hauteur sur laquelle était bâtie l'habitation.

— Le sentier est par ici, dit Herkimer.

Il passa le premier et ils montèrent, Eva au milieu et Sutton en dernier. Le sentier était abrupt et inégal, et on n'y voyait pas très clair, car la mince atmosphère diffusait mal la lumière des étoiles et celles-ci n'étaient que de minuscules points brillants immobiles, qui ne scintillaient pas et restaient fixes dans le ciel, comme sur une carte.

La demeure paraissait située sur un petit plateau et Sutton se rendit compte que ce plateau ne pouvait être fait que de main d'homme car il semblait improbable que nulle part ailleurs, dans tout ce paysage bouleversé, on pût trouver une surface beaucoup plus grande qu'un mouchoir de poche.

Un souffle d'air si faible et si léger qu'on pouvait à peine l'appeler brise passait sur la pente et faisait murmurer les sapins. Quelque chose détala du sentier et s'enfuit parmi les pierres. Au loin, on entendit un hurlement perçant à faire grincer les dents.

— Un animal, fit tranquillement Herkimer. (Il s'arrêta et d'un geste de la main montra les rochers torturés :) Un merveilleux endroit pour la chasse... si l'on ne se casse pas une jambe.

Sutton regarda derrière lui et, pour la première fois, prit conscience de la nature vraiment sauvage des lieux. Un terrain figé dans un chaos incohérent, vaguement éclairé par les étoiles, s'étendait en dessous d'eux, avec d'énormes gouffres noirs, béants, au-dessus desquels se dressaient de sombres montagnes et des pics aigus.

Sutton frissonna à ce spectacle.

— Continuons, dit-il.

Ils grimpèrent les cent derniers mètres et atteignirent le plateau artificiel, puis s'arrêtèrent et contemplèrent le panorama de cauchemar ; en regardant autour de lui, Sutton eut une sensation de solitude telle qu'elle le saisit dans une étreinte glacée, car c'était là une solitude absolue, un isolement démentiel, comme il n'en avait jamais rêvé. C'était la négation même de la vie et du mouvement, le commencement du monde, désolé, nu, alors que n'existait pas la vie, pas même l'idée de la vie. Ici, tout ce qui sentait ou pensait ou bougeait était quelque chose d'étranger, une maladie, un cancer, au milieu du néant.

Un bruit de pas derrière eux les fit se retourner.

Un homme surgit de la nuit étoilée. Sa voix était aimable et grave quand il parla :

— Bonsoir, dit-il. (Il attendit un instant, puis il ajouta en manière d'explication :) Nous vous avons entendu atterrir et je suis venu à votre rencontre.

— Vous nous prenez au dépourvu, dit Eva d'une voix froide et avec un soupçon d'irritation. Nous ne pensions pas trouver quelqu'un.

Le ton de l'homme se durcit :

— J'espère que nous ne sommes pas des intrus. Nous sommes des amis de Mr Benton et il nous a dit que nous pouvions venir ici quand nous voulions.

— Mr Benton est mort, dit Eva, glaciale. Et monsieur est le nouveau propriétaire.

L'homme se tourna vers Sutton.

— Je suis désolé, monsieur, dit-il. Nous ne savions pas. Bien entendu, nous nous en irons aussitôt que nous pourrons.

— Je ne vois pas de raison que vous vous en alliez, dit Sutton.

— Mr Sutton, dit Eva, pincée, est venu ici pour être tranquille et au calme. Il a l'intention d'écrire un livre.

— Un livre, fit l'homme. C'est un écrivain ?

Sutton eut l'impression inconfortable que l'homme se moquait, pas de lui seulement, mais d'eux trois.

— Mr Sutton ? dit l'homme, comme s'il réfléchissait longuement. Il ne me semble pas me rappeler ce nom. Mais après tout, je ne suis pas un grand lecteur.

— Je n'ai encore jamais rien écrit, dit Sutton.

— Ah, bon, alors, dit l'homme en riant comme s'il était soulagé, voilà qui explique probablement tout.

— Il fait froid dehors, dit Herkimer brusquement. Entrons dans la maison.

— Bien sûr, dit l'homme, il fait froid, je n'y avais pas prêté attention. A propos, je m'appelle Pringle et mon compagnon s'appelle Case.

Personne ne lui répondit, et au bout de quelques secondes, il se détourna et marcha rapidement devant eux, comme un chien heureux, leur montrant le chemin.

En approchant, Sutton vit que l'habitation était plus grande qu'elle n'avait semblé de la vallée où ils avaient posé l'astronef. Elle se dressait énorme et noire contre le ciel étoilé, et si l'on n'avait pas su qu'elle était là, on aurait pu la prendre pour une formation rocheuse parmi les autres.

La porte s'ouvrit quand leurs pas résonnèrent sur les marches massives du perron, et un autre homme apparut, raide, grand et maigre, mais donnant une impression de force contenue lorsque la lumière à l'intérieur de l'habitation éclaira sa silhouette.

— Le nouveau propriétaire, Case, dit Pringle.

Il sembla à Sutton qu'il avait un peu trop accentué sa voix, souligné un peu trop les mots. Comme s'il voulait en faire un avertissement.

— Benton est mort, je viens de l'apprendre, dit Pringle.

— Oh, il est mort ? Comme c'est bizarre ! répondit Case.

Ce qui était, se dit Sutton, une étrange façon de s'exprimer.

Case s'effaça pour les laisser entrer, puis ferma la porte.

La salle était immense, avec une seule lampe allumée, et des ombres l'envahissaient, venues des coins sombres et de la haute voûte du plafond aux poutres apparentes.

— Je crains, dit Pringle, que vous ne soyez obligés de vous débrouiller tout seuls. Case et moi nous nous passons de raffinements et nous n'avons pas amené de robots. Quoique je puisse vous préparer quelque chose, si par hasard vous avez faim. Une boisson chaude, peut-être, et des sandwiches ?

— Nous avons mangé juste avant d'atterrir, dit Eva, et Herkimer s'occupera des quelques petites choses que nous avons apportées.

— Alors, prenez donc un siège, dit Pringle. Le fauteuil là-bas est confortable. Nous bavarderons un peu.

— Je crains de ne pas en avoir envie. Le voyage a été assez rude.

— Vous êtes une jeune dame peu aimable, dit Pringle, et son intonation était à mi-chemin de la plaisanterie et la colère.

— Je suis une jeune dame fatiguée.

Pringle s'approcha d'un mur, appuya sur des boutons. Des lumières brillèrent.

— Les chambres sont en haut de l'escalier, dit-il, au bout du balcon. Case et moi occupons les deux premières à gauche. Vous pouvez faire votre choix parmi toutes les autres.

Il s'avança pour les conduire, mais Case parla, et Pringle s'arrêta et attendit, une main sur la courbe de la rampe.

— Mr Sutton, dit Case, il me semble avoir entendu votre nom quelque part.

— Je ne pense pas, dit Sutton. Je suis une personne sans importance.

— Mais vous avez tué Benton.

— Personne n'a dit que je l'avais tué.

Case ne rit pas, mais dans sa voix on put deviner que, s'il n'avait pas été Case, il aurait ri.

— Néanmoins, vous devez l'avoir tué. Car il se trouve que je sais que c'était le seul moyen pour quelqu'un d'obtenir cet astéroïde. Benton l'aimait, et vivant, il n'y aurait jamais renoncé.

— Puisque vous insistez, alors j'ai bien tué Benton.

Case hocha la tête, abasourdi.

— Remarquable, dit-il. Remarquable.

— Bonne nuit, Mr Case, dit Eva. (Puis s'adressant à Pringle :) Ne vous dérangez pas. Nous trouverons notre chemin.

— Cela ne me dérange pas, répliqua Pringle, cela ne me dérange pas du tout.

Et de nouveau, il se moquait d'eux.

Il grimpa lestement l'escalier.

20

Pringle et Case avaient quelque chose de suspect. Le simple fait qu'ils fussent présents dans cette habitation était de mauvais augure.

La voix de Pringle était chargée d'ironie. Et il s'était moqué d'eux sans arrêt, avec un amusement sarcastique, se divertissant de quelque plaisanterie à peine voilée dont ils ne savaient rien.

Pringle était un bavard, un bouffon... mais Case était raide, correct et lorsqu'il parlait, ses mots étaient nets et tranchants. Case avait quelque chose... une allure... une ressemblance qui échappait à Sutton pour le moment.

Assis sur le bord de son lit, Sutton fronça les sourcils.

Si je pouvais seulement me rappeler, se dit-il. Si je pouvais retrouver cette attitude, cette manière de parler, de marcher et de se tenir raide. Si je pouvais l'associer avec une certaine chose que je connais, cela m'éclairerait beaucoup. Cela pourrait même me révéler qui est Case, ou ce qu'il est, ou même pourquoi il est ici.

Case savait que j'ai tué Benton. Case sait qui je suis. Et il aurait dû se taire, mais il fallait qu'il me dise qu'il le savait, parce que de cette façon, il se donnait du courage et bien qu'il n'en ait pas l'air, il a peut-être besoin de courage.

Eva n'a pas confiance en eux, elle non plus, car elle a essayé de me dire quelque chose quand nous nous sommes séparés à sa porte et je n'ai pu saisir ce que c'était d'après le mouvement de ses lèvres. Il me semble qu'elle essayait de dire : « Méfiez-vous d'eux. »

Comme si je pouvais me fier à quelqu'un... à qui que ce soit.

Sutton remua ses doigts de pied et les contempla, fasciné. Il essaya de les remuer les uns après les autres mais ils ne voulaient pas remuer à sa guise. Il essaya de bouger le même de chacun des deux pieds mais ils refusaient de bouger ensemble.

Je ne peux même pas faire ce que je veux avec mes doigts de pied ! et c'était drôle de penser à cela.

Pringle et Case nous attendaient, se dit Sutton, et il se demanda en même temps s'il ne se laissait pas aller simplement à son imagination. Comment, en effet, pouvaient-ils les attendre alors qu'ils ne pouvaient savoir que Herkimer et Eva mettraient le cap sur l'astéroïde ?

Il secoua la tête mais il ne put chasser l'idée que les deux hommes les attendaient...

Après tout, elle n'était pas si étrange. Adams avait su qu'il revenait sur la Terre, qu'il rentrait au bout de vingt ans. Adams le savait et lui avait tendu un piège... et il n'existait aucun moyen, absolument aucun moyen par lequel Adams aurait pu le savoir.

Et pourquoi ? se demanda-t-il. Pourquoi ?

Pourquoi Adams lui avait-il tendu ce piège ?

Pourquoi Buster s'était-il enfui pour aller s'installer sur une planète ?

Pourquoi quelqu'un avait-il conditionné Benton pour qu'il le provoque en duel ?

Pourquoi Eva et Herkimer l'avaient-ils amené sur cet astéroïde ? Pour qu'il écrive un livre, disaient-ils. Mais le livre était écrit. Le livre...

Il prit sa veste qui était accrochée sur le dossier

d'une chaise. Il sortit l'exemplaire du livre au titre doré, et la lettre tomba sur le tapis. Il la ramassa, la posa près de lui sur le lit et il ouvrit le livre à la page du titre :

« CECI EST LA DESTINEE, par Asher Sutton. »

Au-dessous, tout en bas de la page, il y avait une ligne en toutes petites lettres.

Sutton dut approcher un peu plus le livre pour la lire.

Et il lut : *Version originale.*

C'était tout. Pas de date de publication. Pas d'indication de copyright. Pas de nom d'éditeur.

Simplement le titre, le nom de l'auteur et cette ligne qui disait *Version originale.*

Comme si, pensa-t-il... comme si le livre était tellement connu, faisait tellement partie de la vie de tous, que quoi que ce fût de plus que le titre et l'auteur aurait été superflu.

Il tourna deux pages, elles étaient blanches, puis une autre et le texte débutait...

Nous ne sommes pas seuls.

Nul n'est jamais seul.

Jamais depuis le premier frémissement du premier soupçon de vie sur la première planète de la galaxie qui connut l'éveil de la vie, il n'y a eu une créature qui marche ou rampe ou glisse sur la route de la vie, seule.

Et c'est bien cela, se dit-il. C'est ainsi que j'ai l'intention de l'écrire.

C'est ainsi que je l'ai écrit.

Car je dois l'avoir écrit. Un jour, quelque part, je dois l'avoir écrit puisque je le tiens dans ma main.

Il referma le livre, le remit soigneusement en place et reposa sa veste sur la chaise.

Car je ne dois pas le lire, se dit-il. Je ne dois pas le lire, pas savoir de quelle manière il est écrit, sinon je l'écrirais de la manière dont je l'ai lu et je ne dois pas faire cela. Je dois l'écrire de la manière dont je sais qu'il l'est, à la manière dont je veux l'écrire, la seule manière de l'écrire.

Je dois être honnête, afin qu'un jour la race humaine... et d'autres races aussi... puissent connaître ce livre et le lire et chaque mot doit être exactement à sa place et je dois l'écrire si bien et si simplement que tous puissent comprendre.

Il souleva les couvertures, se glissa dans le lit ; au même moment, il vit la lettre et la prit.

D'un doigt ferme, il glissa un ongle sous le rabat de l'enveloppe, le fit passer tout le long du bord, et la colle s'effrita en une petite pluie de poudre fine qui tomba sur le drap.

Il sortit la lettre, la déplia avec précaution, afin qu'elle ne se casse pas, et il vit qu'elle était dactylographiée, avec de nombreuses fautes effacées par les *x*, comme si celui qui l'avait écrite avait eu de la difficulté à se servir d'une machine à écrire.

Il se tourna sur le côté, approcha la feuille de la lampe et voici ce qu'il lut...

21

Bridgeport, Wis.,
11 juillet 1987

Je m'écris cette lettre à moi-même, afin que le cachet de la poste puisse prouver sans contestation possible le jour et l'année auxquels elle a été écrite, et je ne l'ouvrirai pas. Je la rangerai parmi mes affaires dans l'attente du jour où quelqu'un, un membre de ma famille, si Dieu le veut, l'ouvrira et la lira. Et en la lisant, saura ce que je crois et pense mais je n'ose pas dire de mon vivant, de crainte que quelqu'un me traite de fou.

Car je n'ai plus longtemps à vivre. J'ai vécu plus que la durée ordinaire de l'existence humaine et même si je suis encore solide, je sais bien que la faux du temps, si elle peut manquer un homme lors d'une moisson, ne la manquera pas à la suivante.

Je n'ai pas une peur morbide de la mort, ni aucun désir sentimental d'obtenir cette courte immortalité qu'une pensée qui me sera accordée après ma mort peut me donner. Cette pensée elle-même ne sera que fugitive et celui qui me l'accordera n'aura lui-même pas tellement d'années à vivre car l'existence de l'homme est brève... beaucoup trop brève pour atteindre à une parfaite compréhension d'aucun des problèmes que pose une vie.

Quoiqu'il soit plus que probable que cette lettre sera lue par mes descendants immédiats, qui me connaissent bien, j'ai cependant le sentiment que, par quelque caprice du destin, elle peut tomber, sans avoir été ouverte, dans les mains de quelqu'un, de très nombreuses années après que j'ai été oublié, et même en des mains étrangères.

Comme je crois que l'événement dont je veux parler est d'un intérêt qui dépasse l'ordinaire, au risque même de relater ce qui peut être bien connu de celui qui lira cette lettre, je vais indiquer ici quelques faits essentiels sur moi-même, ma région et ma situation.

Je m'appelle John H. Sutton et je fais partie d'une famille nombreuse qui a ses origines dans l'Est mais dont une branche est installée dans cette région depuis une centaine d'années. Bien qu'il me faille demander, si le lecteur de cette lettre ne connaît pas les Sutton, d'accepter ce que j'écris tel quel, sans preuve corroborante, je tiens à dire que nous, les Sutton, sommes des gens sérieux, et pas du tout enclins à plaisanter, et que notre réputation d'intégrité et d'honnêteté est particulièrement incontestée.

Alors que j'avais fait des études de droit, je découvris bientôt que cela ne répondait pas entièrement à mes goûts et depuis quarante ans et même un peu plus, je me suis occupé d'agriculture, y trouvant plus de satisfaction que j'en ai jamais trouvé dans le droit. Car l'agriculture est un travail honnête et moralement réconfortant qui vous met en contact avec les premières nécessités de la vie, et on trouve, je crois, un contentement presque vaniteux dans la tâche simple, et pourtant étonnante, de tirer de la nourriture du sol.

Depuis un certain nombre d'années, je ne suis plus capable physiquement de poursuivre les travaux les plus durs de la ferme, mais je m'enorgueillis d'en accomplir encore la plupart des petites tâches quoti-

130

diennes et d'en conserver la direction active, ce qui signifie que j'ai l'habitude de parcourir régulièrement le domaine pour voir comment vont les choses.

Au fil des années, j'en suis venu à aimer cette région, bien qu'elle soit accidentée et, dans bien des cas, se prête mal à la culture. En fait, il m'arrive souvent de considérer avec pitié ceux qui possèdent de vastes étendues plates, sans collines où poser leurs yeux. Leurs terres sont peut-être plus fertiles et plus faciles à cultiver que les miennes, mais je possède quelque chose qu'ils n'ont pas... un décor pour ma vie et je suis profondément conscient de toutes les beautés de la nature, de tous les changements apportés par les saisons.

Ces dernières années, depuis que mon pas s'est ralenti, et que je me suis aperçu qu'un exercice dépassant un peu la normale me devenait fatigant, j'ai pris l'habitude de me fixer arbitrairement certains lieux de repos au cours de mes tournées à travers champs. Ce n'est pas par simple coïncidence que chacun de ces lieux de repos soit un endroit favorable au regard et à l'esprit. Je crois, en effet, s'il faut dire la vérité, que je prends plus de plaisir à ces lieux de repos qu'à l'inspection des champs et des pâtures, quoique, Dieu le sait bien, je tire beaucoup de contentement de chaque détail de mes tournées.

Un endroit a toujours eu, depuis le tout début, une signification particulière pour moi. Si j'étais encore un enfant, je l'expliquerais mieux en disant qu'il me semble être un lieu enchanté.

C'est une entaille profonde de la falaise qui tombe dans la vallée de la rivière et elle est située à l'extrémité nord de la pâture sur le plateau. Un assez gros rocher se trouve au sommet de l'entaille et ce rocher est taillé commodément pour s'y asseoir, ce qui peut être l'une des raisons pour lesquelles je l'apprécie, car je suis un homme qui aime son confort.

De ce rocher, on voit le panorama de la vallée avec

une impression surprenante de relief, due sans doute à la hauteur du point de vue, à la transparence de l'air, quoique parfois l'ensemble soit enveloppé d'une brume bleue d'une clarté translucide et singulièrement fascinante.

La vue est ravissante et je suis souvent resté assis là une heure entière, à ne rien faire, à ne penser à rien, mais en paix avec le monde et moi-même.

L'endroit possède une étrangeté difficile à définir, et j'ai beau chercher, je ne trouve pas de mots pour exprimer convenablement ce que je veux dire ou l'état d'esprit que j'aimerais décrire.

C'est comme si cet endroit frémissait... comme si cet endroit attendait que quelque chose se passe, comme s'il détenait de grandes virtualités de drame ou de révélation, et s'il peut paraître étrange d'utiliser le mot révélation, je crois que c'est celui qui exprime le mieux ce que j'ai éprouvé tant de fois alors que j'étais assis sur ce rocher et que je contemplais la vallée.

Il m'a souvent semblé qu'en ce lieu de la Terre, quelque chose pourrait arriver qui ne pourrait arriver nulle part ailleurs sur toute la planète. Et j'ai parfois tenté d'imaginer ce que cet événement pourrait être, et je me refuse à dire certaines des possibilités que j'ai imaginées, quoique, à la vérité, je sois peut-être trop peu imaginatif en d'autres domaines.

Pour me rendre au rocher, je traverse le bas de la pâture sur la falaise ; là, l'herbe est souvent plus drue que sur le reste du plateau car le bétail, pour une raison ou une autre, s'y aventure rarement. Le pâturage aboutit à un maigre bouquet d'arbres, avant-garde de la masse verdoyante des feuillages qui dévale de la falaise. A quelques mètres, dans les arbres, se trouve le rocher et à cause de cela il est toujours ombragé quelle que soit l'heure du jour, mais la vue est dégagée du fait de la pente rapide du terrain.

Un jour, voilà environ dix ans, le 4 juillet 1977,

pour être exact, alors que je me dirigeais vers cet endroit, je trouvai un homme et une étrange machine en bas de la pâture, juste à la lisière des arbres.

Je dis une machine parce que c'est ce que cela semblait être, quoique, au vrai, je n'aie pas bien compris ce que c'était. Cela ressemblait à un œuf, un peu pointu à chaque bout, un œuf sur lequel quelqu'un aurait marché sans l'écraser, le faisant s'allonger de telle façon que les pointes en soient plus accentuées. La machine n'avait aucun organe mécanique à l'extérieur ni même, autant que je pus le voir, de fenêtre, bien qu'il fût évident que le pilote s'asseyait à l'intérieur de la coque.

Car l'homme avait ouvert ce qui semblait être une porte et il était sorti. Il travaillait dans ce qui pouvait être le moteur, quoique, lorsque je risquai un regard, cela ne ressemblait à aucun moteur que j'eusse vu auparavant. Cependant, je dois ajouter, pour être exact, que je n'ai guère pu regarder le moteur ni quoi que ce soit de l'engin, car l'homme, dès qu'il me vit, m'en éloigna très adroitement et engagea avec moi une conversation si agréable et intelligente que je ne pouvais, sans odieuse grossièreté, changer de sujet ni me libérer suffisamment de ses questions pour prêter attention à toutes les choses qui suscitaient ma curiosité. Je me rappelle maintenant, en y réfléchissant, qu'il y avait beaucoup de questions que j'aurais aimé lui poser mais je n'ai pas pu le faire, et il me semble à présent qu'il devait les avoir prévues et que, délibérément et habilement, il m'en détourna.

En fait, il ne m'a jamais dit qui il était ni d'où il venait, ni pourquoi il se trouvait là, dans ma pâture. Et si cela peut paraître discourtois au lecteur de ce récit, cela ne me parut pas tel sur le moment, car il avait un charme si grand qu'on ne pouvait lui appliquer les mêmes règles que celles qu'on applique à d'autres personnes moins aimables.

Il paraissait très informé de l'agriculture, quoiqu'il n'eut pas du tout l'air d'un cultivateur. Mais en y pensant, je ne me souviens pas exactement de quoi il avait l'air, encore qu'il fût habillé d'une manière tout à fait insolite pour moi. Pas voyante, ni bizarre, ni même d'une façon qui aurait conduit à penser qu'il était étranger, mais il y avait dans ses vêtements certaines différences subtiles difficiles à définir.

Il me complimenta sur l'herbe drue de la pâture et me demanda combien nous avions de têtes de bétail, combien de vaches laitières et quelle était la meilleure manière que nous avions trouvée de mener à bien l'élevage de bons bœufs de boucherie. Je lui répondis du mieux que je pus, étant très intéressé par ce genre de conversation, et il poursuivit avec des questions et des commentaires pertinents, dont je m'aperçois maintenant que certains voulaient être discrètement flatteurs quoique alors je ne les aie probablement pas pris pour tels.

Il avait une sorte d'outil dans la main et, à un moment, il le pointa vers un champ de maïs de l'autre côté de la barrière, en disant que le maïs avait fort bel aspect et qu'à son avis, il arriverait à hauteur de genou avant le 4 juillet. Je lui dis alors qu'on était le 4 juillet et que le maïs était déjà un peu plus haut que le genou, et que j'en étais très content parce que c'était une nouvelle qualité de semence que j'essayais pour la première fois. Il parut un peu déconcerté, se mit à rire et dit que l'on était bien, en effet, le 4 juillet mais qu'il avait été tellement occupé ces temps derniers qu'il s'embrouillait dans les dates. Puis avant même que je m'étonne que quelqu'un pût s'embrouiller dans les dates au point d'en oublier le 4 juillet, notre fête nationale, il se mit à parler d'autre chose.

Il me demanda depuis combien de temps je vivais là ; quand je le lui dis, il voulut savoir si la famille n'était pas là depuis très longtemps, car dit-il, il avait déjà entendu notre nom. Je lui dis donc que oui et avant que je m'en rende compte, il se mit à tout me raconter sur la famille, y compris certaines anecdotes qui ne sortaient habituellement pas du cercle de nos proches, car ce n'était guère le genre d'histoires que nous tenions à répandre. Car si notre famille est dans l'ensemble très bourgeoise et honorable, plus honorable à bien des égards que beaucoup d'autres, il n'existe pas de famille qui n'ait un squelette ou deux à cacher dans ses placards.

Nous parlâmes jusqu'à ce que l'heure du déjeuner fût passée depuis longtemps et lorsque je m'en aperçus, je lui demandai s'il ne voulait pas partager notre repas, mais il me remercia et dit que, dans quelques instants, il serait prêt à repartir. Il ajouta qu'il avait pratiquement terminé la réparation qu'il avait entreprise. Lorsque j'exprimai la crainte de l'avoir retardé trop longtemps, il m'assura que c'était sans importance et qu'il lui avait été très agréable de passer ces instants en ma compagnie.

En le quittant, je m'arrangeai pour lui poser encore une question. J'avais été intrigué par l'outil qu'il tenait à la main pendant notre conversation et je lui demandai ce que c'était. Il me le montra et me dit que c'était une clé à mâchoires et, en effet, cela y ressemblait un peu mais pas tellement...

Après que j'eus déjeuné et fait la sieste, je revins à la pâture, décidé à poser à l'étranger quelques-unes des questions dont je m'étais maintenant rendu compte qu'il les avait évitées.

Mais l'engin était parti et l'étranger aussi, ne laissant qu'une empreinte dans l'herbe qui désignait l'endroit où la machine s'était posée. Cependant la clé était là et quand je me penchai pour la ramasser, je vis qu'une des extrémités était tachée. En l'examinant, je découvris que c'était une tache de sang. Bien des fois depuis, je me suis reproché de ne pas l'avoir

135

fait analyser afin de déterminer s'il s'agissait de sang humain ou de quelque animal.

De même, je me suis très souvent demandé ce qui était arrivé là : qui était cet homme et comment il se faisait qu'il ait laissé la clé et pourquoi l'extrémité la plus lourde de cette clé était tachée de sang.

Le rocher est encore l'un des endroits où je m'arrête régulièrement ; il est toujours à l'ombre, la vue est toujours dégagée et l'air qui flotte au-dessus de la vallée donne toujours au panorama son étrange aspect de profond relief. Et la même sensation de frémissante expectative continue de planer sur le lieu, si bien que je sais qu'il n'attendait pas uniquement cette singulière rencontre, mais que d'autres événements insolites peuvent encore s'y produire ; que cette singulière rencontre peut n'avoir été qu'un événement parmi beaucoup d'autres, qu'il a pu s'en produire d'innombrables auparavant et que d'innombrables restent à venir. Mais je n'espère ni ne compte en voir encore un autre car la vie d'un homme ne dure qu'une seconde, comparée à l'existence des planètes.

La clé que j'avais ramassée est encore chez nous et s'est révélée un outil très utile. En fait, nous ne nous servons plus de la plupart de nos autres outils et nous employons presque uniquement celui-là, car il s'adapte pour ainsi dire de lui-même à n'importe quel écrou ou boulon et peut serrer un tube de n'importe quelle taille pour l'empêcher de tourner. Il n'a besoin d'aucun réglage et l'on n'y trouve d'ailleurs aucun système de réglage. On l'applique simplement à la pièce de métal sur laquelle on veut avoir une prise solide et l'outil se règle de lui-même. Pas besoin d'appuyer beaucoup ni d'exercer une grande force pour l'utiliser ; il semble avoir tendance à multiplier la plus petite pression jusqu'à la force exacte qui est nécessaire pour serrer l'écrou ou empêcher le tube ou l'axe de tourner. Cependant nous faisons très attention de n'utiliser cet outil que lorsqu'il n'y a pas d'yeux étrangers pour le voir : il sent trop la magie ou la sorcellerie pour qu'on puisse le montrer à des tiers. Ce que nous savions en gros de cette clé aurait certainement provoqué des spéculations malsaines chez nos voisins. Et comme nous sommes une famille honnête et respectable, ce genre de situation est ce que nous désirons le moins.

Aucun de nous ne parle jamais de l'homme et de la machine que j'avais découverts dans la pâture sur la falaise, même entre nous. Nous semblons tacitement reconnaître que c'est là un sujet qui ne s'accorde pas avec le cadre de notre vie de cultivateurs sérieux et prosaïques.

Cependant, si nous n'en parlons pas, je sais bien que, moi, j'y pense beaucoup. Je passe plus de temps qu'auparavant, assis sur le rocher ; pourquoi, je ne sais, à moins que ce ne soit dans le faible espoir que, Dieu sait comment, je pourrais trouver là un indice qui confirmera ou infirmera la théorie que j'ai bâtie pour expliquer l'événement.

Car je crois, sans aucune espèce de preuve, que le personnage était un homme qui venait du futur, que l'engin était une machine à voyager dans le temps, et que la clé est un outil qui ne sera pas inventé ou fabriqué avant plus d'années à venir que je ne veux y songer.

Je crois que, quelque part dans le futur, l'homme a découvert un moyen grâce auquel il se déplace dans le temps, et qu'il a sans doute instauré des règles d'éthique et de conduite très rigides, de manière à éviter les paradoxes qui résulteraient de déplacements inconsidérés dans le temps et d'interventions dans les affaires d'une autre époque. Je crois que l'abandon de la clé dans le temps qui est le mien constitue un de ces paradoxes qui, en lui-même, est simple mais qui, en certaines circonstances, pourrait conduire à de nombreuses complications. Pour cette raison, j'ai bien persuadé ma famille de la stricte nécessité de ne rien changer à notre conduite présente et de conserver le secret au sujet de cet outil.

De même, je suis parvenu à la conclusion, sans véritable preuve, que l'entaille dans la falaise au sommet de laquelle se trouve le rocher est peut-être une voie ouverte dans le temps, ou du moins un passage de cette voie, un endroit unique où notre temps présent coïncide très étroitement, par l'opération de quelque principe encore inconnu, avec un temps très éloigné du nôtre. C'est peut-être un lieu du continuum espace-temps où l'on rencontre moins de résistance qu'ailleurs pour se déplacer dans le temps et qu'ayant été découvert, ce lieu est assez fréquemment utilisé. Ou encore, il peut se faire que ce soit simplement une voie plus profondément marquée, plus fréquemment utilisée que beaucoup d'autres voies dans le temps, et qu'en conséquence, le milieu, quel qu'il soit, qui sépare une époque d'une autre, ait été amenuisé par l'usure ou se soit disposé ou transformé d'une manière ou d'une autre.

Ce raisonnement pourrait expliquer l'étrange frémissement surnaturel de l'endroit, pourrait expliquer la sensation d'expectative ressentie.

Le lecteur doit, bien entendu, garder présent à l'esprit le fait que je suis un très très vieux bonhomme, que j'ai dépassé la durée habituelle de la vie humaine et que je continue d'exister par quelque caprice du destin. Bien que je ne le pense pas, il se pourrait pourtant que mon esprit ne soit plus aussi clair et aussi vif, ni aussi critique qu'il peut l'avoir été naguère, et qu'à cause de cela, je sois susceptible de nourrir des idées qui seraient sommairement rejetées par un homme normal.

Le seul élément de preuve, si l'on peut parler ici de preuve, que je possède à l'appui de mes théories, est que le personnage que j'ai rencontré pourrait avoir été un homme du futur, être venu de quelque civilisation plus avancée que la nôtre. Car ainsi que cela doit apparaître à quiconque lit cette lettre, dans toute notre conversation, il s'est servi de moi à ses propres fins, il m'a manœuvré aussi facilement qu'un homme de mon époque pourrait mystifier un Grec de l'époque homérique, ou un membre de la horde d'Attila. C'était, j'en suis certain, un homme très fort en sémantique et en psychologie. En y repensant, je me rends compte qu'il a toujours eu une bonne longueur d'avance sur moi.

J'écris cela non seulement pour que les théories que j'ai pu bâtir, et que je répugne à exposer de mon vivant, ne soient pas entièrement perdues, mais qu'elles puissent être à la disposition d'une époque à venir où des connaissances plus éclairées que les nôtres permettront d'en tirer quelque profit. Et j'espère qu'en les lisant, on n'en rira pas, puisque je serai mort. Car si l'on en riait, je crois bien que, tout mort que je serai, je le saurai sûrement.

C'est là notre défaut, à nous les Sutton, nous ne pouvons pas supporter que l'on rie de nous.

Et pour le cas où l'on pourrait croire que mon esprit est dérangé, je joins à cette lettre un certificat signé par un médecin, voici juste trois jours, affirmant qu'après examen, il m'a trouvé sain de corps et d'esprit.

Mais l'histoire que j'ai à raconter n'est pas complètement terminée. Ces détails supplémentaires auraient dû s'insérer dans les passages précédents, mais je n'ai trouvé aucun endroit où ils se seraient logiquement placés.

Ils concernent l'étrange incident des vêtements volés et la venue de William Jones.

Les vêtements furent volés quelques jours après la rencontre dans la pâture. Martha avait fait sa lessive très tôt ce jour-là, avant que vienne la chaleur du soleil d'été, et elle l'avait étendue. Quand elle revint pour rentrer les vêtements, elle s'aperçut qu'une vieille salopette à moi, une chemise appartenant à Roland et deux paires de chaussettes, dont je crains d'avoir oublié à qui elles étaient, avaient disparu.

Ce larcin causa pas mal d'émotion parmi nous, car le vol est une chose rare dans notre communauté. Nous cherchâmes parmi nos voisins, non sans un certain sentiment de gêne, car si nous ne prononçâmes pas à haute voix un mot que quiconque n'aurait pu entendre, nous savions dans notre cœur que le seul fait de penser à l'un ou l'autre de nos proches voisins à propos de ce larcin était une grossière injustice.

Nous en parlâmes et en reparlâmes pendant plusieurs jours et finalement conclûmes que ce vol avait dû être l'œuvre de quelque vagabond de passage, quoique cette explication ne fût guère satisfaisante. Nous sommes à l'écart des routes fréquentées et les vagabonds ne passent guère par ici, et cette année-là, autant que je m'en souvienne, était une année de grande prospérité et il y avait peu de vagabonds.

Ce fut environ deux semaines plus tard, après le vol des vêtements, que William Jones vint à la maison et demanda si nous avions besoin de quelqu'un pour nous aider à la moisson. Nous fûmes très contents de l'engager car nous manquions de personnel, et les gages qu'il demandait étaient en dessous du salaire courant. Nous l'engageâmes seulement pour la moisson, mais il se révéla si capable que nous l'avons gardé depuis tant d'années. Et pendant que j'écris cela, il est dans la cour de la ferme en train de préparer la faucheuse-lieuse pour la récolte du petit blé.

Il y a une chose bizarre à propos de William Jones. Dans la région, on donne vite un surnom à quelqu'un ou tout au moins un diminutif. Mais William Jones est toujours resté William. Il n'a jamais été Will ou Bill ou Willy. Ni Spike ou Bud ou Kid. Il garde une attitude de dignité tranquille qui fait que tout le monde le respecte, et son amour du travail, ainsi que son intérêt calme et intelligent pour l'agriculture, lui ont valu dans la communauté une place très au-dessus de la condition habituelle d'un valet de ferme.

Il est d'une sobriété totale et ne boit jamais, ce dont je suis très content, bien que, à un certain moment, j'ai eu quelques doutes. Quand il est arrivé chez nous, il avait un pansement autour de la tête, et il m'expliqua, d'un air embarrassé, qu'il avait été blessé au cours d'une bagarre dans un cabaret, quelque part dans le comté de Crawford, de l'autre côté de la rivière.

Je ne sais à quel moment je commençai à me poser des questions au sujet de William Jones. Ce ne fut certainement pas sur-le-champ, car je l'accueillis pour ce qu'il prétendait être, un homme à la recherche de travail. S'il ressemblait tant soit peu à celui avec qui j'avais parlé dans la pâture, je ne le remarquai pas alors. Et maintenant que je l'ai remarqué, si tardivement, je me demande si ma mémoire ne me joue pas des tours, si mon imagination, lancée sans frein dans mes théories de voyage dans le temps, ne m'a pas si bien conditionné que je vois des mystères embusqués partout.

Mais cette conviction n'a fait que croître en moi au cours des années durant lesquelles j'ai vécu avec lui. Car en dépit de tout ce qu'il s'efforce de faire pour rester à sa place, pour adapter sa manière de parler à la nôtre, il y a des moments où ses propos laissent entrevoir une éducation et une intelligence qu'on ne s'attend pas à trouver chez un homme qui travaille dans une ferme pour soixante-quinze dollars par mois, nourri et logé.

Il y a aussi sa réserve naturelle, ce qui est un trait qui caractérise un homme qui tenterait délibérément de s'adapter à une société qui n'est pas la sienne.

Et il y a la question des vêtements. En y repensant, je ne puis être certain au sujet de la salopette, car toutes les salopettes se ressemblent beaucoup. Mais la chemise était semblable à celle qui avait été

141

volée, quoique je me dise qu'il n'est pas impossible que deux hommes aient le même genre de chemise. Et il avait les pieds nus, ce qui semblait bizarre même à l'époque, mais il l'expliqua en disant qu'il était sans le sou et je me souviens lui avoir avancé un peu d'argent pour acheter des chaussures et des chaussettes. Mais il se trouva qu'il n'avait pas besoin de chaussettes car il en avait deux paires dans sa poche.

Voici quelques années, je décidai à plusieurs reprises que je lui parlerais de cette affaire mais, chaque fois, la résolution me manqua et maintenant je sens que je ne le ferai plus jamais. Parce que je suis attaché à William Jones et qu'il est attaché à moi, et pour rien au monde je ne voudrais détruire cet attachement mutuel par une question qui pourrait l'amener à s'enfuir de la ferme.

Il y a encore autre chose qui rend William Jones différent de la plupart des valets de ferme. Avec le premier argent gagné ici, il acheta une machine à écrire, et durant les deux ou trois premières années qu'il vécut chez nous, il passa de longues heures de ses soirées à taper à la machine et à marcher de long en large dans sa chambre, comme un homme qui réfléchit a souvent tendance à le faire.

Et puis un jour, au petit matin, alors que la plupart d'entre nous étaient encore au lit, il prit une grosse liasse de papiers, apparemment le résultat de ses longues heures de travail, et la brûla. Je l'observai de la fenêtre de ma chambre, et je vis qu'il restait là jusqu'à ce qu'il fût certain que le dernier morceau de papier soit consumé. Il se détourna alors et revint lentement vers la maison.

Je ne lui ai jamais parlé de ces papiers brûlés car je sentais, sans me l'expliquer, que c'était une chose qu'il ne désirait pas que quelqu'un d'autre sache.

Je pourrais continuer pendant bien des pages et rapporter beaucoup d'autres petites choses insignifiantes qui s'entrechoquent dans ma tête, mais qui n'ajouteraient pas un iota à ce que j'ai dit et qui pourraient, en fait, convaincre le lecteur que je suis un vieux radoteur.

A celui ou celle qui lira ces lignes, je veux donner une dernière assurance. Si même ma théorie se révélait fausse, je voudrais qu'il ou elle croie que les faits que j'ai rapportés sont vrais. Je voudrais qu'il ou elle sache que j'ai bien vu une étrange machine dans la pâture de la falaise et que j'ai bien parlé à un homme étrange, que j'ai ramassé une clé à mâchoires avec une tache de sang, que des vêtements furent volés sur l'étendoir, et qu'en ce moment même, un homme appelé William Jones est en train de pomper un peu d'eau au puits, pour boire, car la journée est très chaude.

Sincèrement,
John H. Sutton.

22

Sutton replia la lettre et le craquement du vieux papier résonna dans le silence de la pièce comme un grondement de tonnerre.

Puis il se rappela quelque chose et déplia de nouveau la liasse de feuillets, et il trouva le certificat dont il avait été question. Il était jauni de vieillesse... et d'un papier de moins bonne qualité que celui de la lettre. Il était manuscrit et à l'encre, et les lignes étaient si effacées qu'on pouvait à peine les lire. La date n'était pas nette, sauf le 7 final.

Sutton déchiffra le texte :

John H. Sutton a été examiné ce jour par moi et je le déclare sain de corps et d'esprit.

La signature était un griffonnage qui n'aurait probablement pu être lu même si l'encre avait été à peine sèche, mais deux lettres se détachaient assez nettement tout au bout.

Ces lettres étaient *M.D.* (1).

Sutton regarda fixement l'autre côté de la pièce et vit, dans son esprit, la scène en ce jour lointain.

« Docteur, j'ai l'intention de faire mon testament. Je me demande si vous pourriez... »

_____

(1) *Medicinae Doctor*, titre en latin, utilisé dans les pays de langue anglaise par les docteurs en médecine (N.d.T.).

Car John H. Sutton n'aurait jamais dit au médecin la vraie raison pour laquelle il voulait ce certificat... la vraie raison pour laquelle il voulait que fût établi qu'il n'était pas fou.

Sutton pouvait se le représenter. La démarche lourde, lente, délibérée, prenant beaucoup de temps pour réfléchir, attribuant une importance démesurée à des qualités et des valeurs qui, même à cette époque, étaient usées et périmées après avoir été trop prônées pendant des siècles.

Un vieux tyran pour sa famille, plus que probablement. Un vieux rabâcheur pour ses voisins qui riaient derrière son dos. Un homme à qui manquait le sens de l'humour et qui coupait les cheveux en quatre à propos d'infimes détails d'étiquette et d'éthique.

Il avait fait des études de droit et il avait l'esprit d'un avocat, la lettre démontrait au moins cela très clairement. L'esprit d'un avocat pour les détails, avec la lenteur d'un propriétaire terrien et la verbosité d'un vieux bonhomme.

Mais on ne pouvait se méprendre sur sa sincérité. Il croyait avoir vu une étrange machine et avoir parlé à un homme non moins étrange et avoir ramassé une clé à mâchoires tachée de...

Une clé !

Sutton se redressa d'un coup sur son lit.

Cette clé se trouvait dans la malle. Et lui, Asher Sutton, l'avait tenue dans sa main. Il l'avait prise et rejetée sur le tas de vieilleries avec l'os rongé du chien et les cahiers d'étudiant.

La main de Sutton tremblait tandis qu'il remettait la lettre dans son enveloppe. D'abord, ç'avait été le timbre qui l'avait intrigué, un timbre qui valait Dieu sait combien de milliers de dollars... puis ç'avait été la lettre elle-même et le fait mystérieux qu'elle fût encore fermée.. et maintenant, c'était la clé. Et la clé confirmait tout.

Car cette clé signifiait qu'il y avait réellement eu

une étrange machine et un homme encore plus étrange... un homme qui connaissait assez de sémantique et de psychologie pour faire perdre pied à un vieux bonhomme bavard et égocentrique. Qui avait la répartie assez vive pour empêcher ce fermier inquisiteur de lui poser les questions que celui-ci bouillait d'envie de lui poser.

Qui êtes-vous et d'où êtes-vous venu et qu'est-ce que c'est que cette machine et comment fonctionne-t-elle ? Je n'en ai jamais vu de pareille...

Des questions auxquelles il serait difficile de répondre si elles venaient à être posées...

Mais elles ne furent pas posées.

John H. Sutton avait eu le dernier mot... comme cela devait être son habitude.

Asher Sutton rit en lui-même, en pensant à John H. Sutton qui avait eu le dernier mot et comment cela s'était produit. Cela aurait fait plaisir au vieux bonhomme s'il avait seulement pu le savoir mais, naturellement, il ne le pouvait pas.

Il y avait eu, bien entendu, un petit accident. La lettre avait été perdue ou égarée d'une manière ou d'une autre, et puis égarée de nouveau... et finalement, elle était arrivée, dans les mains d'un autre Sutton, six mille ans plus tard.

Et le premier Sutton, très probablement, à qui elle pût être utile. Car cette lettre avait un rapport étroit avec quelque chose d'important dans le mystère du moment.

Des hommes qui voyageaient dans le temps. Des hommes dont les machines à voyager dans le temps se détraquaient et devaient se poser, dans l'espace ou dans le temps, comme on voudra, dans une pâture à vaches. Et d'autres hommes qui combattaient dans le temps et dont les engins en feu, hurlant à travers des courbures du temps, venaient s'abattre dans un marais.

Une bataille qui avait eu lieu en 83, avait dit le

146

jeune mourant. Pas une bataille à Waterloo ou au large de la planète Mars, mais en 83.

Et cet homme avait crié le nom de Sutton juste avant de mourir et il s'était soulevé pour faire un signe avec des doigts étrangement enlacés. Donc, s'était dit Sutton, j'étais connu dès 83 et après 83, car le jeune homme avait dit « avait eu lieu » et cela voulait dire qu'à son époque, une date qui ne viendrait que dans trois siècles était déjà historiquement du passé.

Il reprit sa veste et glissa la lettre dans la poche avec le livre, puis il sortit du lit. Il ramassa ses vêtements et commença à s'habiller.

Car il savait maintenant ce qu'il devait faire.

Pringle et Case avait utilisé une machine pour atteindre l'astéroïde et il lui fallait découvrir cette machine.

23

L'habitation était déserte, vaste et vide, avec, dans ce vide, une étrangeté dont Sutton, qui aurait dû être accoutumé à l'étrangeté, frissonna quand il la sentit l'envelopper.

Il resta un instant devant sa porte et écouta le murmure de la maison, la faible, illogique respiration de l'habitation, le craquement des poutres déformées par le gel, la caresse du vent contre une vitre, et des bruits qui ne pouvaient être expliqués ni par le gel ni par le vent.

Les tapis du corridor assourdirent ses pas tandis qu'il marchait vers l'escalier. Des ronflements venaient de l'une des deux chambres que Pringle avaient dites occupées par lui et par Case, et Sutton se demanda un instant lequel des deux ronflait.

Il descendit l'escalier avec précaution, gardant la main sur la rampe pour se guider, et quand il atteignit l'énorme salle de séjour, il s'arrêta, restant immobile afin que ses yeux s'accoutument aux ombres plus noires encore qui y étaient tapies comme des animaux aux aguets.

Peu à peu, ces animaux prirent la forme de fauteuils et de canapés, de tables et de meubles, et il vit que, dans l'un des fauteuils, un homme était assis.

Comme s'il prenait conscience que Sutton l'avait vu, l'homme bougea, tourna le visage vers lui. Et bien qu'il fît trop sombre pour voir ses traits, Sutton sut que l'homme assis dans le fauteuil était Case.

Donc, se dit-il, l'homme qui ronfle est Pringle, bien qu'il sût que cela ne faisait aucune différence que ce fût l'un ou l'autre.

— Ainsi, Mr Sutton, dit Case lentement, vous avez décidé de sortir et d'essayer de trouver notre machine.

— Oui, dit Sutton, c'est exact.

— Allons, voilà qui est parfait, dit Case, c'est comme cela que j'aime qu'un homme parle et dise ce qu'il pense. (Il soupira :) On rencontre tant de gens à l'esprit tortueux, reprit-il, tant de gens qui essaient de vous mentir. Tant de gens qui vous disent des demi-vérités et qui croient, ce faisant, être malins.

Il se leva de son fauteuil, grand, droit et raide.

— Mr Sutton, déclara-t-il, vous m'êtes très sympathique.

Sutton sentit le ridicule de la situation, mais en lui un début de colère glacée lui disait qu'il n'y avait pas là de quoi rire.

Des pas descendirent doucement l'escalier derrière lui et la voix de Pringle murmura dans la pièce.

— Ainsi, il a décidé d'essayer.

— Comme vous voyez, dit Case.

— Je vous l'avais dit, dit Pringle presque triomphant. Je vous avais dit qu'il aurait vite compris.

Sutton réprima la colère qui lui montait à la gorge, mais sa colère demeura... une colère due à la façon dont ils parlaient de lui comme s'il n'était pas là.

— Je crains, dit Case à Sutton, que nous ne vous ayons dérangé. Nous sommes des gens qui n'avons pas le moindre tact et vous êtes susceptible. Mais oublions tout cela et passons à nos affaires. Vous vouliez, je crois, dénicher notre machine.

Sutton haussa les épaules.

— C'est à vous de jouer maintenant, dit-il.

— Oh, mais vous vous trompez, dit Case. Nous

n'avons pas d'objection à formuler. Allez-y et déni-
chez-la.

— Ce qui signifie que je ne pourrai pas la trouver ?

— Ce qui signifie que vous le pourrez, dit Case.
Nous n'avons pas essayé de la cacher.

— Nous vous montrerons même le chemin, dit
Pringle. Nous irons avec vous. Cela vous prendra
beaucoup moins de temps.

Sutton sentit une fine sueur perler sur son front.

Un piège, se dit-il. Un piège tendu, bien en vue et
pas même encore amorcé. Et il y était tombé sans
même regarder. Mais il était trop tard maintenant.
Il n'y avait pas moyen de reculer.

Il essaya de donner à sa voix un ton indifférent.

— O.-K., dit-il, je jouerai le jeu.

24

La machine était réelle — étrange mais bien réelle. Et c'était la seule chose qui fût réelle. Tout le reste de la situation avait un caractère vague, irréel, presque onirique. On se serait cru dans un mauvais rêve dont on allait s'éveiller à tout moment, essayant pendant une seconde atroce de distinguer entre le rêve et la réalité.

— Cette carte là-bas, dit Pringle, vous intrigue sans doute. Et il y a de bonnes raisons à cela. Car c'est une carte du temps...

Il eut un petit rire et se frotta la nuque d'une main épaisse.

— A dire vrai, je ne la comprends pas moi-même. Mais Case la comprend. Case est un militaire et je ne suis qu'un agent de propagande, et un agent de propagande n'a pas besoin de savoir ce dont il parle, du moment qu'il en parle d'une manière très convaincante. Mais un militaire doit le savoir. Sinon, un jour, il se trouvera dans une situation difficile et sa vie dépendra peut-être de ce qu'il saura ou non.

C'était donc cela, se dit Sutton. C'était cela qui l'avait tracassé. C'était l'indice qui lui avait échappé. Le point qu'il ne pouvait identifier au sujet de Case, ce dont il s'était dit qu'il expliquerait Case, qu'il indiquerait qui il était et pourquoi il était là, sur cet astéroïde.

Un militaire.

J'aurai dû le deviner, pensa Sutton. Mais je pensais au présent... pas au passé ou au futur. Et il n'existe pas de militaires, en tant que tels, dans le monde d'aujourd'hui. Bien qu'il y ait eu des militaires avant mon époque et qu'apparemment il doive y en avoir dans les temps à venir.

— La guerre dans quatre dimensions doit être plutôt compliquée... dit-il à Case.

Et il ne le dit pas parce qu'il s'intéressait pour le moment à la guerre, qu'elle se fît dans trois ou quatre dimensions, mais parce qu'il sentit que c'était à son tour de parler, à son tour de garder à ce bavardage digne du thé chez le Lièvre fou, dans *Alice au Pays des Merveilles*, un ton adéquat.

Car c'était bien cela, se dit-il... une situation complètement illogique, une folie, un intermède légèrement psychopathique qui pouvait avoir son but mais un but caché, embrouillé.

Le moment est venu, dit le Morse, de parler de beaucoup de choses. De chaussures... et de bateaux... et de cire à cacheter... De choux... et de rois... (1).

Case eut un sourire quand il lui parla, un sourire pincé, dur, bref, un sourire de militaire

— En principe, dit Case, c'est une affaire de cartes et de graphiques et de connaissances très spécialisées, et d'un peu de super-conjoncture. Vous calculez où peut être l'ennemi et ce qu'il peut penser et vous foncez le premier.

Sutton haussa les épaules.

— Au fond, cela a toujours été le principe, dit-il. Fallait y arriver le premier...

(1) Citation extraite d'*Alice au Pays des Merveilles* de Lewis Carroll (N.d.T.).

— Oh ! fit Pringle, mais il y a maintenant tellement plus d'endroits où l'ennemi peut aller.

— On travaille avec des graphiques de psychologie et des tables de comportement et des rapports historiques, dit Case, presque comme s'il n'avait pas été interrompu. On retrouve certains événements, puis on va dans le passé et on essaie de changer quelques-uns de ces événements... juste un peu, vous comprenez, car on ne doit pas les changer beaucoup. Juste assez pour que le résultat final soit légèrement différent, juste un peu moins favorable à l'ennemi. Un changement ici et là et on le met en déroute...

— Cela a de quoi rendre fou, dit Pringle, d'un ton confidentiel. Parce qu'il faut qu'on soit sûr, vous comprenez. Vous choisissez une jolie tendance historique bien prometteuse, vous en calculez tout jusqu'au moindre détail, vous choisissez un point clé où un changement paraît indiqué, vous allez dans le passé et vous effectuez le changement...

— Et alors, dit Case, il vous explose dans la figure.

— Parce que, comprenez-vous, poursuivit Pringle, l'historien s'est trompé. Une partie de sa documentation était erronée ou sa méthode était maladroite ou son raisonnement était faux...

— Quelque part en chemin, dit Case, il a oublié un petit détail.

— Exactement, dit Pringle, il a oublié un détail quelque part et vous vous apercevez, après que vous l'avez changé, que cela nuit à votre camp plus qu'à celui de votre ennemi.

— Voyons, mon bon monsieur, dit Sutton, pourriez-vous me dire pourquoi une poule traverse la route en courant ?

— Mais oui, mon cher interlocuteur, dit Pringle. Parce qu'elle veut aller de l'autre côté.

Un dialogue de fous, se dit Sutton. Une scène sortie toute crue d'une bande dessinée comique.

Mais c'était adroit. Pringle était un agent de pro

paganſe et il n'était pas idiot. Il connaissait la sémantique et il connaissait la psychologie et même les vieilles blagues de clowns. Il savait tout ce qu'il y avait à savoir de l'espèce humaine, dans la mesure où ces connaissances pouvaient lui servir dans le passé humain.

Un homme avait atterri un matin dans la pâture de la falaise, six mille ans auparavant, et John H. Sutton était arrivé, descendant la côte, en balançant sa canne, car c'était le genre d'homme qui devait avoir une canne, une solide canne de noyer blanc, sans doute, qu'il avait coupée et façonnée avec son propre couteau de poche. Et l'homme avait employé les mêmes tactiques mentales sur John H. Sutton que Pringle essayait maintenant d'utiliser sur son lointain descendant.

Allez-y, dit en lui-même Sutton. Parlez jusqu'à en avoir la gorge enrouée et la langue sèche. Car je vois clair dans votre jeu et vous le savez. Et bientôt nous en arriverons aux affaires sérieuses.

Comme s'il lisait dans les pensées de Sutton, Case dit à Pringle :

— Jake, ça ne marche pas.

— Non, j'en ai l'impression.

— Asseyons-nous, dit Case.

Sutton en ressentit un vif soulagement. Maintenant, se dit-il, il allait découvrir ce que les autres voulaient, il pourrait avoir une idée de ce qui se passait.

Il s'assit sur un siège, et d'où il était, il pouvait voir l'avant de la cabine, un petit poste qui clamait son efficacité. Le tableau de commande s'inclinait devant le fauteuil du pilote mais il y avait peu de commandes. Une rangée de boutons, une manette ou deux, un panneau de commutateurs qui commandaient probablement l'éclairage, les portes, etc. Et c'était tout. Efficace et simple... pas de fioritures, un minimum de commandes manuelles. La machine, se dit Sutton, devait presque se piloter toute seule.

Case se glissa dans un fauteuil, étendit ses longues jambes devant lui et les croisa, à demi couché plutôt qu'assis. Pringle se percha sur le bord d'un autre siège, se pencha en frottant ses mains velues.

— Sutton, demanda Case, qu'est-ce que vous voulez ?

— D'abord, dit Sutton, cette histoire de temps...

— Vous ne savez pas ? Voyons, ce fut un homme de votre époque. Un homme qui vit en ce moment même...

— Case, dit Pringle, nous sommes en 7990. Michaelson ne fit vraiment pas grand-chose jusqu'en 8003.

Case se frappa la main sur le front.

— Oh, c'est vrai, s'écria-t-il, j'oublie toujours.

— Vous voyez, dit Pringle à Sutton, vous voyez ce que je veux dire ?

Sutton inclina la tête, bien qu'il fût absolument incapable de voir ce que Pringle voulait dire.

— Mais comment ? demanda-t-il.

— C'est strictement une affaire mentale, dit Pringle.

— Certainement, dit Case. Si vous preniez seulement la peine d'y réfléchir, vous sauriez ce que c'est.

— Le temps, dit Pringle, est une conception mentale. On l'a cherché partout ailleurs avant de le situer dans l'esprit humain. On pensait qu'il était une quatrième dimension. Vous vous souvenez d'Einstein...

— Einstein n'a pas dit qu'il était une quatrième dimension, dit Case. Pas une dimension au sens où l'on pense à la longueur, la largeur ou la hauteur. Il le concevait comme une durée...

— C'est une quatrième dimension, insista Pringle.

— Non, pas du tout, répliqua Case.

— Messieurs, intervint Sutton, messieurs...

— Bon, en tout cas, reprit Case, votre Michaelson a déterminé que c'était une conception mentale, que le temps n'existe que dans l'esprit, qu'il n'a pas de

155

propriétés physiques en dehors de la capacité de l'homme de le comprendre et de le mesurer. Il découvrit qu'un homme ayant un sens suffisamment développé du temps...

— Il existe des hommes, vous savez, dit Pringle, qui ont ce qui peut être considéré comme un sens exagéré du temps. Ils peuvent vous dire que dix minutes se sont écoulées depuis qu'un certain événement s'est produit, et dix minutes ont, en effet, passé. Ils peuvent compter les secondes aussi bien et avec autant de précision qu'une montre.

— Donc, reprit Case, Michaelson construisit un cerveau dont le sens du temps était exagéré des milliards de fois et il découvrit qu'un tel cerveau pouvait contrôler le temps à l'intérieur d'une certaine zone... qu'il pouvait maîtriser le temps, se déplacer dans le temps et emporter avec lui tous les objets qui se trouveraient dans son champ de force.

— Et c'est ce que nous utilisons aujourd'hui, dit Pringle, on règle simplement la commande qui indique au cerveau où l'on veut aller... ou plutôt quand... et le cerveau fait le reste. (Il adressa un léger sourire à Sutton :) Simple, n'est-ce pas ?

— Nul doute, dit celui-ci, que ce soit très simple.

— Et maintenant, Mr Sutton, dit Case, que voulez-vous d'autre ?

— Rien, rien du tout.

— Mais c'est insensé, protesta Pringle. Il doit y avoir quelque chose que vous voulez.

— Quelques renseignements, peut-être.

— Quoi, par exemple ?

— Par exemple, savoir de quoi il retourne dans toute cette affaire.

— Vous allez écrire un livre, dit Case.

— Oui, j'ai l'intention d'écrire un livre.

— Et vous voulez le vendre.

— Je désire qu'il soit publié.

156

— Un livre, fit remarquer Case, est une marchandise. C'est un produit de l'esprit et de la main. Il a une valeur marchande.

— Je suppose, dit Sutton, que vous êtes acheteur.

— Nous sommes des éditeurs, à la recherche d'un livre.

— Un livre à grand succès, ajouta Pringle.

Case décroisa les jambes, se redressa un peu dans son fauteuil.

— Tout cela est très simple, dit-il. Un simple marché entre nous. Nous voudrions que vous alliez franchement et que vous fixiez votre prix.

— Dites un gros prix, conseilla Pringle. Nous sommes prêts à payer.

— Je n'ai pas d'idée de prix, dit Sutton.

— Nous en avons discuté, dit Case, d'une manière assez théorique, nous demandant combien vous pourriez demander et combien nous serions disposés à payer. Nous avons estimé qu'une planète pourrait vous intéresser.

— Nous pourrions dire une douzaine de planètes, déclara Pringle, mais cela n'a pas beaucoup de sens. Que ferait un homme d'une douzaine de planètes ?

— Il pourrait les louer, dit Sutton.

— Vous voulez dire, demanda Case, qu'une douzaine de planètes pourraient vous intéresser ?

— Non, pas du tout, dit Sutton. Pringle se demandait ce qu'un homme pourrait faire d'une douzaine de planètes et je suis venu à son aide...

Pringle se pencha si loin en avant sur son siège qu'il faillit tomber sur le nez.

— Ecoutez, dit-il, nous ne parlons pas d'une de ces planètes minables, situées tout au fond de nulle part. Nous vous offrons une planète aménagée, débarrassée de tous animaux venimeux ou répugnants, avec un climat salubre, des indigènes dociles, et toutes les installations et améliorations habituelles pour y habiter et y vivre.

— Et l'argent, précisa Case, pour en assurer le bon fonctionnement durant le restant de votre vie.

— En plein au beau milieu de la galaxie, dit Pringle. Ce serait une adresse dont vous n'auriez pas à rougir.

— Cela ne m'intéresse pas, dit Sutton.

La patience de Case craqua.

— Mais sacrebleu, que voulez-vous donc ?

— Je veux des renseignements.

Case soupira.

— Bon. Nous vous donnerons des renseignements.

— Pourquoi voulez-vous mon livre ?

— Il y a trois groupes intéressés par votre livre, répondit Case. L'un de ces groupes voudrait vous tuer pour vous empêcher de l'écrire. Et pour être plus précis, il le feront probablement si vous ne vous entendez pas avec nous.

— Et l'autre groupe, le troisième ?

— Le troisième groupe voudrait que vous écriviez le livre, bien sûr, mais il ne vous donnera pas un sou. Il fera tout ce qu'il pourra pour vous faciliter la tâche et il essaiera de vous protéger contre ceux qui voudraient vous tuer mais ils ne proposent pas d'argent.

— Si je faisais l'affaire avec vous, dit Sutton, je suppose que vous m'aideriez à écrire ce livre. Conférences de rédaction et tout ce qui s'ensuit.

— Naturellement, dit Case. Nous y aurions un intérêt personnel. Et nous voudrions qu'il soit écrit de la meilleure façon possible.

— Après tout, ajouta Pringle, nous y aurions autant d'intérêt que vous.

— Je suis désolé, dit Sutton, mon livre n'est pas à vendre.

— Nous pourrions augmenter un peu notre offre, dit Pringle.

— Il n'est toujours pas à vendre.

158

— C'est votre dernier mot ? demanda Case. Votre décision bien réfléchie ?

Sutton inclina la tête.

Case soupira.

— Alors, dit-il. Je pense que nous devons vous tuer.

Il sortit un pistolet de sa poche.

25

Le psycho-pisteur cliquetait, indéfiniment, trottant vite puis lentement, manquant un cliquetis par-ci par-là, comme mesurerait le temps, par à-coups, une pendule qui aurait le hoquet.

C'était le seul bruit dans la pièce et pour Adams, il lui semblait qu'il écoutait le battement d'un cœur, la respiration d'un homme, la palpitation du sang dans une veine jugulaire.

Il adressa une grimace à la pile de dossiers qu'il venait de balayer de son bureau pour la jeter à terre d'un geste nerveux de la main. Car il n'y avait rien dans ces dossiers, absolument rien. Chacun était parfait, tous concordaient parfaitement. Les certificats de naissance, les renseignements scolaires et universitaires, les recommandations, les contrôles de loyalisme, les examens psychologiques — tout était ce qu'il devait être. Il n'y avait pas une faille.

C'était cela l'ennui... Dans toutes les archives du service du personnel, il n'y avait pas une faille. Pas une seule chose qu'on puisse relever. Pas une seule chose sur laquelle on puisse fonder un soupçon.

Tout cela avait la pureté et la blancheur du lys.

Et pourtant quelqu'un, à l'intérieur du service, avait dérobé le dossier de Sutton. Quelqu'un du service avait averti Sutton du piège qui lui était tendu aux *Armes d'Orion*. Quelqu'un l'avait attendu, qui connaissait le piège, prêt à le faire filer hors de portée.

Des espions, se dit Adams. Il leva la main, serra le poing et l'abattit sur le bureau si fort que les jointures des doigts lui firent mal.

Car personne, sinon quelqu'un qui savait, n'aurait pu emporter le dossier de Sutton. Personne, sinon quelqu'un qui savait, ne pouvait connaître la décision de tuer Sutton et les trois hommes qui avaient été désignés pour exécuter cet ordre.

Adams eut un sourire sinistre.

Le pisteur se moqua de lui. *Ker-rup*, fit-il, *ker-rup*, *clic*, *clic*, *ker-rup*...

C'était le cœur, la respiration de Sutton... c'était la vie de Sutton qui cliquetait quelque part. Tant que Sutton vivrait, où qu'il fût ou quoi qu'il pût faire, le pisteur continuerait ses cliquetis et ses hoquets.

Ker-rup, *ker-rup*, *ker-rup*...

Quelque part dans la ceinture des astéroïdes, avait dit le pisteur, et c'était une indication très générale, mais elle pouvait devenir plus précise. Déjà des vaisseaux avec d'autres pisteurs à bord s'y efforçaient. Tôt ou tard... Question d'heures ou de jours ou de semaines, Sutton serait retrouvé.

Ker-rup...

La guerre, avait dit l'homme masqué.

Et quelques heures plus tard, un vaisseau était passé en hurlant par-dessus les collines, comme une comète, pour s'abattre dans un marais.

Un vaisseau comme personne n'en avait encore construit, dont les armes fondues ne ressemblaient à rien qu'on eût encore inventé. Un vaisseau dont le tonnerre dans la nuit avait éveillé les gens à des kilomètres à la ronde, dont le métal flamboyant avait été comme un phare rutilant dans le ciel.

Un vaisseau et un corps, et une piste qui menait du marais au corps à travers près de trois cents mètres de marécage. La trace des pas d'un homme et le sillon laissé par d'autres pieds qui traînaient dans la boue. Et l'homme qui avait transporté le mort avait été Asher Sutton, car les empreintes de ses doigts avaient été relevées sur les vêtements boueux de l'homme qui gisait au bord du marais.

Sutton, se dit Adams avec lassitude. Toujours Sutton. Le nom de Sutton sur cette page de titre venue d'Aldébaran XII, les empreintes digitales de Sutton sur les vêtements du mort. L'homme au masque avait dit qu'il n'y aurait pas eu d'accident sur Aldébaran XII si Sutton n'avait pas été là. Et Sutton avait tué Benton d'une balle dans le bras.

Ker-rup, clic, ker-rup...

Le Dr Raven, assis dans le fauteuil de l'autre côté du bureau, avait parlé de l'après-midi où Sutton était venu le voir à l'Université.

« Il a découvert le destin », avait-il dit comme si c'était là une chose ordinaire, dont on ne pouvait douter et à laquelle on aurait dû s'attendre depuis toujours.

« Pas une religion, avait précisé le Dr Raven, tandis que le soleil brillait sur ses cheveux d'une blancheur de neige. Oh, grand Dieu, non, pas une religion. Le destin, ne comprenez-vous donc pas ? »

Destin, nom masculin. Destin, le cours prédéterminé des événements, souvent conçu comme une puissance ou une force irrésistible...

« Cette définition classique, avait dit le Dr Raven comme s'il prononçait une conférence magistrale, pourrait bien devoir être légèrement modifiée lorsque Asher écrira son livre. »

Mais comment Sutton pouvait-il avoir découvert le destin ? Le destin était une idée, une abstraction.

« Vous oubliez, avait répondu le Dr Raven, en lui parlant doucement comme à un enfant, le reste de la définition qui parle de puissance ou de force irrésistible. C'est ce qu'il a découvert : cette puissance ou cette force.

162

« Sutton m'a parlé des êtres qu'il a trouvé sur 61 du Cygne, avait répliqué Adams. Il ne savait pas bien comment les décrire. Ce qu'il pouvait faire de plus approchant, assurait-il, c'était de les définir comme des abstractions symbiotiques. »

Le Dr Raven avait hoché la tête, tiré sur ses oreilles en forme de coquillage, et déclaré qu'à son avis « abstractions symbiotiques » pouvait faire l'affaire, quoiqu'il fût difficile de décider au juste ce qu'était une abstraction symbiotique ou à quoi cela ressemblait.

Ce à quoi cela ressemblait — ou ce que cela pouvait être.

Le robot informateur avait été très technique quand Adams lui avait posé la question.

« La symbiose, avait-il dit, voyons, monsieur, la symbiose, c'est très simple. C'est une association durable, réciproquement profitable, entre deux organismes d'espèce différente. Mutuellement profitable, vous comprenez n'est-ce pas, monsieur ? C'est ce qui importe — cette affaire d'avantages mutuels. Pas pour l'un seulement des organismes, mais pour les deux.

« Le commensalisme, lui, est tout autre chose. Dans le commensalisme, il y a encore bénéfice mutuel, mais la relation est externe, pas interne. De même, pour le parasitisme, d'ailleurs. Parce que, dans le parasitisme, un seul organisme en tire un avantage. L'hôte, lui, n'en tire pas de bénéfice. Cela peut paraître un peu embrouillé, monsieur, mais...

« Parlez-moi de la symbiose, avait demandé Adams, le reste ne m'intéresse pas.

« C'est vraiment très simple, reprit le robot. Prenez par exemple la bruyère. Vous savez, bien sûr, qu'elle est associée à un certain champignon.

« Non, dit Adams, je ne le savais pas.

« Eh bien, elle l'est. Un champignon qui se développe en elle, à l'intérieur de ses racines et de ses branches, de ses fleurs et de ses feuilles, même dans ses graines. N'était ce champignon, la bruyère ne pourrait pousser sur le genre de sol où elle pousse. Aucune autre plante ne peut pousser sur un sol aussi pauvre. Parce que, voyez-vous, monsieur, aucune autre plante n'a ce champignon particulier, associé à elle. La bruyère fournit au champignon un endroit pour vivre, et le champignon permet à la bruyère de trouver de quoi vivre sur ce sol pauvre que nulle plante ne peut lui disputer.

« Je n'appellerais pas cela une affaire très simple.

« Possible, fit le robot, mais il y a d'autres exemples naturellement. Certains lichens ne sont rien d'autre qu'une association symbiotique d'une algue et d'un champignon. En d'autres mots, il n'existe pas, en fait, de lichen dans un tel cas. Ce sont simplement deux autres éléments.

« Ce qui m'étonne, dit aigrement Adams, c'est que vous ne fondiez pas au soleil éblouissant de vos explications.

« Et il y a aussi certains animaux verts, continua le robot.

« Les grenouilles, fit Adams.

« Pas les grenouilles, certains animaux primitifs très simples. Des choses qui vivent dans l'eau. Ils établissent une relation symbiotique avec certaines algues. L'animal utilise l'oxygène que la plante dégage et la plante utilise l'oxyde de carbone que dégage l'animal.

« Et il y a même un ver associé à une algue symbiotique qui l'aide dans son processus digestif. Tout marche très bien sauf lorsque parfois, le ver digère l'algue et meurt alors parce que, sans l'algue, il ne peut pas digérer sa nourriture.

« Tout cela est très intéressant, avait dit Adams au robot. Maintenant pouvez-vous me dire ce que pourrait être une abstraction symbiotique ?

« Non, dit le robot, je ne le peux pas. »

Et le Dr Raven, assis près du bureau, avait dit la

même chose. « Ce serait plutôt difficile de savoir au juste ce que peut bien être une abstraction symbiotique. »

De nouveau interrogé, il avait répété une fois encore que ce n'était pas une nouvelle religion qu'avait découvert Sutton. « Oh, bonté divine, non, pas une nouvelle religion. »

Et Raven, pensait Adams, était celui qui aurait dû savoir, car il était l'un des meilleurs spécialistes des religions comparées, et il faisait autorité.

Encore qu'il dût s'agir d'une idée nouvelle. Le Dr Raven l'avait dit : « Grand Dieu, oui, une idée absolument nouvelle. »

Et les idées sont dangereuses, avait pensé Adams.

Car les hommes étaient éparpillés dans la galaxie, si éparpillés qu'un mot, oui, littéralement, un seul mot prononcé, une pensée irréfléchie, pouvait suffire à déclencher un enchaînement de violence et de rébellion qui balaierait l'Homme et le renverrait vers le système solaire, le renverrait vers le petit anneau de planètes tournoyantes qui l'avait emprisonné auparavant.

On ne pouvait courir ce risque. On ne pouvait pas jouer avec un impondérable.

Mieux valait qu'un homme meure inutilement plutôt que de voir toute la race perdre son emprise sur la galaxie. Mieux valait que cette idée nouvelle, si grandiose qu'elle pût être, soit effacée et que l'immense rassemblement d'idées que représentait l'espèce humaine ne soit pas rejeté de milliers d'étoiles.

Un : Sutton n'était pas un humain.

Deux : il ne disait pas tout ce qu'il savait.

Trois : il possédait un manuscrit qui n'était pas déchiffrable.

Quatre : il avait l'intention d'écrire un livre.

Cinq : il avait une idée nouvelle.

Conclusion : Sutton devait être supprimé.

Ker-rup... clic... clic...

« La guerre, avait dit l'homme. Une guerre dans le temps. »

Elle serait éparpillée, elle aussi, comme les hommes dans la galaxie.

Ce serait une partie d'échecs à trois dimensions, avec un milliard de milliards de cases, et un million de pièces, et des règles qui changeraient à chaque coup.

Elle reviendrait en arrière pour gagner ses batailles. Elle frapperait en des points du temps et de l'espace qui ignoreraient même qu'il y avait une guerre. Elle pourrait, en toute logique, revenir en arrière jusqu'aux mines d'argent d'Athènes, au cheval et au char de Thoutmès III ou au voyage de Christophe Colomb. Elle engloberait tous les domaines de la culture et de la pensée humaines, et elle fausserait les rêves d'hommes qui n'auraient jamais pensé au temps que comme à une ombre mouvante sur la face d'un cadran solaire.

Elle impliquerait des espions et des agents de propagande, des espions pour connaître les facteurs du passé afin qu'ils puissent être intégrés dans la stratégie militaire, des agents de propagande pour fausser la structure du passé afin que la stratégie puisse être encore plus efficace.

Elle chargerait le personnel du Département de la Justice de l'an 7990 d'espions, de partisans clandestins et de saboteurs. Et elle le ferait si habilement que personne ne décélerait jamais les espions.

Mais comme dans une guerre ordinaire, honnête, il y aurait des points stratégiques. Comme aux échecs, il y aurait une case-clé.

Sutton était cette case. Il était la case qui devait être prise et tenue. Il était le pion qui gênait la marche du fou et de la tour. Il était le pion que visaient les deux camps, faisant porter leur pression en un seul point... et quand un camp serait prêt, aurait ob-

166

tenu un début d'avantage, le massacre commence-
rait.

Adams croisa les bras sur son bureau et posa la
tête sur eux. Ses épaules étaient secouées par les
sanglots, mais il n'avait pas de larmes.

— Ash, mon garçon, dit-il. Ash, je comptais tellement sur toi, Ash...

Le silence le fit se redresser dans son fauteuil.

Pendant un instant, il fut incapable de situer... de
déterminer ce qui n'allait pas. Et puis il le découvrit.

Le psycho-pisteur avait cessé de cliqueter.

Il se pencha sur l'appareil et écouta : aucun bruit,
aucun bruit de battement de cœur, de respiration,
de palpitation du sang dans la veine jugulaire.

La force qui le faisait fonctionner s'était arrêtée.

Lentement, Adams se leva de son fauteuil et s'en
alla.

Pour la première fois de sa vie, Christopher Adams
rentra chez lui avant que ne soit terminée la journée.

26

Sutton se raidit dans son fauteuil puis se détendit. C'était du bluff, se dit-il. Ces hommes ne le tueraient pas. Ils voulaient le livre et les morts n'écrivent pas.

Case lui répondit, presque comme si Sutton avait exprimée sa pensée tout haut.

— Ne comptez pas sur nous pour que nous soyons des hommes d'honneur, car ni l'un ni l'autre n'avons émis la moindre prétention à ce propos. Pringle, je crois, vous le dira, tout comme je vous le dis.

— Oh, bien sûr, répondit Pringle, je n'ai que faire de l'honneur.

— Cela aurait pu être très intéressant pour nous si nous avions pu vous ramener à Trevor et...

— Attendez une seconde ! interrompit Sutton. Qui est ce Trevor ? C'est la première fois que vous m'en parlez.

— Oh ! Trevor ? dit Pringle. Simple oubli. Trevor est le patron de la corporation.

— La corporation, précisa Case, qui veut avoir votre livre.

— Trevor nous aurait comblés d'honneur et de richesses, reprit Pringle, si nous y avions réussi, mais comme vous ne voulez pas nous aider, il faut que nous cherchions un autre moyen de nous assurer un profit.

— Nous changeons donc de camp, dit Case, et nous vous tuons. Morgan paiera cher pour vous, mais il vous veut mort. Votre cadavre aura beaucoup de valeur pour Morgan. Oui, vraiment, beaucoup.

— Et vous le lui vendrez ? dit Sutton.

— Naturellement, dit Pringle, nous ne laissons jamais échapper une affaire.

— Vous n'y voyez pas d'objection, j'espère ? fit Case doucement.

Sutton secoua la tête.

— Ce que vous ferez de mon cadavre, leur dit-il, ne me concerne pas.

— Eh bien, alors... dit Case, et il leva son pistolet.

— Une seconde ! dit tranquillement Sutton.

Case abaissa son arme.

— Quoi donc, maintenant ?

— Il veut une cigarette, dit Pringle. Ceux qui vont être exécutés demandent toujours une cigarette ou un verre de vin ou du poulet ou quelque chose de ce genre.

— Je veux poser une question, dit Sutton.

Case acquiesça.

— Je suppose qu'à votre époque, j'ai écrit ce livre.

— C'est exact, répondit Case. Et si vous me permettez de le dire, c'est un honnête et excellent ouvrage.

— Edité par vous ou par quelqu'un d'autre ?

Pringle gloussa.

— Par un autre éditeur, bien entendu. Si ç'avait été par nous, pourquoi croyez-vous que nous serions revenus ici ?

Sutton plissa le front.

— Je l'ai déjà écrit, dit-il, sans votre aide ni vos conseils... et sans que ce soit vous qui l'éditiez. Maintenant, si je l'écrivais une seconde fois et de la manière que vous désirez, cela créerait des complications.

— Aucune que nous ne puissions surmonter, déclara Case. Rien qui ne pourrait être expliqué d'une manière très satisfaisante.

— Et maintenant que vous allez me tuer, il n'y aura plus de livre du tout. Comment allez-vous arranger cela ?

Case fronça le front à son tour.

— Ce sera difficile et désolant pour beaucoup de gens. Mais nous y arriverons d'une manière ou d'une autre. (Il leva de nouveau son pistolet :) Vous êtes bien sûr de ne pas vouloir changer d'avis ?

Sutton secoua la tête.

Ils ne tireront pas, se dit-il. C'est du bluff. Le jeu est truqué et...

Case appuya sur la détente.

Une force énorme, semblable à un formidable coup de poing, frappa Sutton et le repoussa si violemment que le fauteuil bascula puis pivota, tanguant comme un astronef pris dans un orage magnétique.

La foudre éclata dans son crâne et il ressentit une rapide explosion de douleur qui le prit dans ses griffes, le souleva et le secoua, ébranlant tous ses nerfs, torturant tous ses os.

Une pensée lui vint, une pensée fugitive qu'il tenta de saisir et de garder, mais elle s'échappait de son cerveau comme une anguille glissant entre des doigts sanglants.

Changement, disait cette pensée. Changement. Changement.

Il sentit le changement... le sentit commencer en même temps qu'il mourait.

Et la mort était douce, douce et noire, fraîche et tendre, et accueillante. Il y glissa comme un nageur plonge dans la vague, elle se referma sur lui et le retint, et il en sentit la pulsation et le battement, et il en connut l'immensité et la certitude.

Là-bas sur la Terre, le psycho-pisteur hésita puis s'arrêta, et pour la première fois de sa vie Christopher Adams rentra chez lui avant que ne soit terminée la journée.

27

Herkimer était étendu sur son lit et essayait de dormir, mais le sommeil était long à venir. Et il s'étonna de devoir dormir... De devoir dormir, manger et boire comme un Homme. Car il n'était pas un homme, si proche qu'il en fût grâce à l'ingéniosité et à l'intelligence humaines.

Son origine était chimique et celle de l'Homme, biologique. Il était une imitation et l'Homme était le modèle. C'est le processus, se dit-il, le processus et la terminologie qui m'empêchent d'être un Homme, car en toutes autres choses nous sommes semblables. Le processus et les mots, et la marque tatouée que je porte sur le front.

Je vaux un Homme, je suis presque aussi intelligent, bien que je joue au clown et je serais aussi perfide que lui si j'en avais l'occasion. Sauf que je porte une marque tatouée et que j'appartiens à quelqu'un, et que je n'ai pas d'âme... bien que parfois je me le demande.

Herkimer restait étendu très tranquille et regardait le plafond et essayait de se rappeler certaines choses, mais les souvenirs le fuyaient.

Il y eut d'abord l'outil, puis la machine qui n'était rien d'autre qu'un outil compliqué, et les deux, la machine et l'outil n'étaient rien d'autre qu'un prolongement de la main.

La main de l'homme bien entendu.

Ensuite vint le robot et un robot était une machine qui marchait comme un homme. Qui marchait, qui ressemblait à l'homme et qui parlait comme lui, et qui faisait les choses que l'Homme voulait, mais c'était une caricature. Si parfaitement qu'il fût fabriqué, si ingénieusement qu'il fût conçu, il n'y avait aucun danger qu'on le prît pour un homme.

Et après le robot ?

Nous ne sommes pas des robots, se disait Herkimer et nous ne sommes pas des hommes. Nous ne sommes pas des machines et nous ne sommes pas de chair et d'os. Nous sommes des produits de la chimie, façonnés à l'image des hommes et à qui a été donnée une vie chimique si proche de la vie de nos créateurs qu'un beau jour l'un de ceux-ci découvrira, à son grand étonnement, qu'il n'y a pas de différence.

Façonnés à l'image des hommes... et la ressemblance est si proche que nous portons une marque tatouée afin que les hommes puissent reconnaître les leurs.

Si proches de l'Homme et pourtant pas Homme.

Bien qu'il y ait de l'espoir. Si nous pouvons garder le Berceau secret, si nous pouvons le garder caché aux yeux de l'Homme. Un jour, il n'y aura plus de différence. Un jour, un homme parlera à un androïde et pensera qu'il parle à l'un de ses semblables.

Herkimer s'étira et croisa les bras au-dessus de sa tête.

Il essaya d'analyser sa pensée profonde, de parvenir à des motivations et des appréciations, mais c'était difficile. Pas de rancœur, certainement. Pas de jalousie. Ni d'amertume. Mais un sentiment agaçant d'imperfection, d'avoir presque atteint au but et de rester en deçà.

Il y avait cependant une consolation, se disait-il, un motif de consolation à défaut d'autre chose. Et ce motif de consolation devait être préservé. Conservé pour les petits, pour ceux qui étaient moins que l'Homme.

Il resta étendu longtemps, à réfléchir à cette consolation, à regarder le rectangle noir de la fenêtre givrée et les étoiles qui luisaient à travers le givre, à écouter la plainte aigre du vent rageur qui cinglait le toit.

Le sommeil ne venait pas ; Herkimer se leva finalement et donna de la lumière. Grelottant, il enfila ses vêtements et tira un livre de sa poche. Blotti près de la lampe, il tourna les pages jusqu'à un passage presque effacé à force d'avoir été lu.

Il n'y a aucun être conscient de vivre, quelle que soit la manière dont il a été créé, dont il est né, dont il a été engendré ou produit, qui marche seul sur la route de la vie. Je peux vous donner cette assurance...

Il referma le livre et le serra entre les paumes de ses mains.

« ... dont il est né, dont il a été engendré *ou produit*...

Produit.

Ce qui importait, c'était la conscience de vivre.

Consolation.

Et elle devait être préservée.

J'ai fait mon devoir, se dit-il. Volontairement et presque passionnément. Et je le fais encore. J'ai joué mon rôle, et je pense que je l'ai bien joué. J'ai joué un rôle quand j'ai porté le défi en duel à Asher Sutton. J'ai joué un rôle quand je suis venu me présenter à lui comme faisant partie de l'héritage résultant du duel... le rôle impertinent, désinvolte, d'un androïde ordinaire.

J'ai fait mon devoir vis-à-vis de lui... Pas pour lui cependant, mais pour la consolation, le privilège de savoir et de croire que ni moi ni aucun autre être vivant, si humble soit-il, ne sera jamais seul.

Je l'ai frappé. Je l'ai frappé en pleine figure et je

174

l'ai mis knock-out puis je l'ai pris dans mes bras et je l'ai transporté.

Il était furieux contre moi mais cela est sans importance. Car sa colère ne peut effacer un seul mot de ce qu'il m'a donné.

Un coup de tonnerre fit trembler la maison, et la fenêtre, pendant un instant, flamboya soudain d'un éclat rouge.

Herkimer se releva, courut à la fenêtre et resta là, agrippé à l'appui, regardant la lueur décroissante des tuyères d'un astronef.

La crainte le frappa à l'estomac ; il bondit par la porte et courut dans le couloir jusqu'à la chambre de Sutton.

Il ne frappa pas ni ne tourna la poignée. Il enfonça la porte et elle s'ouvrit, sa serrure arrachée et tordue encore accrochée à ses vis.

Le lit était vide et il n'y avait personne dans la chambre.

28

Sutton se sentit ressusciter et il lutta contre cette résurrection. La mort était si douce. Comme un lit moelleux et tiède. Et la résurrection ressemblait à la sonnerie stridente, insistante, exaspérante d'un réveil qui retentirait dans le froid d'avant l'aube d'une chambre horrible et sale. Horrible à cause de son existence, de sa réalité nue, et de son rappel aigu et écœurant : il fallait se lever et revenir de nouveau dans la réalité.

Mais ce n'est pas la première fois. Non, en effet, se dit Sutton, ce n'est pas la première fois que je suis mort et revenu de nouveau à la vie. Car cela m'est déjà arrivé une fois et cette fois-là, j'étais mort depuis très, très longtemps.

Il était couché sur une surface plate et dure, à plat ventre et, pendant ce qui lui sembla un temps interminable, il s'efforça de se rendre compte de ce que pouvait être la surface qui était sous lui. Dure, plate et lisse, trois mots qui n'aidaient pas à imaginer ou comprendre la chose qu'ils décrivaient.

Il sentit la vie revenir lentement, puis s'accélérer, s'infiltrer dans ses jambes et ses bras. Mais il ne respirait pas et son cœur ne battait pas.

Un plancher !

C'était cela... C'était le mot qui désignait la chose

sur laquelle il était couché. La surface plate et dure était un plancher.

Des sons lui parvenaient mais d'abord il ne les considéra pas comme des sons, car il n'avait aucun mot pour les désigner, et puis, un moment plus tard, il sut que c'étaient des sons.

Bientôt, il put remuer un doigt. Puis un second doigt.

Il ouvrit les yeux et la lumière se fit.

Les sons étaient des voix et les voix étaient des paroles et les paroles étaient des idées.

Il faut tellement de temps pour se rendre compte des choses, se dit Sutton.

— Nous aurions dû insister un peu plus, dit une voix, et un peu plus longtemps. Ce qui est ennuyeux avec nous, Case, c'est que nous manquons de patience.

— La patience n'aurait servi à rien, répondit Case. Il était convaincu que nous bluffions. Quoi que nous eussions fait ou dit, il aurait toujours pensé que nous bluffions et cela ne nous aurait menés nulle part. Il n'y avait qu'une seule chose à faire.

— Oui, je sais, admit Pringle. Le convaincre que nous ne bluffions pas...

Il émit une sorte de soupir entre ses dents.

— Dommage, en plus, ajouta-t-il. C'était un jeune homme si brillant.

Ils restèrent silencieux un moment et maintenant, ce n'était plus la vie, mais les forces qui revenaient en Sutton. La force de se lever et de marcher, la force de remuer les bras, la force de donner libre cours à sa colère. La force de tuer deux hommes.

— Nous ne nous en tirons pas si mal, dit Pringle. Morgan et sa bande nous paieront largement.

Case avait des scrupules.

— Je n'aime pas ça, Pringle. Un mort est un mort si on le laisse tranquille. Mais si on le vend, on devient un boucher.

— Ce n'est pas cela qui m'ennuie, dit Pringle. Quel effet cela aura-t-il sur le futur, Case ? Sur notre futur. Nous avions un futur dont beaucoup d'aspects étaient fondés sur le livre de Sutton. Si nous nous étions arrangés pour changer un peu ce livre, cela n'aurait pas eu beaucoup de conséquences... n'en aurait même pas eu du tout, de la manière dont nous l'avions calculé. Mais maintenant, Sutton est mort. Il n'y aura pas de livre écrit par Sutton. Le futur sera différent.

Sutton se redressa et se mit debout.

Ils se retournèrent et lui firent face. La main de Case chercha son pistolet.

— Allez-y, fit Sutton. Criblez-moi de balles. Vous n'en vivrez pas une minute de plus.

Il essaya de les haïr comme il avait haï Benton durant cet instant fugace là-bas sur la Terre. Une haine si puissante et si fondamentale qu'elle avait foudroyé cet homme.

Mais il n'avait pas de haine. Rien qu'une volonté lourde et déterminée de tuer.

Il avança sur des jambes solides et ses mains se tendirent.

Pringle s'enfuit comme un rat, poussant des cris aigus, cherchant à s'échapper. Le pistolet de Case claqua deux fois. Le sang suinta et coula sur la poitrine de Sutton mais il continua d'avancer. Case jeta son arme et recula contre le mur.

Cela ne prit pas longtemps.

Ils ne pouvaient pas s'enfuir.

Il n'y avait aucune issue, aucun lieu de refuge.

29

Sutton amena le vaisseau contre le petit astéroïde, un bloc tournoyant de débris cosmiques pas beaucoup plus gros que le vaisseau lui-même.

Il sentit le contact, son pouce se tendit, abattit la manette de gravité et le vaisseau se fixa au fragment de rocher pour l'accompagner dans sa ronde à travers l'espace.

Sutton laissa ses mains retomber le long de son corps, assis calmement dans le siège du pilote. Face à lui l'espace était noir et hostile, rayé de minuscules étoiles qui traçaient des lignes de feu dans son champ de vision, écrivant d'énigmatiques messages de lumière froide et blanche dans le cosmos tandis que l'astéroïde poursuivait sa course errante.

Je suis en sûreté, se dit-il. En sûreté, pour un certain temps, au moins. Peut-être définitivement, car peut-être personne n'est-il à ma recherche.

En sûreté, avec un trou dans la poitrine, du sang sur le devant de sa chemise et qui coulait le long de ses jambes.

C'est bien commode, se dit-il, d'avoir ce second organisme qui m'a été greffé par ceux qui habitent le Cygne. Il me gardera en vie jusqu'à... jusqu'à... Jusqu'à quoi ?

Jusqu'à ce que je puisse revenir sur la Terre, entrer dans le cabinet d'un médecin et dire : « J'ai reçu quelques balles. Que penseriez-vous d'un petit raccommodage ? »

Sutton rit en lui-même.

Il voyait le médecin tomber raide mort !

Ou s'il retournait sur 61 du Cygne ? Mais ils ne me laisseraient pas entrer.

Ou simplement revenir sur la Terre tel quel et se passer de médecin.

Je pourrais acheter d'autres vêtements et le saignement s'arrêterait quand il n'y aurait plus de sang. Mais je ne respirerais pas et on le remarquerait.

— Johnny, dit-il.

Il n'y eut pas de réponse, juste un léger frémissement de vie dans son cerveau, un signe de reconnaissance, comme un chien qui remuerait la queue pour vous faire voir qu'il vous a entendu mais qu'il est trop occupé à ronger un os pour se laisser distraire par quoi que ce soit.

— Johnny, n'y a-t-il pas un moyen ?

Car il pouvait y avoir un moyen. C'était un espoir auquel s'accrocher, une chose à laquelle réfléchir.

Il n'avait même pas encore commencé, il s'en rendait compte, à sonder l'étrange étendue des pouvoirs tapis dans son corps et son esprit.

Il n'avait pas su que sa haine seule pouvait tuer, qu'elle pouvait jaillir de son cerveau comme une lance d'acier et abattre un homme raide mort. Et pourtant Benton était mort avec une balle dans le bras... et il était mort avant que la balle le frappe. Car Benton avait tiré le premier et l'avait raté ; or, Benton vivant ne l'aurait jamais raté.

Il n'avait pas su que, par le seul pouvoir de l'esprit, il pouvait rassembler l'énergie nécessaire pour faire décoller d'un lit de rochers la carcasse d'un astronef et la faire voler durant onze ans à travers l'espace. Et pourtant c'est ce qu'il avait fait, tirant l'énergie d'étoiles ardentes, si lointaines qu'elles étaient presque imperceptibles, de grains de matière qui flottaient au hasard dans le vide.

Et bien qu'il sût qu'il pouvait passer à volonté d'une forme de vie à une autre, il n'avait pas su avec certitude que lorsqu'une forme de vie était tuée, l'autre prenait automatiquement sa place. Pourtant, c'était ce qui était arrivé, Case l'avait tué, il était mort et il était revenu à la vie. Mais avant que le changement ait commencé, il était mort. Il était du moins certain de cela. Car il se souvenait de la mort et ne s'y trompait pas. Il la reconnaissait pour l'avoir déjà rencontrée une fois.

Il sentait son corps se nourrir... aspirer l'énergie des étoiles comme un être humain aspire le jus d'une orange, grignoter l'énergie emprisonnée dans le morceau de rocher auquel son vaisseau était fixé, se jeter sur les infimes pertes d'énergie provenant des moteurs atomiques du vaisseau.

Se nourrir pour devenir fort, se nourrir pour réparer...

— Johnny, n'y a-t-il pas un moyen ?

Et il n'y eut pas de réponse.

Il laissa sa tête se pencher en avant jusqu'à ce qu'elle repose sur le panneau incliné qui recouvrait les instruments de bord.

Son organisme continua à se nourrir, à tirer de l'énergie des étoiles.

Il écouta le sang goutter lentement de son corps et s'écraser sur le plancher.

Son esprit s'obscurcissait et il le laissa s'obscurcir. Il n'y avait rien à faire... Aucune nécessité de l'utiliser, car il ne savait comment l'utiliser. Il ne savait pas ce qu'il pouvait faire, ou ne pas faire, pas plus que comment le faire.

Son vaisseau, il s'en souvenait, s'était abattu dans un hurlement à travers le ciel du VII du Cygne, et lui, dans un moment de folle exultation, avait su qu'il avait franchi l'obstacle, que ce monde était à sa portée. Ce qu'aucune des flottes de la Terre n'avait réussi, il l'avait fait.

La planète se rapprochait rapidement et il en voyait la géographie confuse qui défilait, ondoyante, noire et grise, dans les hublots.

Il y avait vingt ans de cela, mais il s'en souvenait, dans la brume de son cerveau, comme si c'était hier ou ce moment même.

Il tendait une main et tirait sur un levier, mais celui-ci ne voulait pas bouger. Le vaisseau continuait de plonger et, pendant un instant, il éprouva une panique croissante qui explosa en épouvante.

Un fait était évident, un fait inéluctable, fatal, parmi tous les fragments épars de pensées, de combinaisons et de prières qui jaillissaient comme des éclairs à travers son cerveau. Un fait inéluctable : il allait s'écraser.

Il ne se souvenait pas de s'être écrasé car il n'avait probablement jamais su exactement quand il s'était écrasé. Il y avait eu d'abord la conscience de ce qui se passait, puis un néant qui était un calme et un vaste oubli.

La conscience revint... au bout d'un moment ou d'une éternité — il ne pouvait le dire. Mais une conscience qui était différente, une sensibilité qui n'était qu'en partie humaine, très partiellement humaine. Et un savoir qui était nouveau mais qu'il lui semblait avoir toujours possédé.

Il sentit ou sut — car il ne voyait pas — que son corps était étendu sur le sol, écrasé et brisé, au point de ne plus avoir forme humaine. Et bien qu'il sût que c'était son corps et qu'il connût toutes ses fonctions superficielles et le plan de son assemblage, il ressentit un choc d'étonnement devant la chose qui était étendue et il sut qu'il y avait là un problème qui dépassait toutes ses capacités.

Car ce corps devait être remis en état, redressé, rétabli dans son intégrité et coordonné afin qu'il puisse fonctionner et que la vie qui s'en était échappée y revienne.

Il pensa à Humpty Dumpty(1) qui était tombé d'un mur et s'était brisé en morceaux. Cette pensée lui sembla étrange : comme si cette chanson enfantine était quelque chose de nouveau ou quelque chose d'oublié depuis longtemps.

Aucun rapport avec Humpty Dumpty, lui dit une autre part de lui-même, et il sut que c'était exact, puisque Humpty — il s'en souvenait — ne pouvait revenir à son état antérieur.

Il eut conscience qu'il était double, car une part de lui-même avait répondu à l'autre part. Le répondant et l'autre, bien qu'ils ne fissent qu'un, étaient néanmoins séparés. Il y avait une division qu'il ne pouvait comprendre.

— Je suis ta destinée, dit le répondant, j'étais en toi quand tu es venu à la vie et je reste avec toi jusqu'à ce que tu meures. Je ne te commande pas et je ne te contrains pas mais j'essaie de te guider, quoique tu ne le saches pas.

Sutton, la petite part de lui qui était Sutton, dit :
— Je le sais maintenant.

Il le savait comme s'il l'avait toujours su, et c'était bizarre parce qu'il venait seulement de l'apprendre. Son savoir — il s'en rendit compte — était très confus, car il était double... lui et sa destinée. Il ne pouvait pas immédiatement distinguer entre ce qu'il savait en tant que Sutton seul, et ce qu'il savait en tant que Sutton plus sa destinée.

Je ne peux pas le savoir, pensa-t-il. Je ne pouvais pas le savoir alors et je ne peux pas le savoir maintenant. Car il y a toujours au plus profond de moi les deux faces de mon être, l'humain que je suis et la

(1) Personnage en forme d'œuf d'une chanson enfantine anglaise (N.d.T.).

destinée qui me guide vers une plus grande gloire et une vie plus vaste, si je veux bien la laisser faire.

Car elle ne me forcera pas et elle ne m'arrêtera pas. Elle ne me donnera que des intuitions, elle ne fera que me chuchoter. C'est ce qui s'appelle la conscience et ce qui s'appelle le jugement et ce qui s'appelle la raison.

Et elle siège dans mon cerveau comme elle siège dans le cerveau d'aucun autre être, car je ne fais qu'un avec elle comme ne le fait aucun autre être. Je le sais avec une terrible certitude et les autres ne le savent pas du tout ou, s'ils le savent, ils ne font que pressentir toute l'immensité de sa vérité. Et tous doivent le savoir. Tous doivent le savoir comme je le sais.

Mais quelque chose intervient pour les empêcher de savoir, ou pour déformer ce qu'ils savent au point de rendre ce savoir totalement erroné. Je dois découvrir ce que c'est et je dois le neutraliser. Et d'une manière ou d'une autre je dois intervenir dans le futur, je dois le redresser pour des jours que je ne verrai pas.

Je suis ta destinée, avait dit le répondant.

La destinée, pas la fatalité.

La destinée, pas la prédestination.

La destinée, le sort des hommes et des races et des mondes.

La destinée, la manière dont on fait sa vie, dont on règle sa vie... la manière dont elle était prévue, ce qu'elle serait si l'on écoutait la petite voix tranquille qui vous parle à tous les tournants, à tous les carrefours.

Mais si l'on n'a pas écouté... eh bien, alors, on n'a pas écouté et l'on n'a pas entendu. Et il n'y a aucun pouvoir qui puisse vous faire écouter. Il n'y a pas de punition si l'on n'a pas écouté, si ce n'est la punition d'être allé contre sa destinée.

Il y avait d'autres pensées ou d'autres voix. Sutton

184

ne pouvait dire ce qu'elles étaient, mais elles étaient en dehors de cette masse confuse qui était lui et sa destinée.

C'est mon corps, se disait-il. Et je suis ailleurs. Quelque part où l'on ne voit pas ce que j'étais habitué à voir... et où l'on n'entend pas, bien que je voie et entende, mais par les sens d'un autre et d'une manière étrangère.

— L'écran l'a laissé passer, dit une pensée, quoique le mot écran ne fût pas celui qu'elle utilisa.

— L'écran a rempli son but, dit une autre.

Et une autre parla d'une certaine technique qu'il avait acquise sur une planète dont le nom se brouilla et devint un bredouillement dépourvu de tout sens, pour autant que Sutton pût entendre.

Une autre encore fit remarquer la complexité et l'inefficacité singulières du corps écrasé de Sutton, et parla avec enthousiasme de la simplicité et de la perfection de l'absorption directe d'énergie.

Sutton tenta de leur crier de se hâter pour l'amour de Dieu, car son corps était une chose fragile et s'ils attendaient trop longtemps il serait exclu de pouvoir le remettre en état. Mais il ne put s'exprimer et comme dans un rêve, il écouta l'échange d'idées, le va-et-vient rapide d'opinions personnelles, le tout se fondant en une pensée cohérente qui dictait la décision finale.

Il essaya de se demander qui il était, tenta de s'orienter et constata qu'il ne pouvait même pas se définir lui-même. Car il n'était plus un corps ou un lieu dans l'espace ou le temps, pas même un pronom personnel. Il était une chose suspendue, ballottante, qui n'avait ni substance ni fixité dans l'ordre du temps et qui ne pouvait se reconnaître elle-même, quoi qu'elle fît. C'était une vacuité qui savait qu'elle existait et qui était dominée par ce qui pouvait aussi bien être une autre vacuité, pour autant qu'il pût s'en rendre compte.

Il était hors de son corps et il vivait. Mais où et comment, il n'y avait aucun moyen de le savoir.

Je suis ta destinée, avait dit le répondant qui semblait être une partie de lui-même.

Mais la destinée n'était qu'un mot et rien de plus. Une idée. Une abstraction. La désignation fragile de quelque chose que l'esprit de l'Homme avait conçu, mais ne pouvait prouver... que l'esprit de l'Homme était disposé à ne considérer que comme une idée qui devait se passer de preuves.

— Tu te trompes, dit la destinée de Sutton. La destinée est une réalité, bien que tu ne puisses la voir. Elle est une réalité pour toi et toutes les autres créatures... pour chacune des créatures qui ressent le flux de la vie. Et elle a toujours été et elle sera toujours.

— Ce n'est pas la mort ? demanda Sutton.

— Tu es le premier qui sois venu à nous, dit la destinée. Nous ne pouvons pas te laisser mourir. Nous te rendrons ton corps, mais jusque-là, tu devras vivre avec moi. Tu feras partie de moi. Et ce ne sera qu'équitable, car j'ai vécu avec toi ; j'ai fait partie de toi.

— Vous ne vouliez pas de moi ici, dit Sutton. Vous aviez établi un écran pour que je ne puisse pas entrer.

— Nous voulions l'un de vous, dit la destinée. Un seulement. Tu es celui-là, et il n'y en aura pas d'autre.

— Mais l'écran ?

— Il était réglé sur un esprit, dit la destinée. Sur un certain esprit. Le genre d'esprit que nous désirions.

— Mais vous m'avez laissé mourir.

— Il fallait que tu meures. Jusqu'à ce que tu meures et que tu deviennes l'un de nous, tu ne pouvais pas savoir. Dans ton corps, nous ne pouvions t'atteindre. Il fallait que tu meures afin que tu sois libéré et j'étais là pour te prendre et faire de toi une partie de moi-même afin que tu comprennes.

— Je ne comprends pas, dit Sutton.

— Tu comprendras, dit la destinée. Tu comprendras.

Et j'ai compris, pensa Sutton, se souvenant. J'ai compris.

Son corps frémit à ce souvenir et son esprit fut saisi d'un respect mêlé de crainte devant l'immensité démesurée, insoupçonnée de la destinée... des trillions et des trillions de destinées qui correspondaient à la vie grouillante de la galaxie.

La destinée avait agi un million d'années auparavant et une sorte de singe velu s'était penché et avait ramassé un bâton. Elle agit de nouveau et il frappa deux silex l'un contre l'autre. Elle agit encore et il y eut l'arc et la flèche. Une fois de plus et la roue fut inventée.

Le destinée chuchota et une créature se hissa ruisselante hors de l'eau et, avec les années, ses nageoires devinrent des pattes et ses ouïes, des narines.

Abstractions symbiotiques. Parasites. Appelez-les comme vous voudrez. Ils étaient la destinée.

Et le temps était venu pour la galaxie d'apprendre ce qu'était la destinée.

Si c'étaient des parasites, alors il s'agissait de parasites bénéfiques, prêts à donner davantage que ce qu'ils pouvaient obtenir. Car tout ce qu'ils obtenaient, c'était le sentiment de vivre, le sentiment d'être... et ce qu'ils donnaient, ou étaient prêts à donner, dépassait de loin la simple existence.

Car beaucoup de ces vies que les parasites partageaient devaient être vraiment mornes. Celle d'un ver de terre, par exemple, ou celle d'êtres difformes et stupides s'élèveraient peut-être à de plus grandes hauteurs que l'Homme.

Car chaque être qui se mouvait, que ce fût lentement ou rapidement sur la face de n'importe quel monde, n'était pas seul mais double. Lui et sa destinée personnelle.

Et parfois la destinée trouvait prise et ne lâchait plus... Et parfois elle ne trouvait pas. Mais lorsque la destinée était là, il y avait toujours de l'espoir. Car la destinée était espoir. Et elle était partout.

Aucune créature ne marche seule sur la route de la vie.

Ni ne rampe, ne saute, ne nage, ou ne vole.

Une planète interdite à tous les esprits sauf un et, une fois cet esprit arrivé, interdite pour toujours.

Un esprit pour éclairer la galaxie lorsque la galaxie serait prête. Un esprit pour révéler ce qu'était la destinée et l'espoir.

Cet esprit, pensa Sutton, est le mien.

Que Dieu me vienne en aide maintenant.

Car s'il m'avait été donné de choisir, si l'on m'avait posé la question, si j'avais eu un mot à dire à ce sujet, ce n'aurait pas été moi, mais quelqu'un d'autre ou quelque autre créature. Un autre esprit dans un million d'années d'ici. Une autre créature dans dix fois un million d'années.

C'est beaucoup trop demander, se dit-il... beaucoup trop demander à un être doté d'un esprit aussi faible que celui de l'Homme, que de porter le fardeau de la révélation, que de porter le fardeau de la connaissance.

Mais la destinée m'a touché du doigt. Hasard ou accident ou pure chance aveugle... ce devait être la destinée. J'ai vécu avec la destinée, je fus la destinée... Je fis partie de la destinée au lieu que la destinée fasse partie de moi, et nous en vînmes à nous connaître l'un l'autre comme deux êtres humains... mieux que deux êtres humains. Car la destinée était en moi et j'étais la destinée. La destinée n'avait pas de nom et je l'ai appelée Johnny ; le fait que j'eus à lui donner un nom était une plaisanterie dont la destinée, ma destinée, peut encore rire en elle-même.

J'ai vécu avec Johnny, la partie essentielle de moi, l'étincelle en moi que les hommes appellent la vie et ne comprennent pas... La partie de moi que je ne comprenais pas... jusqu'à ce que mon corps ait été réparé. Alors j'y revins et c'était un corps différent et un corps très amélioré, car la foule des destinées avait été étonnée et horrifiée de l'inefficacité et de la structure fragile du corps humain.

Et lorsqu'elles le remirent en état, elles l'améliorèrent considérablement. Elles y apportèrent tant de retouches qu'il posséda beaucoup de choses qu'il n'avait pas auparavant... beaucoup de choses, je le soupçonne, que j'ignore encore et que je ne saurai pas jusqu'à ce que vienne le temps de les utiliser. Certaines choses, peut-être, dont je ne saurai jamais rien.

Quand je revins dans mon corps, la destinée y vint et vécut avec moi de nouveau, mais maintenant je la connaissais et je la reconnus ; je l'appelai Johnny et nous parlâmes ensemble, et je ne cessai plus de l'entendre, alors que bien des fois, dans le passé, je devais ne pas l'avoir entendue.

Symbiose, se dit Sutton, une symbiose d'un ordre plus élevé que la symbiose d'une bruyère avec son champignon, ou de l'animal primitif avec son algue. Une symbiose mentale. Je suis l'hôte et Johnny est mon parasite, et nous nous accordons parce que nous nous comprenons l'un l'autre. Johnny me donne la conscience de ma destinée, de la force agissante de la destinée qui règle mes heures et mes jours ; je donne à Johnny le sentiment de vie qu'il n'aurait pu avoir dans son existence indépendante.

— Johnny ! appela Sutton et il n'y eut pas de réponse.

Il attendit et il n'y eut toujours pas de réponse.

— Johnny ! appela-t-il de nouveau et une crainte perça dans sa voix.

Car Johnny devait être là. La destinée devait être là. A moins que... à moins que... la pensée lui vint lentement, doucement. A moins qu'il fût réellement mort. A moins que ce ne fût qu'un rêve, à moins que ce fût une région crépusculaire entre l'état de vie et la mort

La voix de Johnny était faible, très faible et très lointaine.

— Ash...

— Oui, Johnny.

— Les moteurs, Ash. Les moteurs.

Sutton lutta pour sortir son corps du fauteuil de pilotage, se dressa sur des jambes tremblantes.

Il pouvait à peine voir... tout juste le contour vague, brouillé, mouvant de la forme de métal qui l'enfermait. Ses pieds étaient des masses de plomb qu'il ne pouvait bouger. Comme s'ils ne faisaient pas partie de lui...

Il chancela, tituba, tomba à plat ventre.

Le choc, se dit-il. Le choc de la violence, le choc de la mort, le choc du sang perdu, de la chair déchirée, arrachée.

Il y avait eu une force, un jaillissement de force qui l'avait fait se dresser, les yeux clairs, le cerveau clair, debout. Une force qui avait été assez grande pour arracher la vie aux deux hommes qui l'avaient tué. La force de la vengeance.

Mais cette force avait disparu et maintenant il savait que cela avait été la force de sa volonté qui l'avait fait agir plutôt que simplement celle de ses os et de ses muscles.

Il réussit péniblement à se mettre sur les mains et sur les genoux et rampa. Il s'arrêta et se reposa, puis rampa encore un peu, la tête ballottant entre les épaules, dégouttant le sang et les mucosités et les vomissures qui laissaient une traînée visqueuse sur le plancher.

Il trouva la porte du compartiment des moteurs et, petit à petit, il se redressa pour atteindre le verrou.

Ses doigts le touchèrent et le tournèrent, mais ils étaient sans force et glissèrent sur le métal. Il s'effondra. Il n'était plus qu'un petit tas de pur désespoir contre la porte dure et froide.

Il attendit longtemps, puis essaya de nouveau. Cette fois, le verrou s'ouvrit juste au moment où ses doigts glissaient de nouveau, et en s'effondrant, il tomba en travers du seuil.

Finalement, après une attente si longue qu'il pensa ne jamais y arriver, il se remit sur ses mains et ses genoux et avança en rampant centimètre par centimètre.

Asher Sutton s'éveilla dans l'obscurité.

Dans l'obscurité et dans un inconnu.

Dans un inconnu et une surprise lente puis explosive.

Il était couché sur une surface dure et lisse, et un plafond de métal lui frôlait la tête. Et à côté de lui, quelque chose ronronnait et grondait. L'un de ses bras était passé par-dessus la chose ronronnante et il devina qu'il avait dormi avec cette chose serrée dans ses bras, son corps pressé contre elle, comme un enfant qui dort avec un jouet bien-aimé.

Il n'avait aucune idée de temps, ni de lieu, ni d'une vie antérieure. Comme s'il s'était éveillé d'un seul coup tout entier, comme par magie, à la vie et à l'intelligence et à la connaissance.

Il resta immobile. Ses yeux s'accoutumèrent à l'obscurité ; il vit la porte ouverte et une trace sombre, maintenant sèche, qui franchissait le seuil vers le compartiment voisin. Une chose s'était traînée là, du compartiment voisin jusqu'ici, et avait laissé cette trace derrière elle. Il demeura longtemps à se demander ce que cette chose pouvait être, avec un sentiment de crainte qui lui rongeait l'esprit. Car cette chose pouvait être encore là et être dangereuse.

Mais il sentit qu'il était seul, il le sentit au vrombissement du moteur à côté de lui... et c'est ainsi que, pour la première fois, il identifia la chose ronronnante. Le mot et cette reconnaissance s'étaient glissés dans son esprit sans effort conscient, comme s'il les avait toujours connus. Maintenant, il savait ce que c'était, sauf qu'il lui semblait que le mot lui était venu avant la reconnaissance, ce qui pensa-t-il, était étrange.

Ainsi, la chose à côté de lui était un moteur et il était étendu sur un plancher et le métal qui était tout proche de sa tête était une espèce de plafond. Un espace étroit, se dit-il. Un espace étroit qui renfermait un moteur, et une porte qui conduisait dans un autre compartiment.

Un astronef. C'était cela. Il était dans un astronef. Avec la trace sombre qui passait le seuil.

D'abord, il pensa qu'une autre créature, une créature imaginée, avait rampé dans sa propre bave et laissé cette traînée, mais bientôt il se souvint. Ç'avait été lui. Lui rampant vers les moteurs.

Couché calmement, tout lui revint et, dans une sorte d'étonnement, il voulut se rendre compte de sa pleine conscience. Il leva une main et tâta sa poitrine. Ses vêtements étaient brûlés et leurs bords calcinés craquaient sous les doigts, mais sa poitrine était intacte... intacte, et lisse et dure. De la bonne chair humaine. Pas de trous.

C'était donc possible, se dit-il. Je me souviens m'être posé la question... si Johnny n'avait pas quelque truc dans sa manche, si mon corps n'avait pas quelque capacité que je ne pouvais soupçonner.

Il tirait de l'énergie des étoiles et il en tirait aussi de l'astéroïde, et il s'accrochait aux moteurs. Il désirait de l'énergie. Et les moteurs possédaient cette énergie... plus que les lointaines étoiles, plus que le gros morceau de rocher froid et glacé qu'était l'astéroïde.

J'avais donc rampé pour atteindre les moteurs et laissé derrière moi cette traînée sombre de mourant,

193

et j'avais dormi avec les moteurs dans les bras. Et mon corps, mon corps qui l'absorbait directement, qui se nourrissait d'énergie, avait tiré celle qui lui était nécessaire du flux ardent de leurs chambres de combustion.

Et me voici de nouveau tout entier.

Je suis revenu dans mon corps qui respire et où de nouveau circule le sang, et je peux retourner sur la Terre.

Il rampa hors du compartiment des moteurs et se mit debout.

La faible lueur des étoiles qui entrait par les hublots s'éparpillait en une poussière de diamant sur le sol et les parois. Et il y avait deux formes tassées, l'une au milieu du plancher et l'autre dans un coin.

Son esprit les enregistra et les renifla comme un chien flaire un os ; après un petit instant, il se souvint de ce qu'elles étaient. Ce qu'il avait d'humain en lui frémit devant ces formes noires effondrées, mais une autre part de lui, un noyau dur et froid, continua de réfléchir, nullement ébranlé devant le spectacle de la mort.

Il approcha à pas lents et s'agenouilla près de l'un des corps. Ce devait être Case, pensa-t-il, car Case était grand et mince. Mais il ne pouvait voir son visage et il n'avait pas envie de le voir, car dans un coin ténébreux de son esprit, il se souvenait encore de ce qu'avaient été leurs visages.

Ses mains descendirent et cherchèrent, fouillant minutieusement les vêtements. Il fit un petit tas des choses qu'il trouva et finalement découvrit ce qu'il cherchait.

Accroupi sur les talons, il ouvrit le livre à la page du titre : c'était le même que celui qu'il avait dans sa poche. Le même, sauf une seule ligne d'imprimerie, en petits caractères en bas de page.

Et cette ligne disait :

Edition révisée

194

C'était donc cela. C'était ce que signifiait le mot qui l'avait intrigué : *Révisionnistes*.

Il avait existé un livre et il avait été révisé. Ceux qui vivaient selon cette édition révisée étaient les Révisionnistes. Et les autres ? Il se le demanda, passant les mots en revue... Fondamentalistes, Primitivistes, Orthodoxes, Fanatiques. Il y en avait d'autres, il en était sûr, et cela importait peu. La manière dont ces autres étaient désignés, n'avait réellement aucune importance.

Il y avait deux pages blanches et le texte débutait :

Nous ne sommes pas seuls.

Nul n'est jamais seul.

Jamais depuis le premier frémissement du premier soupçon de vie sur la première planète de la galaxie qui connut l'éveil de la vie, il n'y a eu une seule créature qui marche ou rampe ou glisse sur la route de la vie, seule (*).

Ses yeux regardèrent le premier renvoi en bas de page.

* C'est là, la première de nombreuses assertions qui, faussement interprétées, ont amené certains lecteurs à croire que Sutton a voulu dire que la vie, sans considération de l'intelligence et des préceptes moraux, est bénéficiaire du destin. Sa première phrase devrait réfuter ce raisonnement tout entier, puisque Sutton a utilisé le pronom « nous » et que tous les spécialistes de la sémantique sont d'accord pour dire qu'il est d'un usage courant, dans toutes les races, de se servir d'un tel pronom personnel en parlant de soi-même. Si Sutton avait voulu dire « tous les êtres vivants », il aurait écrit « tous les êtres vivants ». Mais en se servant de ce pronom personnel, il voulait indéniablement parler de sa propre race, la race humaine, et de la race humaine seule. Il croyait apparemment, commettant une erreur — erreur d'ailleurs très répandue de son temps —, que la Terre avait été la première planète de la Galaxie à connaître l'éveil

de la vie. Il n'est pas douteux que les révélations de Sutton sur sa grande découverte de la destinée ont été, en partie, déformées. Des recherches et des études approfondies ont, cependant, réussi à déterminer, sans plus de doute possible, les parties authentiques et celles qui ne le sont pas. Les parties qui, manifestement, ont été déformées feront l'objet de notes en bas de page et les raisons qui le font croire seront minutieusement et franchement exposées.

Sutton feuilleta rapidement les pages. Plus de la moitié du texte était constituée par les notes en petits caractères, au bas des pages. Certaines de celles-ci ne comportaient que deux ou trois lignes du texte et le reste était empli d'explications et de réfutations prolixes.

Il referma brutalement le livre, le serra entre ses paumes.

J'ai tant essayé, pensa-t-il, j'ai dit et répété et insisté : pas seulement les être humains, mais tous les êtres vivants. Tous les êtres qui ont conscience de vivre.

Et malgré cela, ils déforment mes paroles.

Ils se battent pour que mes paroles ne soient pas les paroles que j'ai écrites, pour que les choses que je voulais dire soient faussement interprétées. Ils complotent et combattent et assassinent pour que le grand manteau de la destinée ne couvre qu'une unique race... pour que la race la plus perverse d'animaux jamais engendrée s'empare de ce qui n'était pas destiné à elle seule, mais à tous les êtres vivants.

Et de quelque manière, je dois empêcher cela. D'une manière ou d'une autre, le processus doit être arrêté. Par l'un ou l'autre moyen, mes paroles doivent demeurer, afin que tous puissent les lire et savoir, sans ce rideau de fumée fait de théories mesquines, d'interprétations savantes et de logique ambiguë.

Car c'est tellement simple. Une chose si simple.

Toute vie a une destinée, et pas seulement la vie humaine.

Il y a une créature de la destinée pour chaque être vivant. Pour tous les êtres vivants et même davantage. Les destinées attendent qu'une vie surgisse et chaque fois qu'il en naît une, une destinée est là et demeure jusqu'à ce que cette vie particulière soit terminée. Comment, je ne sais pas, ni pourquoi. Je ne sais pas si le vrai Johnny est logé dans mon esprit et mon être ou s'il garde simplement le contact avec moi depuis 61 du Cygne. Mais je sais qu'il est avec moi. Je sais qu'il restera.

Et pourtant les Révisionnistes déformeront mes paroles et me discréditeront. Ils changeront mon livre et exhumeront de vieux scandales autour des Sutton pour que les fautes de mes ancêtres, grossies et exagérées, réussissent à salir mon nom.

Ils ont envoyé un homme qui a parlé à John H. Sutton et cet homme leur a rapporté des informations qu'ils peuvent avoir utilisées. Car John Sutton disait qu'il y a des squelettes dans le placard de toutes les familles, et en cela il disait la vérité. Et vieux et loquace comme il était, il a parlé de ces squelettes.

Mais ces histoires n'ont pas été transportées dans le futur pour y être d'un usage quelconque, car l'homme qui les a entendues est arrivé comme un vagabond sur la route, avec un bandage autour de la tête et sans souliers. Quelque chose était arrivé et il n'avait pas pu repartir.

Quelque chose était arrivé. Quelque chose...

Sutton se leva lentement.

Quelque chose était arrivé, se dit-il, et je sais ce que c'était.

Il y a six mille ans dans un endroit qu'on appelait le Wisconsin.

Il se dirigea vers le siège du pilote.

Asher Sutton partait pour le Wisconsin.

Christopher Adams entra dans son bureau et accrocha son chapeau et son manteau.

Il fit quelques pas, tira le fauteuil qui était derrière son bureau, et alors qu'il s'asseyait, il se figea et écouta.

Le psycho-pisteur cliquetait.

Ker-rup, hoquetait-il, *ker-rup, clic, clic, ker-rup*.

Christopher Adams se redressa, s'éloigna et remit son chapeau et son manteau.

En sortant, il claqua la porte derrière lui.

Et de toute sa vie, il n'avait jamais claqué une porte.

Sutton fendait l'eau de la rivière, nageant avec des mouvements lents et sûrs. L'eau était tiède contre son corps ; elle lui parlait d'une voix profonde et grave, et Sutton pensait : elle essaie de me parler, comme elle a toujours essayé de parler aux gens à travers les âges. Une voix puissante qui retentit à travers le pays, qui bavarde pour elle-même quand il n'y a personne pour écouter, mais qui essaie, qui essaie toujours de communiquer aux gens les nouvelles qu'elle a à leur donner. Quelques-uns d'entre eux ont tiré de la rivière une certaine vérité et une certaine philosophie, mais aucun d'eux n'a jamais compris le sens de son langage, car c'est un langage inconnu.

Comme le langage, pensa Sutton, dont je me suis servi pour mes notes. Car il fallait qu'elles soient dans un langage que personne ne pût lire, un langage oublié dans la Galaxie, des éternités avant qu'aucune langue actuellement vivante n'ait péniblement articulé ses premiers balbutiements. Soit un langage qui ait été oublié, soit un langage qui n'ait jamais pu être connu.

Je ne connais pas ce langage, se dit Sutton, le langage de mes notes. Je ne sais d'où il est venu ni quand ni comment. J'ai posé la question, mais ils n'ont pas voulu y répondre. Johnny a essayé une fois de me le dire, mais je n'ai pu comprendre, car c'était une chose que le cerveau humain ne pouvait pas accepter.

Je connais ces symboles et les choses qu'ils représentent mais je ne connais pas les sons qui constituent ce langage. Ma langue n'est peut-être pas capable de former les sons qui en font un langage parlé. Pour autant que je sache, ce pourrait être le langage de cette rivière... ou le langage d'une race qui fut frappée par une catastrophe et disparut en poussière, il y a un million d'années.

Le noir de la nuit tomba et se fondit dans le noir du courant. La lune n'était pas levée, ne se lèverait pas avant bien des heures. Les étoiles jetaient de petits reflets étincelants comme des diamants sur les vaguelettes et, sur la rive, les lumières des maisons formaient des dessins zigzaguants, en aval comme en amont.

Herkimer a mes notes, se dit Sutton, et j'espère qu'il a eu assez de bon sens pour les mettre à l'abri. Car j'en aurai besoin plus tard, mais pas maintenant. J'aimerais voir Herkimer, mais je ne peux pas courir ce risque, car ils le surveillent sûrement. Et il n'y a pas de doute qu'ils ont un pisteur dirigé sur moi. Cependant, si je me déplace assez vite, je peux leur échapper.

Ses pieds touchèrent le fond du gravier, il se mit debout et se hissa en pataugeant sur la berge. La brise nocturne le saisit, il frissonna, car la rivière avait été tiède après un jour ensoleillé et le vent apportait une pointe de fraîcheur.

Herkimer, bien entendu, était l'un de ceux qui étaient venus dans le passé pour s'assurer qu'il écrirait le livre comme il l'aurait écrit s'il n'y avait pas eu d'intervention. Herkimer et Eva... et des deux, se dit Sutton, c'est à Herkimer qu'il pouvait le plus sûrement se fier. Car un androïde se battrait, se battrait et mourrait pour ce que dirait le livre. L'androïde comme le chien, le cheval, l'abeille ou la fourmi.

Mais le chien, le cheval, l'abeille et la fourmi ne le sauraient jamais car ils ne savaient pas lire.

Il trouva un talus d'herbe, s'assit, enleva ses vêtements pour les tordre et, une fois secs, les remit. Puis il partit rapidement à travers la prairie vers la grand-route qui remontait tout droit la vallée.

Personne ne découvrirait le vaisseau au fond de la rivière... au moins, pas avant un certain temps. Et quelques heures, c'était tout ce dont il avait besoin. Car si Adams avait un pisteur dirigé sur lui — et Adams devait en avoir un —, ils devaient déjà savoir qu'il était revenu sur la Terre.

De nouveau, lui revint le vieil étonnement qui le harcelait à propos d'Adams. Comment Adams avait-il su qu'il revenait et pourquoi lui avait-il tendu un piège dès son arrivée ? Quel renseignement avait-il eu qui l'avait amené à donner l'ordre que Sutton soit abattu à vue ?

Quelqu'un était venu le voir... quelqu'un qui avait des preuves à lui fournir. Car Adams n'aurait pas agi sans recevoir des preuves. Et la seule personne capable de donner des renseignements ne pouvait être que quelqu'un venu du futur. L'un de ceux, peut-être, qui soutenaient que le livre ne devait pas être écrit, qu'il ne devait pas exister, que la connaissance qu'il renfermait devait être effacée à jamais. Et si l'homme qui devait l'écrire mourait, quoi de plus simple ?

Sauf que le livre avait été écrit. Que le livre existait déjà. Que sa connaissance était apparemment répandue à travers la Galaxie.

Alors ce serait une catastrophe... car si le livre ne devait pas être écrit, il n'avait alors jamais existé et toute la partie du futur qui avait été affectée en quoi que ce soit par le livre serait effacée en même temps que le livre qui n'avait pas existé.

Et cela ne peut pas être, se dit Sutton.

Ce qui signifiait qu'il ne pouvait être admis

qu'Asher Sutton pût ou dût mourir avant que le livre soit écrit.

De quelque façon que ce fût, le livre devait être écrit ou le futur était un mensonge.

Sutton haussa les épaules. L'enchaînement de cette dialectique était trop tortueux pour lui. Il n'existait pas d'axiome ni de précédent sur lequel on pût fonder une relation de cause à effet.

Des futurs possibles différents ? Peut-être, mais cela ne paraissait pas probable. Les futurs possibles différents étaient une notion fantastique qui utilisait pour sa démonstration la perversion de la sémantique, par un emploi habile de mots qui recouvraient et masquaient la fausseté du raisonnement.

Il traversa la route et prit un sentier conduisant à une maison qui se dressait sur un tertre.

Dans le marais près de la rivière, les grenouilles s'étaient mises à coasser, et quelque part au loin, un canard sauvage lançait son appel dans l'obscurité. Dans les collines, les engoulevents commençaient leurs débats du soir. L'odeur du foin fraîchement coupé flottait dans l'air et l'humidité de la brume nocturne montait lentement de la rivière.

Le sentier déboucha dans un patio et Sutton le traversa.

La voix d'un homme lui parvint.

— Bonsoir, monsieur, disait-elle et Sutton se retourna.

Il vit l'homme pour la première fois. Un homme qui était assis dans son fauteuil et fumait sa pipe sous les étoiles.

— Je suis désolé de vous déranger, dit Sutton, mais pourrais-je me servir de votre vidéophone ?

— Certainement, Ash, dit Adams. Certainement. Tout ce que vous voulez.

Sutton sursauta et se sentit devenir un homme de glace et d'acier.

Adams !

Parmi toutes les maisons le long de la rivière, il fallait qu'il tombe sur celle d'Adams !

Adams eut un petit rire.

— La destinée travaille contre vous, Ash.

Sutton avança, trouva un fauteuil dans le noir et s'assit.

— Vous êtes bien ici, dit-il.

— Très bien, dit Adams. (Il secoua sa pipe et la mit dans sa poche.) Ainsi, vous êtes mort de nouveau...

— J'ai été tué, dit Sutton. Je suis ressuscité presque immédiatement.

— Des hommes à moi ? demanda Adams. Ils sont à votre recherche.

— Deux étrangers. Des hommes de la bande de Morgan.

Adams hocha la tête :

— Je ne connais pas ce nom.

— Il ne vous a probablement pas dit son nom, répliqua Sutton. Il vous a prévenu que je revenais.

— C'était donc cela ! L'homme qui venait du futur. Vous lui causiez des inquiétudes, Ash.

— Il faut que je donne un coup de vidéophone, dit Sutton.

— Vous le pouvez...

— Et il me faut une heure.

Adams secoua la tête.

— Je ne peux pas vous donner une heure.

— Une demi-heure, alors. J'aurai peut-être une chance d'y arriver. Une demi-heure après que j'en ai terminé avec mon coup de vidéophone.

— Pas une demi-heure non plus.

— Vous ne prenez jamais de risques, n'est-ce pas, Adams ?

— Jamais.

— Moi si, dit Sutton. (Il se leva :) Où est ce vidéophone ? Je vais prendre un risque avec vous.

— Asseyez-vous, Ash, dit Adams, presque avec bienveillance. Asseyez-vous et répondez-moi.

Sutton resta debout.

— Si vous pouviez me donner votre parole, dit Adams, que cette affaire de destinée ne nuira pas à la race humaine. Si vous pouviez me dire qu'elle n'apportera pas aide et assistance à nos ennemis...

— La race humaine n'a pas d'ennemis, sauf ceux qu'elle s'est créés.

— La Galaxie attend que nous craquions, dit Adams. Tous, ils attendent, pour nous assaillir, le moindre petit signe de faiblesse.

— C'est parce que nous le leur avons appris. Ils ont observé comment nous utilisions leurs propres faiblesses pour les abattre.

— Que fera ce que vous appelez la destinée ? demanda Adams.

— Elle enseignera l'humilité à l'Homme, répondit Sutton. L'humilité et le sens de la responsabilité.

— Ce n'est pas une religion... d'après ce que Raven m'a dit. Mais cela en a bien l'air... avec cette histoire d'humilité.

— Le Dr Raven avait raison, dit Sutton. Ce n'est pas une religion. La destinée et les religions pourraient fleurir côte à côte et coexister en parfaite harmonie. Elles n'empiéteraient pas sur leurs domaines respectifs. Elles se compléteraient plutôt. La destinée défend les mêmes choses que défendent la plupart des religions et elle n'offre aucune promesse de vie future. Elle laisse cela aux religions.

— Ash, dit Adams calmement, vous avez lu l'Histoire ?

Sutton inclina la tête.

— Réfléchissez, reprit Adams. Souvenez-vous des Croisades. Souvenez-vous de l'essor de l'Islam. Souvenez-vous de Cromwell en Angleterre. Souvenez-vous de l'Allemagne et de l'Amérique. De la Russie et de l'Amérique. Des religions et des idées, Ash, des religions et des idées. L'homme se battra pour une idée alors qu'il ne lèverait pas un doigt pour la terre, la vie ou l'honneur. Mais pour une idée... c'est différent.

— Et vous avez peur d'une idée.

— Nous ne pouvons pas nous payer le luxe d'une idée, Ash. Pas en ce moment, du moins.

— Et pourtant, dit Sutton, ce sont les idées qui ont fait progresser les hommes. Sans elles, nous n'aurions ni culture ni civilisation.

— En ce moment même, dit Adams amèrement, des hommes se battent dans le futur à propos de cette destinée dont vous parlez.

— C'est pourquoi il faut que je donne un coup de vidéophone. C'est pourquoi j'ai besoin d'une heure.

Adams se leva lourdement.

— Je vais peut-être commettre une erreur, dit-il. C'est une chose que je n'ai jamais faite dans ma vie. Mais pour une fois je vais prendre un risque.

Il le conduisit à travers le patio dans une pièce à peine éclairée, au mobilier vieillot.

— Jonathon ! appela-t-il.

Des pas approchèrent dans le hall, et l'androïde entra.

— Une paire de dés, demanda Adams. Mr Sutton et moi allons jouer.

— Des dés, monsieur ?

— Oui, la paire de dés dont le cuisinier et toi vous vous servez.

— Oui, monsieur, dit Jonathon.

Il fit demi-tour et disparut. Sutton écouta ses pas s'éloigner dans la maison, de plus en plus faibles.

Adams se tourna vers lui.

— Un coup chacun, dit-il. Le plus fort gagne.

Sutton acquiesça, tendu.

— Si vous gagnez, vous aurez votre heure, dit Adams. Si je gagne, vous obéirez à mes ordres.

— D'accord, fit Sutton. Cela me va.

Et il se disait :

J'ai fait décoller l'astronef endommagé de Cygne VII et je l'ai mené à travers l'espace. J'étais le moteur et le pilote, les tuyères et le navigateur. L'énergie accumulée dans mon corps s'est emparée de l'astronef, l'a lancé et l'a propulsé à travers l'espace... durant onze ans. J'ai fait descendre le vaisseau ce soir à travers l'atmosphère, les moteurs arrêtés de façon qu'on ne puisse le détecter et je l'ai fait se poser dans la rivière. Je pourrais choisir un livre dans cette bibliothèque et le transporter sur cette table sans me servir de mes mains et je pourrais en tourner les pages sans employer mes doigts.

Mais des dés.

Des dés, c'était différent.

Ils roulent et culbutent si vite !

— Gagnant ou perdant, dit Adams, vous pouvez vous servir du vidéophone.

— Si je perds, dit Sutton, je n'en aurai plus besoin.

Jonathon revint et posa les dés sur la table. Il hésita un moment, mais quand il vit que les deux hommes attendaient qu'il s'en aille, il se retira.

Sutton montra les dés d'un signe de tête négligent.

— Vous d'abord, dit-il.

Adams les ramassa, les prit dans sa main fermée et les secoua. Leur cliquetis ressembla à un claquement de dents terrifiées.

Son poing s'abaissa au-dessus de la table et ses doigts s'ouvrirent. Les petits cubes blancs tournoyèrent et pirouettèrent sur le bois poli. Ils s'arrêtèrent : l'un faisait cinq, l'autre six.

Adams leva les yeux vers Sutton, sans aucune expression. Pas une lueur de triomphe. Absolument rien.

— A votre tour, fit-il.

Parfait, se dit Sutton. On ne peut plus parfait. Deux six, il me faut deux six.

Il étendit la main, prit les dés, les secoua dans sa main fermée, en sentit la forme et la grosseur rouler sur sa paume.

Maintenant, concentre ton esprit sur eux, se dit-il.

Prends-les dans ton esprit comme dans ta main. Tiens-les dans ton esprit, fais-en une partie de toi-même, comme tu l'as fait des deux vaisseaux que tu as menés à travers l'espace, comme tu pourrais le faire pour un livre ou une chaise ou une fleur que tu voudrais prendre.

Il se transforma un instant, son cœur eut quelques battements irréguliers et s'arrêta, sa circulation ralentit jusqu'à n'être plus qu'un filet dans ses artères et ses veines et il cessa de respirer. Il sentit son système énergétique prendre le commandement, cet autre organisme qui tirait de l'énergie brute de tout ce qui en possédait.

Son esprit se tendit, s'empara des dés, les secoua dans la prison de sa main fermée ; il abaissa le poing d'un geste brusque, ouvrit les doigts et les dés roulèrent.

Ils roulèrent aussi dans sa tête, comme sur la table et il les voyait, ou les sentait, ou en avait conscience, comme s'ils faisaient partie de lui-même. Il avait conscience des faces qui portaient six points noirs et des faces qui n'en portaient qu'un et aussi des autres faces.

Mais ils étaient difficiles à manier, difficiles à faire tomber comme il voulait qu'ils tombent et pendant une seconde terrible, angoissante, il lui sembla presque que les dés tournoyants avaient un esprit et une personnalité qui leur étaient propres.

L'un d'eux fit six et l'autre roulait encore. Le six apparut, hésita un instant, menaçant de retomber en arrière.

Un petit coup de pouce, se dit Sutton. Juste un petit coup de pouce. Mais avec l'énergie de mon esprit au lieu du pouce.

Le dé fit six et les deux dés furent là, l'un et l'autre marquant six.

Sutton, haletant, respira, son cœur se remit à battre et le sang circula de nouveau dans ses veines.

Les deux hommes restèrent muets un moment, se considérant par-dessus la table.

Adams parla. Sa voix était calme et nul à l'entendre n'aurait pu deviner ce qu'il ressentait.

— Le vidéophone est là-bas, dit-il.

Sutton s'inclina, d'un mouvement à peine perceptible et ce geste lui parut ridicule, digne d'un personnage de quelque mauvais et incroyablement vieux récit d'aventures romanesques.

— La destinée, dit-il, travaille encore pour moi. Quand on en arrive au moment décisif, la destinée est là.

— Votre heure commencera, dit Adams, dès que nous aurons fini de parler.

Il s'éloigna avec dignité et regagna le patio, très raide et très droit.

Maintenant qu'il avait gagné, Sutton se sentit soudain faible et il marcha jusqu'au vidéophone sur des jambes qui lui semblaient toutes molles.

Il s'assit devant l'appareil et prit le répertoire dont il avait besoin.

INFormation. Et la rubrique.

Géographie, historique. Amérique du Nord.

Il trouva le numéro, le forma et l'écran s'éclaira.

— Puis-je vous être utile, monsieur ? demanda le robot.

— Oui, dit Sutton. Je voudrais savoir où était le Wisconsin.

— D'où appelez-vous, monsieur ?

— De chez Mr Christopher Adams.

— Celui qui fait partie de la Sûreté galactique ?

— Lui-même.

— Alors, dit le robot, vous êtes dans le Wisconsin.

— Et Bridgeport ? dit Sutton.

— Cette ville était située sur la rivière Wisconsin, sur la rive nord, à une dizaine de kilomètres de son confluent avec le fleuve Mississippi.

— Mais où est ce fleuve ? Et cette rivière ? Je n'en ai jamais entendu parler...

— Vous en êtes tout proche, monsieur. Le Wisconsin se jette dans le Mississippi juste au sud de l'endroit où vous vous trouvez présentement.

Sutton se leva vacillant, traversa la pièce et pénétra dans le patio.

Adams allumait sa pipe.

— Vous avez eu ce que vous vouliez ? demanda-t-il.

Sutton acquiesça.

— Alors filez, dit Adams. Votre heure est déjà fortement entamée.

Sutton hésita.

— Qu'y a-t-il, Ash ?

— Je me demande, je me demande si vous accepteriez de me serrer la main ?

— Voyons, bien sûr !

Il se leva pesamment et tendit la main.

— Je ne sais ce que je dois penser, dit Adams. Ou vous êtes le plus grand des hommes, ou vous êtes le plus grands des sacrés imbéciles que j'aie jamais connus.

Bridgeport somnolait dans sa cuvette entourée de rochers au bord de la rivière rapide. Le soleil d'été donnait en plein sur cet espace entre les falaises couvertes d'arbres, avec une férocité qui semblait vouloir chasser le dernier espoir de vie et d'énergie hors de tout ce qui existait... hors des maisons, hors de la poussière des rues, hors des arbustes aux feuilles recroquevillées, hors des plates-bandes de fleurs flétries.

Les voies du chemin de fer contournaient un éperon rocheux, pénétraient dans la ville, contournaient un autre éperon et disparaissaient ; et dans cette courte courbe qui semblait ne sortir de nulle part que pour y retourner, les rails brillaient sous le soleil avec l'éclat d'un couteau aiguisé. Entre les voies et la rivière, la gare paraissait dormir. C'était un bâtiment massif qui semblait s'être enfoncé la tête dans les épaules pour se protéger du soleil en été et du froid en hiver, depuis tant d'années qu'il était là tapi et accablé, attendant le prochain mauvais coup du temps ou du sort.

Sutton était sur le quai de la gare et écoutait la rivière, le bruissement et les glouglous des petits tourbillons qui couraient le long de la berge, le gargouillement de l'eau qui passait par-dessus un tronc d'arbre caché, à demi dressé, le doux murmure de vaguelettes qui s'accrochaient comme des doigts au bout d'une branche tombante. Et par-dessus tout cela, dominant tout cela, le bruit réel de la rivière... la voix qui allait bavardant à travers le pays, ce bruit fait de beaucoup d'autres bruits, le rugissement profond et sourd qui proclamait sa puissance et sa détermination.

Il leva la tête et cligna des yeux pour regarder le grand pont métallique qui enjambait la rivière depuis le haut de la falaise et descendait peu à peu vers la longue rampe de la voie ferrée qui traversait la vallée en pente douce sur l'autre rive.

L'homme franchissait les rivières sur de grands ponts d'acier et n'entendait jamais leur langage tandis qu'elles coulaient vers la mer. L'homme franchissait les océans sur des ailes propulsées par des moteurs silencieux et sûrs, et la voix tonnante des océans n'était qu'un bruit perdu sous la voûte vide du ciel. L'homme franchissait l'espace dans des cylindres métalliques qui courbaient le temps et l'espace et lançaient l'homme et ses merveilleuses machines dans des raccourcis de mathématiques conjecturales dont on ne rêvait pas encore dans ce monde de Bridgeport, 1977.

L'homme était pressé et il allait trop loin, trop vite. Si loin et si vite qu'il laissait échapper beaucoup de choses... des choses qu'il aurait dû se donner le temps d'apprendre tout en suivant son chemin... des choses qu'un jour dans le futur, il prendrait le temps d'apprendre. Un jour, l'homme reviendrait en arrière, et il apprendrait les choses qu'il avait laissé échapper, il se demanderait pourquoi il les avait laissé échapper, et il réfléchirait aux années qui avaient été perdues parce qu'il ne les connaissait pas.

Sutton quitta la gare et découvrit un petit sentier qui descendait vers la rivière. Il le suivit avec précaution car la terre était molle et s'éboulait, et il y avait des pierres qu'il fallait éviter parce qu'elles risquaient de tourner sous le pied.

Au bout du sentier, il trouva le vieux bonhomme.

Le vieillard était assis, perché sur une grosse pierre plantée dans la boue et il tenait entre ses genoux une canne à pêche penchée vers la rivière. Une pipe odorante sortait d'une barbe grisonnante de deux semaines et un cruchon en terre, avec un épi de maïs comme bouchon, était posé près de lui, à portée de sa main.

Sutton s'assit prudemment sur la pente de la berge, près de la grosse pierre et s'émerveilla de la fraîcheur de l'ombre des arbres et des buissons — une fraîcheur qui était la bienvenue après l'éclaboussement féroce du soleil sur le village, dix ou vingt mètres plus haut sur la rive.

— Ça mord ? demanda-t-il.

— Non, fit le vieux.

Il tira sur sa pipe et Sutton l'observa dans un silence fasciné. On aurait juré que ce buisson de poils prenait feu.

— Rien pris non plus hier, dit le bonhomme.

Il enleva sa pipe de sa bouche d'un geste délibéré, mesuré et cracha avec une concentration étudiée au milieu d'un tourbillon de la rivière.

— Rien pris non plus avant-hier, ajouta-t-il.

— Vous voulez pourtant attraper quelque chose, non ?

— Non, déclara le vieux bonhomme.

Il abaissa une main et leva le cruchon, enleva l'épi de maïs qui le bouchait et essuya le goulot d'une main sale.

— Buvez un coup, dit-il en tendant le cruchon.

Sutton, pensant à cette main, le prit en retenant un haut-le-cœur. Avec circonspection, il le leva et l'inclina vers ses lèvres.

L'alcool s'écrasa dans sa bouche, envahit sa gorge et ce fut comme un liquide assaisonné de fiel et relevé d'un rien de soufre pour lui donner un bouquet particulier.

Sutton écarta vivement le cruchon, et le retint par l'anse, gardant la bouche grande ouverte pour la rafraîchir et en chasser le goût.

Le bonhomme le reprit et Sutton essuya les larmes qui lui coulaient sur les joues.

— A pas tout à fait vieilli autant qu'il aurait fallu, s'excusa le vieux. Mais j'ai pas de temps à gâcher à ça.

Il en prit une bonne gorgée, s'essuya la bouche du revers de la main et émit un large soupir de satisfaction gustative. Un papillon qui voletait près de lui tomba raide mort.

Le bonhomme allongea un pied et poussa le papillon.

— Fragile, cette petite bête, dit-il.

Il reposa le cruchon et le reboucha soigneusement.

— Z'êtes pas d'ici, s'pas ? demanda-t-il à Sutton. Me souviens pas vous avoir vu.

Sutton inclina la tête :

— Je cherche quelqu'un du nom de Sutton. John H. Sutton.

— Le vieux John, hein ? répondit en gloussant le bonhomme. Lui et moi, on a été à l'école ensemble. Le pire petit vaurien que j'aie connu. Vaut pas un pet de lapin, ce vieux John, je vous le dis. L'est allé à l'école de droit faire ses études. Mais l'a pas réussi. L'est revenu s'installer dans une ferme, là-bas sur la crête de l'autre côté de la rivière. (Il lança un regard à Sutton :) Z'êtes pas parent avec lui, non ?

— Heu, fit Sutton, pas exactement. Pas très proche du moins.

— Demain, c'est le 4 juillet... et je me souviens de la fois où John et moi, on a fait sauter un conduit de drainage dans le vallon de Campbell. On avait trouvé un peu de dynamite dont une équipe de construction routière se servait pour faire sauter des rochers. John et moi, on s'est dit que cela ferait un plus gros bang si on l'enfermait dans quelque chose. Alors on l'a fourrée dans le conduit souterrain et on a allumé une longue mèche. Monsieur, ça vous a fait sauter le conduit et tout. Je me souviens que nos papas nous ont drôlement tanné le cuir à cause de ça !

En plein dans le mille, se dit Sutton. John H. Sutton est juste de l'autre côté de la rivière et demain est le 4 juillet 1977, c'est ce que la lettre disait. Et je n'ai rien eu à demander. Le vieux bonhomme l'a dit tout seul.

La réverbération du soleil était comme une fournaise ardente sur la rivière, mais ici, sous les arbres, on ne sentait qu'à peine ce flamboiement de chaleur. Une feuille passa, flottant sur l'eau, et une sauterelle s'y était posée. La sauterelle essaya de sauter sur la rive, mais elle visa trop court et le courant la saisit, l'avala et elle disparut.

— Pas eu de chance, cette sauterelle, dit le vieux. La plus traître des rivières de tous les Etats-Unis, ce Wisconsin, voilà ce qu'elle est. Pouvez pas vous y fier. Ils ont tenté d'y faire naviguer des bateaux à vapeur dans l'ancien temps, mais ils ont pas pu parce que là où y avait un chenal un jour, y avait un banc de sable le lendemain. Le courant déplace les bancs de sable que c'en est terrible. Un type du gouvernement a fait un rapport là-dessus une fois. L'a dit que la seule possibilité d'utiliser le Wisconsin pour la navigation serait d'en faire un canal bétonné.

De très loin au-dessus d'eux arrivait le bruit de la circulation qui traversait le pont. Un train passa, soufflant et grinçant, un long train de marchandises qui remontait la vallée. Longtemps après qu'il fut passé, Sutton entendit son sifflet hululer, comme une voix perdue, à quelque passage à niveau invisible.

— La destinée, dit le vieux bonhomme, a pas travaillé pour deux sous en faveur de cette sauterelle, sûrement pas, hein ?

Sutton se redressa d'un coup, bégayant :

— Qu'avez-vous dit ?

— Faîtes pas attention, je me parle tout seul. Quelquefois les gens m'entendent et ils pensent que je suis fou.

— Mais la destinée ? Vous avez dit quelque chose à propos de la destinée.

— Ça vous intéresse, mon gars, dit le vieux. J'ai écrit une histoire à propos d'elle une fois. Ça valait pas grand-chose. Je bricolais un peu comme ça, à écrire, dans mon jeune temps.

Sutton se détendit et s'allongea de nouveau.

Une libellule rasait la surface de la rivière. Plus loin le long de la rive, un petit poisson sauta et laissa des ronds dans l'eau qui allèrent s'élargissant.

— A propos de votre pêche, dit Sutton. Vous n'avez pas l'air de vous préoccuper beaucoup d'attraper quelque chose ou non.

— Plutôt non, au vrai. Attrapez quelque chose et faut que vous le décrochiez du hameçon. Puis faut que vous remettiez un appât et que vous relanciez la ligne dans la rivière. Ensuite faut nettoyer le poisson. C'est tout un boulot !

Il enleva sa pipe de sa bouche et cracha de nouveau soigneusement dans la rivière.

— Jamais lu Thoreau, mon gars ?

Sutton hocha la tête, essayant de se rappeler. Le nom évoquait un écho dans sa mémoire. Un fragment dans un livre de littérature ancienne au temps de ses études. C'était tout ce qui restait de ce qu'on croyait avoir été une œuvre littéraire abondante.

— Vous devriez, reprit le vieux. Il avait des idées, Thoreau, vraiment.

Sutton se leva et épousseta son pantalon.

— Restez donc, dit le vieux bonhomme, vous ne me gênez pas ou si peu.

— Il faut que je m'en aille, dit Sutton.

— Venez me voir un autre jour. On pourrait parler un peu plus. Je m'appelle Cliff, mais on dit le vieux Cliff, maintenant. Demandez simplement le vieux Cliff. Tout le monde me connaît.

— Un autre jour, dit Sutton poliment. C'est entendu.

— Encore un petit coup avant de partir ?

— Non, merci, répondit Sutton en reculant. Non, merci beaucoup.

— Bon, bon ! dit le vieux.

Il leva le cruchon et y but une longue goulée gargouillante. Il rabaissa le cruchon, souffla, mais ce ne fut pas aussi spectaculaire cette fois : aucun papillon ne passait...

Sutton remonta la berge, retrouvant toute la force du soleil.

— Bien sûr, dit le chef de gare, les Sutton vivent de l'autre côté de la rivière dans le comté de Grant. Il y a plusieurs chemins pour y aller. Lequel préféreriez-vous ?

— Le plus long. Je ne suis absolument pas pressé.

La lune se levait lorsque Sutton s'engagea dans la côte qui conduisait au pont.

Il n'était pas pressé, il avait toute la nuit.

34

La contrée était sauvage... plus sauvage que tout ce que Sutton avait jamais vu dans les parcs au gazon bien tondu et bien arrosé de sa Terre natale. Le sol montait fortement comme s'il reposait sur le tranchant d'une lame et il était jonché de gros blocs de pierre qui semblaient avoir été jetés dans un accès de colère divine par une main géante en un passé oublié. Des falaises abruptes se dressaient vers le ciel, s'élevant massivement, masquées par d'énormes arbres qui semblaient s'être efforcés, en un temps lointain, de rivaliser avec la hauteur et la majesté des escarpements rocheux. Mais à présent ils étaient là, vaincus, résignés d'être moins que ces falaises, mais avec une certaine dignité toutefois et une certaine patience apprise sans doute dans leur effort d'autrefois.

Des fleurs se blottissaient dans les espaces entre les rocs épars ou se nichaient entre les racines moussues des plus grands arbres. Un écureuil, assis quelque part sur une branche, jacassait à la fois de colère et de ravissement, face au soleil levant.

Sutton grimpait avec peine, suivant le ravin pierreux qui partait du lit de la rivière. Parfois marchant, mais plus souvent à quatre pattes, s'accrochant pour gravir la pente.

Il s'arrêtait souvent, les talons ancrés, le dos calé

contre un arbre, essuyant la sueur qui coulait sur son visage. En bas, dans la vallée, la rivière, qu'il avait trouvée trouble et boueuse alors qu'il marchait le long de la rive, avait pris une couleur bleue qui semblait défier l'azur même du ciel qu'elle reflétait. Et l'air était d'une clarté de cristal, d'une limpidité inconnue. Un faucon piqua dans l'espace immense entre l'azur du ciel et le bleu de la rivière, et Sutton eut l'impression qu'il pouvait distinguer chaque plume de ses ailes repliées.

A un moment, à travers les arbres, il aperçut devant lui la brèche dans la falaise et il sut qu'il était arrivé à l'endroit que le vieux John avait indiqué dans sa lettre.

Le soleil n'était levé que depuis deux heures et il avait encore tout son temps. Tout son temps, oui, puisque John Sutton avait parlé avec l'homme deux heures environ et était ensuite allé déjeuner.

A partir de là, l'entaille de la falaise en vue, Sutton ralentit sa marche. Il atteignit enfin le sommet et trouva le rocher dont son ancêtre avait parlé et qui était si propice au repos.

Il s'assit et contempla la vallée, heureux de profiter de l'ombre.

Et ici régnait la paix, comme John l'avait dit. La paix et la majesté tranquille du paysage devant lui... l'étrange qualité tridimensionnelle de l'espace qui planait, comme vivant, au-dessus de la vallée de la rivière. Etrange aussi, cette menace d'événements... attendus... et inattendus.

Il regarda sa montre, il était 9 heures et demie, il quitta donc le rocher, alla se coucher derrière une masse de broussailles et attendit. Presque au même moment lui parvint le bruissement doux et régulier d'un moteur, et un vaisseau, minuscule vaisseau monoplace, descendit en oblique entre les arbres pour se poser dans le pré juste au delà de la clôture.

Un homme en sortit et s'appuya contre la machine,

examinant le ciel et les arbres, comme s'il s'assurait qu'il était bien arrivé à destination.

Sutton eut un petit rire intérieur.

Mise en scène parfaite, se dit-il. Arriver inopinément avec une machine plus ou moins endommagée. Attendre qu'un homme vienne et vous parle. C'était la chose la plus naturelle du monde. Vous n'alliez pas le chercher, il vous voyait et venait, et, bien entendu, il parlait.

Vous ne pouviez pas arriver par la route, passer la barrière, aller cogner à la porte et dire :

— Je viens pour glaner tous les scandales et tous les ragots possibles sur la famille Sutton. Puis-je m'asseoir et bavarder avec vous ?

Mais vous pouviez atterrir dans une pâture avec une machine endommagée, parler d'abord de maïs et de prairie, du temps et de l'herbe, et finalement en arriver à parler de choses personnelles et familiales.

L'homme avait maintenant sorti sa clé à mâchoires et bricolait dans sa machine.

Ce devait être à peu près le moment.

Sutton se souleva sur les coudes et regarda à travers les branches serrées du buisson de noisetiers.

John H. Sutton descendait la pente, un gros homme bedonnant, avec une barbe blanche bien taillée et un vieux chapeau noir. Le pas lourd mais décidé.

35

C'était donc l'échec, se disait Eva Armour. C'était ainsi que l'on ressentait un échec. La gorge sèche, le cœur lourd et la tête vide.

Je suis amère, dit-elle, et j'ai toutes les raisons de l'être. Bien que je sois si lasse d'avoir tout fait pour réussir et d'avoir échoué que l'acuité de l'amertume s'en trouve atténuée.

— Le psycho-pisteur dans le bureau d'Adams s'est arrêté, avait dit Herkimer, puis le vidéophone s'était éteint quand il avait coupé la communication.

Il n'y avait plus trace de Sutton et le pisteur s'était arrêté.

Cela signifiait que Sutton était mort, et il ne pouvait pas être mort puisque, historiquement, il avait écrit un livre et qu'il ne l'avait pas encore écrit.

Quoique l'histoire fût une chose à laquelle on ne pouvait se fier. Elle était mal établie ou mal transcrite ou mal interprétée, ou faussée par quelqu'un à l'imagination incohérente. La vérité était si difficile à préserver, le mythe et la fable avaient tant de pouvoir pour y insuffler une vie à la fois plus logique et plus acceptable que la réalité.

La moitié de l'histoire de Sutton, Eva le savait, devait être purement apocryphe. Et pourtant certains faits devaient nécessairement être vrais.

Quelqu'un avait écrit un livre et il fallait que ce fût Sutton, car personne d'autre n'avait pu déchiffrer le langage dans lequel ses notes étaient écrites et les mots eux-mêmes révélaient la sincérité de l'auteur.

Sutton était mort, mais pas sur la terre ni dans le système solaire, et pas à l'âge de soixante ans. Il était mort sur une planète tournant autour de quelque lointaine étoile et il n'était pas mort avant de nombreuses, de très nombreuses années.

C'étaient là des faits vrais, qui ne pouvaient aisément être dénaturés. Des faits qui devaient demeurer jusqu'à ce qu'il soit démontré qu'ils étaient faux.

Et pourtant le pisteur s'était arrêté.

Eva se leva de son fauteuil et traversa la pièce jusqu'à la fenêtre qui donnait sur le parc paysager des *Armes d'Orion*. Des vers luisants piquetaient les buissons de leurs petits éclats de lumière froide, et la lune au dernier quartier se levait derrière un nuage qui ressemblait à une petite colline au dos rond.

Tant de travail, se disait-elle. Tant d'années de préparation. Des androïdes qui n'avaient pas porté de marque sur le front et qui avaient été façonnés de manière à ressembler exactement aux humains qu'ils remplaçaient. Et d'autres androïdes qui portaient une marque sur le front mais qui n'avaient pas été les androïdes formés dans les laboratoires du 80e siècle. Des réseaux compliqués d'espionnage, dans l'attente du jour où Sutton reviendrait. Des années à déchiffrer les archives du passé, à tenter de séparer la vérité des demi-vérités et des erreurs patentes.

Des années à guetter et à attendre, à esquiver le contre-espionnage des Révisionnistes, à préparer le terrain pour le jour J. Et à être prudent... toujours prudent. Car le 80e siècle ne devait pas savoir, ne devait pas même soupçonner.

Mais il y avait eu des éléments imprévus.

Morgan était revenu dans le passé et avait averti Adams que Sutton devait être tué.

Deux hommes avaient été placés sur l'astéroïde.

Mais ces deux éléments ne pouvaient pas expliquer entièrement ce qui était arrivé. Il y avait quelque part un autre facteur.

Elle resta devant la fenêtre, regardant la lune se lever, le front plissé tant elle réfléchissait intensément. Mais elle était trop lasse. Il ne lui venait aucune idée.

Sauf celle d'une défaite.

Une défaite expliquerait tout.

Sutton pouvait être mort et ce serait la défaite, une défaite complète, absolue. La victoire pour une administration qui était à la fois trop timide et trop corrompue pour prendre une part active à la lutte pour le livre. Une administration qui cherchait à maintenir le statu quo, prête à effacer des siècles de pensée pour maintenir sans accident son emprise sur la galaxie.

Une telle défaite, elle le savait, serait encore pire qu'une défaite infligée par les Révisionnistes, car si les Révisionnistes gagnaient, il y aurait encore un livre, il y aurait l'enseignement de la destinée de l'Homme. Et cela, se disait-elle, vaudrait encore mieux qu'une absence d'idée de la destinée.

Derrière elle, le vidéophone ronronna, elle se retourna, traversa vivement la pièce.

— Mr Sutton a appelé, dit un robot. Il a posé des questions sur le Wisconsin.

— Le Wisconsin ?

— C'est un ancien nom de région. Il a demandé des renseignements sur un endroit appelé Bridgeport, dans le Wisconsin.

— Comme s'il avait l'intention d'y aller ?

— Comme s'il y allait.

— Vite, dit Eva, dites-moi où est ce Bridgeport ?

— A une dizaine de kilomètres, répondit le robot, et à quatre mille ans au moins dans le passé.

Elle sursauta :

— Dans le passé !

— Oui, mademoiselle, dans le passé.

— Expliquez-moi exactement !

— Je ne sais pas, dit le robot en secouant la tête, je n'ai pas pu saisir. Son esprit était troublé. Il venait de passer par une très rude épreuve.

— Ainsi vous ne savez pas...

— Je ne m'inquiéterais pas si j'étais vous, dit le robot. Il m'a donné l'impression d'un homme qui savait ce qu'il faisait. Il s'en sortira très bien.

— Vous en êtes certain ?

— J'en suis certain.

Eva coupa la communication et retourna à la fenêtre.

Ash, se disait-elle, Ash, mon amour, il faut absolument que tu réussisses. Tu dois savoir ce que tu fais. Il faut que tu nous reviennes et il faut que tu écrives le livre et...

— Pas seulement pour moi, dit-elle. Pas seulement pour moi car j'ai, moins que tous les autres, un droit sur toi. Mais la galaxie a un droit sur toi et peut-être, un jour, l'univers tout entier. Toutes ces petites existences qui se débattent attendent tes paroles, et l'espoir et la dignité qu'elles apporteront. Plus que tout, la dignité. La dignité avant l'espoir. La dignité de l'égalité, la dignité de savoir que toute vie est placée sur une base d'égalité, que la vie est tout ce qui compte, que la vie est la marque d'une fraternité plus haute que tout ce que l'esprit de l'Homme a jamais conçu dans toute sa philosophie.

Et moi, se dit-elle, je n'ai aucun droit de penser comme je pense, de ressentir ce que je ressens. Mais je ne peux m'en empêcher, Ash. Je ne peux m'empêcher de t'aimer, Ash.

— Un jour, dit-elle. Un jour, peut-être...

Elle se tenait là, droite et solitaire; des larmes lui vinrent aux yeux, coulèrent sur ses joues, mais elle ne fit pas un geste pour les essuyer.

Ce sont des rêves, se dit-elle. Les rêves brisés sont déjà cruels. Mais un rêve sans espoir... un rêve condamné avant même d'être brisé, c'est le pire de tout.

Une branche sèche craqua sous les pieds de Sutton et l'homme à la clé se tourna lentement vers lui. Un sourire rapide, doucereux, s'étendit sur son visage et le plissa tout entier pour dissimuler la stupéfaction qui se reflétait dans ses yeux.

— Bonsoir, dit Sutton.

John H. Sutton n'était plus qu'un point qui avait presque atteint le haut de la colline. Le soleil avait dépassé le zénith et descendait vers l'ouest. En bas, dans la vallée de la rivière, une demi-douzaine de corbeaux croassaient et c'était comme si ce bruit venait du sol même.

L'homme tendit la main :

— Mr Sutton, n'est-ce pas ? Le Mr Sutton du 80e siècle.

— Lâchez cette clé, dit Sutton.

L'homme fit comme s'il n'entendait pas :

— Je m'appelle Dean, dit-il, Arnold Dean. Je viens du 84e siècle.

— Lâchez cette clé, répéta Sutton et Dean la laissa tomber. (Sutton la repoussa du pied jusqu'à ce qu'elle soit hors de portée :) C'est mieux comme ça... Maintenant, asseyons-nous et causons.

Dean fit un geste du pouce :

— Le vieux bonhomme va revenir. Il ne va pas

tarder à se sentir intrigué et il reviendra. Il avait un tas de questions qu'il a oublié de poser.

— Pas avant un bon moment, dit Sutton. Pas avant d'avoir mangé et fait sa sieste.

Dean émit un grognement et s'assit le dos contre sa machine.

— Les facteurs dus au hasard, dit-il, voilà ce qui embrouille un plan. Vous êtes un facteur dû au hasard, Sutton. Ce n'était pas prévu.

Sutton s'assit tranquillement et ramassa la clé à mâchoires. Il la soupesa. Du sang, pensa-t-il, comme s'il parlait à l'outil. Tu auras du sang à une extrémité avant la fin de la journée.

— Dites-moi, fit Dean. Maintenant que vous êtes ici, qu'avez-vous l'intention de faire ?

— Pas si vite, dit Sutton. C'est à vous de parler. Vous allez me dire quelque chose que j'ai besoin de savoir.

— Volontiers.

— Vous avez dit que vous veniez du 84e siècle. Quelle année ?

— 8386, mais si j'étais vous, j'irais un peu au delà. Vous en découvririez davantage qui vous intéresse.

— Mais vous estimez que je ne pourrai jamais aller aussi loin que cela. Vous pensez que vous gagnerez.

— Bien entendu.

Sutton creusa le sol avec la clé.

— Il y a quelque temps, dit-il, j'ai découvert un homme qui est mort peu après. Il m'a reconnu et il a fait un signe, avec ses doigts levés.

Dean cracha par terre.

— Un androïde, dit-il. Ils vous ont voué un culte, Sutton. Ils ont bâti une religion autour de vous. Parce que, voyez-vous, vous leur avez donné un espoir auquel s'accrocher. Vous leur avez donné une sorte d'égalité, quelque chose qui les rend, d'une certaine manière, égaux aux hommes.

— Je suppose, dit Sutton, que vous ne croyez rien de ce que j'ai écrit.

— Est-ce que je le devrais ?

— Je le crois.

Dean resta muet.

— Vous vous êtes emparé de ce que j'ai écrit, reprit Sutton calmement, et vous essayez de l'utiliser pour en faire un échelon de plus dans l'échelle de la vanité humaine. Vous n'avez absolument rien compris. Vous n'avez aucun sens de la destinée parce que vous n'avez laissé aucune chance à la destinée.

Et il se sentait ridicule de parler ainsi. Cela ressemblait tellement à un prêche ! Tellement à ce que les hommes du temps jadis avaient dit de la foi, alors que la foi n'était qu'un mot avant de devenir une force avec laquelle il fallait réellement compter. Comme les prédicants d'autrefois avec leur Bible, les prédicants qui portaient des bottes de cuir et dont les cheveux grisonnants étaient ébouriffés et la barbe flottante, tachée de tabac.

— Je ne vous ferai pas de sermon, dit-il furieux de la manière habile dont Dean l'avait mis sur la défensive. Je ne vous infligerai pas un prêche. Vous acceptez la destinée ou vous l'ignorez. Pour autant que cela me concerne, je ne lèverai pas un doigt pour convaincre un homme en particulier. Le livre que j'ai écrit vous dit ce que je sais. Vous pouvez le croire ou ne pas le croire... cela m'est tout à fait égal.

— Sutton, dit Dean, vous vous tapez la tête contre les murs. Vous n'avez pas une chance. Vous vous battez contre le genre humain. Tout le genre humain est contre vous... et rien n'a jamais résisté au genre humain. Vous n'avez avec vous qu'une bande d'androïdes misérables et quelques humains renégats... le genre d'hommes qui accouraient en foule aux cérémonies des anciennes religions.

— L'empire est bâti sur des androïdes et des robots, répondit Sutton. Ils peuvent se débarrasser de vous au moment où ils le voudront. Sans eux, vous ne pourriez pas tenir la moindre parcelle de terrain hors du système solaire.

— Ils nous resteront fidèles dans cette affaire d'empire, répliqua Dean très confiant. Ils peuvent se battre contre nous pour cette histoire de destinée, mais ils resteront avec nous parce qu'ils ne peuvent pas se tirer d'affaire sans nous. Ils ne peuvent pas se reproduire, vous le savez. Ils ne peuvent pas se faire eux-mêmes. Il leur faut des êtres humains pour que leur race se perpétue, pour remplacer ceux qui se font démolir (Il ricana :) Jusqu'à ce qu'un androïde puisse créer un autre androïde, ils nous resteront fidèles et ils collaboreront avec nous. Parce que s'ils ne le faisaient pas, ce serait un suicide racial.

— Ce que je ne peux pas comprendre, dit Sutton, c'est comment vous savez quels sont ceux qui vous combattent et ceux qui vous sont fidèles.

— Ça, dit Dean, c'est le plus embêtant... nous ne le savons pas. Si nous le savions, nous en aurions vite fini avec cette sale guerre. L'androïde qui vous a combattu la veille peut astiquer vos chaussures le lendemain, et comment le savoir ? La réponse est : vous ne pouvez pas le savoir.

Il ramassa une petite pierre et la lança dans l'herbe de la prairie.

— Sutton, reprit-il, cela a de quoi vous rendre fou. Pas de bataille, en fait. Simplement des escarmouches de guérilla çà et là, quand une petite expédition, envoyée pour opérer un léger arrangement dans le temps, tombe dans un embuscade tendue par une autre expédition, envoyée par l'adversaire, pour l'intercepter.

— Comme je vous ai intercepté.

— Heu... grogna Dean. (Puis il se dérida :) Oui, bien sûr, dit-il, comme vous m'avez intercepté.

A ce moment, Dean était assis le dos contre sa machine, parlant comme s'il allait continuer ainsi de parler... le moment d'après, c'était un véritable déchaînement de mouvement, son corps se détendit comme un ressort, et il plongea sur la clé que tenait Sutton.

Celui-ci bougea instinctivement, ses pieds affermirent leur appui sur le sol, les muscles de ses jambes se tendirent pour redresser son corps, son bras ébaucha un geste pour éloigner la clé.

Mais Dean avait l'avantage d'être parti une bonne seconde plus tôt.

Sutton sentit que la clé lui était arrachée, il la vit luire au soleil quand Dean la leva pour le frapper.

Les lèvres de Dean remuaient, et même en essayant d'esquiver le coup, même en se sentant lever les bras pour protéger sa tête, Sutton lut les mots que prononçaient les lèvres de l'autre :

« Tu te figurais donc que ce serait moi ! »

La douleur explosa dans la tête de Sutton et dans un bref instant de surprise, il sentit qu'il tombait, que le sol se précipitait vers son visage. Puis il n'y eut plus de sol, mais seulement des ténèbres à travers lesquelles il tombait pendant de longues éternités.

37

C'était un traquenard !

Je me suis laissé prendre dans un traquenard.

Par un personnage retors venu de cinq cents ans dans le futur.

Par une lettre datant de six mille ans dans le passé.

Par ma propre stupidité, se dit Sutton.

Il se redressa sur son séant, prit sa tête dans ses mains, sentit le soleil couchant dans son dos, entendit le chant d'un oiseau dans le buisson de ronces et le bruissement du vent dans les rangées de maïs.

Je me suis laissé mener et prendre dans un traquenard, se dit-il.

Il éloigna ses mains de son visage. Là-bas, dans l'herbe piétinée, gisait la clé à mâchoires avec du sang à une extrémité. Sutton écarta les doigts et vit du sang sur eux aussi... un sang tiède et visqueux. Doucement, il se toucha la tête d'une main prudente, ses cheveux étaient collants.

Un enchaînement, se dit-il. Tout cela suit un enchaînement.

Me voilà ici ; la clé réglable est là, et de l'autre côté de la clôture se trouve le champ de maïs, qui monte un peu plus haut que le genou en ce splendide après-midi du 4 juillet 1977.

La machine est partie, et dans une heure environ, John H. Sutton reviendra en descendant la pente d'un pas lourd pour poser les questions qu'il a oublié de formuler tout à l'heure. Et dans dix ans d'ici, il écrira une lettre où il consignera ses soupçons en ce qui me concerne, tandis qu'au même moment, je serai dans la cour de la ferme à pomper de l'eau pour boire.

Sutton se leva en chancelant et se dressa dans le vide de l'après-midi, avec l'étendue du ciel par-dessus l'horizon de la crête et le panorama de la rivière sinueuse très loin en bas de la pente.

Il toucha la clé du pied et pensa : je pourrais rompre l'enchaînement. Je pourrais prendre cette clé, John H. Sutton ne la trouverait pas, et une chose étant changée dans l'enchaînement, la fin pourrait ne pas être la même.

J'ai mal lu la lettre. Je me suis toujours figuré que ce serait un autre, pas moi. Il ne m'est jamais venu à l'esprit qu'il s'agirait de mon sang sur la clé et que je serais celui qui volerait les vêtements sur l'étendage.

Et pourtant certaines choses ne concordaient pas. Il avait encore ses vêtements et il n'avait aucun besoin d'en voler. Son vaisseau reposait au fond de la rivière et il n'avait aucune raison de rester.

Cependant, c'était arrivé comme cela, car si ce n'était pas arrivé, pourquoi y aurait-il eu la lettre ? La lettre l'avait fait venir ici et la lettre avait été écrite parce qu'il fallait qu'il vienne, donc il devait être déjà venu. Et cette fois-là, il était resté... et resté parce qu'il ne pouvait s'en aller. Cette fois-ci, il s'en irait, cette fois-ci, il n'avait pas besoin de rester.

Une seconde chance, se dit-il. Il m'a été donné une seconde chance. Cependant, cela ne tenait pas, car s'il y avait eu une seconde fois, le vieux John H. l'aurait su. Et il ne pouvait pas y avoir de seconde fois puisque l'on était en ce jour même où John H. avait parlé à l'homme venu du futur.

Sutton secoua la tête.

Cela n'était arrivé qu'une seule fois, et cette fois, bien entendu, était celle-ci même.

Quelque chose va se produire, se dit-il. Quelque chose qui m'empêchera de repartir. D'une manière ou d'une autre, je serai obligé de voler les vêtements et, finalement, j'irai jusqu'à cette ferme là-haut et je demanderai s'ils ont besoin d'aide pour la moisson.

Car l'enchaînement était fixé. Et il *fallait* qu'il le fût.

Sutton toucha de nouveau la clé du pied, réfléchissant.

Puis il s'éloigna et descendit la pente. En jetant un coup d'œil en arrière au moment où il pénétrait dans les bois, il aperçut le vieux John H. qui venait du haut de la pâture.

38

Pendant trois jours, Sutton peina pour libérer son vaisseau des tonnes de sable que la rivière traîtresse et rapide avait amoncelées sur lui. Et il dut admettre, lorsque les trois jours furent écoulés, que c'était une tâche sans espoir, car le courant amenait du sable aussi vite qu'il pouvait en enlever.

Il s'efforça alors de creuser un chemin jusqu'au sas d'entrée et au bout d'une journée de travail, après de nombreux éboulements, il atteignit son but.

Epuisé, il s'accota à la carcasse métallique du vaisseau.

Ce sera un pari, se dit-il. Mais il faut le tenter.

Car il n'y avait aucune possibilité de dégager le vaisseau en utilisant les moteurs. Les tuyères, il le savait, étaient bourrées de sable et toute tentative de se servir des réacteurs aboutirait simplement à ce que lui, le vaisseau et un bon morceau du paysage disparaissent dans l'éclair d'une furieuse explosion atomique.

Il avait fait décoller un astronef d'une planète du Cygne et l'avait conduit durant onze ans à travers l'espace par la seule puissance de l'esprit. Il avait fait double-six.

Peut-être, se dit-il. Peut-être...

Il y avait des tonnes de sable à déplacer et il était mortellement épuisé, épuisé en dépit du fonctionnement parfait, efficace de son système métabolique non-humain.

J'ai fait double-six, se répéta-t-il.

Oui, j'ai réussi cela, et la tâche était certainement plus difficile que celle que je dois accomplir maintenant. Bien qu'elle demandât surtout de l'habileté, alors que celle-ci exigera de la force... et supposons, supposons simplement que cette force me manque.

Car il faudra de la force pour arracher cette masse de métal à ce monceau de sable. Pas une force venue des muscles, mais venue de l'esprit.

Naturellement, se dit-il, s'il ne pouvait pas dégager le vaisseau, il pourrait encore utiliser le convertisseur de temps et projeter le vaisseau, tel qu'il était, à six mille ans dans le futur. Bien que cela présentât des risques auxquels il préférait ne pas songer. Car en déplaçant le vaisseau dans le temps, il serait exposé à toutes les menaces et à tous les caprices de la rivière au cours de ces six milliers d'années.

Il porta la main à son cou, cherchant la chaîne à laquelle étaient attachées les clés.

La chaîne n'était plus là !

Le cerveau paralysé par une soudaine terreur, il resta un moment figé.

Mes poches, se dit-il, mais ses mains fouillèrent avec la terrible certitude que c'était sans espoir. Car il ne mettait jamais les clés dans ses poches... toujours à cette chaîne où elles étaient en sûreté.

Il fouilla fébrilement d'abord, puis avec un acharnement minutieux, glacé.

Il n'y avait aucune clé dans ses poches.

La chaîne s'est brisée, se dit-il avec un désespoir frénétique. La chaîne s'est brisée et elle est tombée dans mes vêtements.

Il se palpa avec soin de la tête aux pieds mais ne trouva rien. Il enleva sa chemise, lentement, prudemment, il la palpa. En vain. Il rejeta la chemise et s'asseyant, retira son pantalon, chercha dans les plis, le retourna.

Et il n'y avait pas de clés.

A quatre pattes, il chercha dans les sables du lit de la rivière, fouillant au hasard à la faible clarté qui filtrait à travers l'eau impétueuse.

Une heure plus tard, il abandonna.

Le sable mouvant, charrié par le courant, avait déjà comblé la tranchée qu'il avait creusée jusqu'au sas et il n'avait plus aucune raison d'atteindre le sas puisqu'il ne pourrait l'ouvrir lorsqu'il y arriverait.

Sa chemise et son pantalon avaient disparu, entraînés par le courant.

Epuisé, vaincu, il se dirigea vers la rive, se frayant un chemin à travers le flot tumultueux. Sa tête sortit de l'eau ; les premières étoiles brillaient à l'est.

Sur la berge, il s'assit le dos appuyé contre un arbre. Il prit une respiration, puis une autre, fit battre son cœur une fois, puis une seconde, une troisième... remit le métabolisme humain en route.

Dans son langage, la rivière semblait glousser et se moquer de lui. Au fond de la vallée boisée, un engoulevent commença son hululement rythmé. Des lucioles voletaient dans la pénombre des buissons.

Un moustique le piqua et d'une claque, il essaya futilement de l'écraser.

Un endroit pour dormir, se dit-il. Un tas de foin dans une grange, peut-être. Et de quoi manger, quitte à le voler dans le jardin d'un fermier. Il mourait de faim. Puis des vêtements.

Il savait au moins où il prendrait les vêtements.

39

Les dimanches étaient longs.

Durant le reste de la semaine, il y avait du travail — du travail physique — pour un homme, le train-train épuisant des gestes nécessaires pour tirer du sol de quoi vivre. Des terres à labourer, des récoltes à préparer, à soigner et finalement à moisonner, du bois à couper, des clôtures à poser et à entretenir, des machines à réparer. Des choses qui devaient être faites à la force des muscles, avec des mains calleuses et le dos courbaturé, avec le soleil brûlant sur la nuque ou le vent cinglant qui vous glaçait jusqu'aux os.

Pendant six jours, un cultivateur travaillait et le travail était une chose qui vous abrutissait jusqu'à en avoir la tête douloureusement vide. Et le soir, quand le travail était terminé, le sommeil venait, rapide et miséricordieux. Parfois le travail, non seulement par son effet sédatif mais en lui-même, devenait quelque chose d'intéressant et de satisfaisant. L'alignement bien droit des poteaux d'une clôture nouvellement posée devenait un petit triomphe lorsqu'on la regardait dans toute sa longueur. Le champ moissonné, avec sa poussière sur votre faucheuse, l'odeur du soleil sur la paille dorée, et le claquement de la lieuse, tandis que la machine allait et venait, devenait une symphonie puissante, d'abondance et de consentement. Et il y avait des moments où le rose des pommiers en fleur, resplendissant à travers la pluie argentée du printemps, devenait un hymne sauvage et païen à la résurrection de la Terre après les froidures de l'hiver.

Pendant six jours, un homme travaillait et n'avait pas le temps de réfléchir ; le septième, il se reposait et s'armait de courage contre les regrets et les pensées de désespoir qu'apportaient la solitude et le désœuvrement.

Pas de regrets à l'égard d'un peuple ou d'un monde ou d'une manière de vivre, car ce monde-ci était plus bienveillant et plus proche de la Terre, et la vie y était plus sûre — beaucoup plus sûre — que dans le monde qu'il avait laissé derrière lui. Mais des regrets harcelants, des regrets accusateurs qui évoquaient une tâche qui attendait, qui maintenant peut-être attendrait indéfiniment, une tâche qui devait être accomplie mais qui, maintenant peut-être, ne le serait jamais.

D'abord, il avait eu de l'espoir.

Sûrement, s'était dit Sutton, ils me rechercheront. Sûrement, ils trouveront un moyen de parvenir jusqu'à moi.

Cette pensée lui apportait un réconfort auquel il s'accrochait de toutes ses forces, un apaisement qu'il ne pouvait se résoudre à trop analyser. Car il se rendait compte, tout en s'y cramponnant, que c'était là une vue générale, qu'elle pourrait bien ne pas résister à un examen trop approfondi, qu'elle était faite de foi et d'ardent désir, et qu'en dépit de toute sa puissance de réconfort, elle n'était peut-être qu'une illusion fragile.

Le passé ne peut être changé, se disait-il, raisonnant avec lui-même, pas dans sa totalité. Il peut être modifié — subtilement. Il peut être détourné, déformé, minimisé, mais dans l'ensemble, il demeure.

Et c'est pourquoi je suis ici, oui, cela doit être pourquoi je suis ici, et je dois y rester jusqu'à ce que
le vieux John H. écrive sa lettre à lui-même. Jusque-
là, l'enchaînement doit nécessairement être préservé,
parce que jusque-là, dans le temps, dans le passé,
pour autant que moi et ma relation avec lui soyons
concernés, est un passé connu et révélé. Mais à partir
du moment où la lettre est écrite, il devient un passé
inconnu, il tend vers le conjectural et il n'y a plus
d'enchaînement connu. Une fois que la lettre sera
écrite, en ce qui me concerne, n'importe quoi peut
arriver.

Bien que — il devait se l'avouer dans le même
temps — cette assertion soit fallacieuse. Car connu
ou non, révélé ou pas, le passé formait un enchaînement. Car le passé était arrivé. Il vivait donc dans
un temps qui avait déjà été fixé et modelé.

Encore que, même dans cette pensée, il y eût un
espoir ; même dans l'incertitude du passé et dans la
connaissance que dans l'ensemble, ce qui était arrivé
était une chose qui demeurait inchangée, il devait
y avoir un espoir. En l'un ou l'autre lieu, à un
moment ou un autre, il avait écrit un livre. Ce livre
existait et, par conséquent, faisait partie du passé,
quoique, en ce qui le concernait, il n'en fît pas encore
partie. Mais il en avait vu deux exemplaires et cela
signifiait que, en un certain futur, le livre formait
un élément dans l'enchaînement du passé.

Un jour ou l'autre, se dit Sutton, ils me trouveront. Un jour ou l'autre, avant qu'il soit trop tard.
Ils me chercheront et ils me trouveront. Il faudra
qu'ils me trouvent.

Qui, ils ? se demanda-t-il, finalement, honnête avec
lui-même.

Herkimer, un androïde.

Eva Armour, une femme.

Ils... deux personnes.

Mais pas ces deux-là seulement. Certainement pas ces deux-là seulement. Derrière eux, comme une armée invisible, tous les autres androïdes et tous les robots que l'Homme ait jamais façonnés. Et çà et là, un être humain qui sentait la justesse de l'affirmation que l'Homme ne pouvait constituer, par simple orgueil, un être spécial ; il devait comprendre au contraire que ce serait sa vraie gloire de prendre place parmi les autres êtres vivants, comme un simple être vivant, comme une forme de vie capable de guider et d'enseigner, et d'être amie, plutôt que de représenter une forme de vie conquérante, dominante et étrangère à tout le reste.

Ils le rechercheraient, bien entendu, mais où ?

Avec le temps tout entier et l'espace tout entier à fouiller, comment sauraient-ils quand et où chercher ?

Le robot du centre d'information, pensa-t-il, pourrait leur dire qu'il s'était renseigné sur une ancienne ville appelée Bridgeport. Et cela leur dirait où chercher. Mais personne ne pourrait leur dire quand.

Car personne ne savait rien de la lettre... absolument personne. Il se rappela comment la colle vieillie et desséchée était tombée en poudre quand il avait passé l'ongle sous le rabat de l'enveloppe. Personne, certainement, n'avait vu le contenu de cette lettre depuis le jour où elle avait été écrite jusqu'à ce qu'il l'ait lui-même ouverte.

Il se rendait compte, maintenant, qu'il aurait dû en dire un mot à quelqu'un... dire en quel lieu et dans quel temps il partait et ce qu'il avait l'intention de faire. Mais il avait eu tellement confiance, cela lui avait semblé si simple ! Un plan si magnifique !

Un plan magnifique par le caractère direct même de son action : intercepter le Révisionniste, le mettre hors de combat, s'emparer de sa machine et s'en aller dans le futur prendre sa place. Cela aurait pu se faire, il en était certain. Il y aurait bien eu un androïde quelque part pour l'aider à parfaire son déguisement, il y aurait eu des papiers dans la machine et des androïdes dans le futur pour l'instruire des choses qu'il fallait connaître.

Un plan magnifique... sauf qu'il n'avait pas marché.

J'aurais pu le dire au robot des informations, se dit Sutton. Il était certainement de notre camp. Il aurait transmis le renseignement.

Il resta assis le dos contre l'arbre et regarda longuement la vallée de la rivière, enveloppée dans la brume bleue de l'été de la Saint-Martin. Dans le champ au-dessous de lui, les gerbes de maïs brunes et dorées étaient comme les wigwams d'un village indien tassés les uns contre les autres dans l'attente de l'hiver. A l'ouest, les falaises du Mississippi semblaient un nuage violet tapi à même le sol. Au nord, le paysage doré ondoyait de collines basses en collines basses jusqu'à ce qu'il atteigne une zone de brume où, quelque part, cessait la terre et commençait le ciel, bien qu'on ne pût distinguer la démarcation, le trait précis qui les séparait.

Un geai bleu fendit le ciel et vint se poser sur un poteau de clôture baigné de soleil. Il redressa la queue et jacassa comme s'il se fâchait contre quelque bruit qu'il percevait.

Une souris des champs sortit d'une gerbe de maïs et considéra Sutton un moment, de ses minuscules yeux ronds, puis poussa un petit cri aigu, prise d'une soudaine frayeur et disparut de nouveau dans la gerbe, sa queue relevée sur son dos, en proie à une panique folle.

Des créatures toutes simples, se disait Sutton. De petites créatures toutes simples à plume et à poil. Elles seraient avec moi, elles aussi, si seulement elles pouvaient savoir. Le geai bleu et la souris des champs, la chouette, le faucon et l'écureuil. Une grande fraternité... la fraternité de la vie.

Il entendit la souris remuer dans la gerbe et il essaya d'imaginer ce que pouvait être la vie d'une souris. En tout premier lieu, la crainte, bien sûr, la crainte toujours présente, frémissante, insurmontable, la crainte des autres, de la chouette et du faucon, de la martre, du renard et du putois. Et la crainte de l'homme, du chat et du chien. Oui, la crainte de l'homme. Toutes les créatures craignent l'homme. L'homme inspire de la crainte à toutes les créatures.

Puis il y aurait aussi la faim, ou du moins la crainte et la menace de la faim. Et l'instinct de reproduction. Il y aurait l'élan et le bonheur de vivre, la joie de se sentir des pattes rapides, le contentement d'un ventre bien rempli et la douceur du sommeil... et quoi d'autre ? Que pouvait-il y avoir d'autre pour combler la vie d'une souris ?

Elle était blottie dans un endroit sûr, elle écoutait et savait que tout allait bien. Elle était en sécurité, avec de la nourriture et un abri contre le froid qui s'annonçait. Car elle savait ce qu'était le froid, moins par l'expérience d'autres hivers que par un instinct transmis à travers de nombreuses générations de souris qui avaient tremblé de froid et en étaient mortes.

De petits bruits lui parvenaient tandis que d'autres souris remuaient doucement dans la gerbe, occupées à leurs affaires. La souris sentait la bonne odeur du foin qu'elles avaient amené pour en faire des nids où dormir bien au chaud. Elle sentait aussi les grains de maïs et les graines succulentes qui leur permettraient de garder le ventre plein.

Tout va bien, se disait-elle. Tout va pour le mieux. Mais il faut veiller, il ne faut jamais cesser d'être vigilante, car la sécurité est une chose qui peut être balayée en un instant. Et nous sommes si faibles...

nous sommes si faibles et si fragiles, et nous sommes bonnes à manger. Un bruit de pattes dans la nuit peut être le présage d'un malheur rapide et certain. Un bruissement d'ailes est un chant de mort.

Elle ferma les yeux, replia ses pattes sous elle et enroula sa queue autour d'elle...

Sutton était toujours assis le dos contre l'arbre et soudain, sans savoir comment ni quand cela avait surgi, il fut saisi par la sensation de ce qui lui était arrivé.

Il avait fermé les yeux, replié ses pattes et enroulé sa queue autour de lui. Il avait connu les craintes toutes simples et le contentement ingénu, paisible d'une autre forme de vie... d'une créature qui se blottissait dans une gerbe de maïs à l'abri des bruits de pattes et d'ailes, qui dormait dans le foin odorant et ressentait un vague mais essentiel bonheur dans l'assurance fondamentale que là se trouvaient nourriture, chaleur et abri.

Il ne l'avait pas simplement et seulement ressenti ou connu... il avait été cette petite créature, il avait été la souris qu'abritait la gerbe de maïs et, en même temps, Asher Sutton, assis le dos contre un noyer blanc au tronc droit et à l'écorce écailleuse, contemplant les teintes automnales de la vallée.

Nous étions deux, se dit Sutton. Moi, moi-même, et moi, la souris. Nous étions deux à la fois, chacun avec son identité séparée. La souris, la vraie souris ne le savait pas, parce que si elle l'avait su ou deviné, je l'aurais su, moi aussi, car j'étais tout autant la souris que j'étais moi-même.

Il demeura assis, calme et immobile, sans bouger un muscle, saisi par l'émerveillement. L'émerveillement et une certaine crainte, la crainte d'une étrangeté latente qui sommeillait en son esprit.

Il avait ramené un astronef du Cygne, il était revenu de la mort, il avait joué gagnant.

Et maintenant cela !

Un homme naît, il a un corps et un esprit qui ont de nombreuses fonctions, certaines très complexes ; il lui faut des années pour connaître toutes ces fonctions, et il lui faut des années encore pour en acquérir la maîtrise. Il lui faut des mois avant de faire un premier pas chancelant, des mois avant de former un mot, des années avant que sa pensée et sa logique deviennent des outils raffinés... et parfois, se dit Sutton, parfois elles ne le deviennent jamais.

Et encore faut-il une aide, l'aide des guides avertis... Ses parents d'abord, des maîtres ensuite, et les médecins et les religions et tous les hommes de science et tous les êtres rencontrés. Tous les gens, tous les contacts, toutes les forces qui agissent pour faire de vous un être social capable d'utiliser les talents qu'il possède pour son propre bien et pour celui de la société qui l'aide et le maintient dans sa voie.

L'hérédité aussi... la connaissance innée et la volonté de faire et de penser certaines choses d'une certaine façon. La tradition de ce que d'autres hommes ont fait et les préceptes formés par la sagesse des âges.

L'être humain normal n'a qu'un corps et qu'un esprit, et Dieu sait, se dit Sutton, que c'est déjà suffisamment délicat à manier pour un homme. Mais moi, en fait, j'ai ce qui équivaut à une second corps et peut-être même à un second esprit, mais pour ce second corps, je n'ai ni guides ni hérédité. Je ne sais pas encore comment l'utiliser ; je n'en suis qu'au premier pas chancelant, je découvre lentement, une à une, les choses que je peux faire. Plus tard, si je vis assez longtemps, je pourrais même apprendre à bien les faire.

Mais il y a des erreurs que l'on commet. Un enfant trébuche quand il commence à marcher, et ses mots ne sont d'abord que des approximations, et il n'en sait pas assez long pour ne pas se brûler les doigts avec les allumettes qu'il manie.

— Johnny, dit-il, Johnny, parle-moi.

— Oui, Ash ?

— Y a-t-il encore d'autres choses ?

— Attends et tu verras, dit Johnny. Je ne peux pas te le dire. Tu dois attendre et tu verras.

40

— Nous avons vérifié, dit l'enquêteur androïde, en remontant jusqu'à l'an 2000 et nous sommes convaincus qu'il ne s'est jamais rien passé à Bridgeport. C'était un petit village et il se trouvait en dehors du grand courant des événements mondiaux.

— Cela n'avait pas besoin d'être une chose importante, répondit Eva Armour. Ç'aurait pu être une petite chose. Juste un léger indice. Une expression sortie de son contexte du futur, peut-être. Une expression que Sutton aurait pu laisser échapper dans un moment d'inattention et que quelqu'un aurait entendue et utilisée. En quelques années, une telle expression avait pu devenir partie intégrante du dialecte du village.

— Nous avons également vérifié les petites choses, mademoiselle, dit l'enquêteur. Nous avons recherché toute anomalie, tout indice qui aurait pu prouver que Sutton avait séjourné dans ce village. Nous avons utilisé des méthodes éprouvées et nous avons tenu compte de tout. Mais nous n'avons rien trouvé, absolument rien. Le village est totalement dénué de la moindre indication utile.

— Il doit y être allé, reprit Eva. Le robot du centre d'information lui a parlé. Sutton l'a questionné sur Bridgeport. Cela signifie que quelque chose l'intéressait dans ce village.

— Mais cela n'indique pas nécessairement qu'il y soit allé, fit remarquer Herkimer.

— Il est allé quelque part, dit Eva. Où est-il allé ?

— Nous avons utilisé un aussi grand nombre d'enquêteurs qu'il était possible sans éveiller les soupçons, à la fois localement et dans le futur. Nos hommes marchaient littéralement sur les pieds les uns des autres. Nous les avons envoyés comme vendeurs de livres à domicile, repasseurs de ciseaux et chômeurs cherchant du travail. Nous avons fait la tournée de tous les foyers à trente kilomètres à la ronde, d'abord par intervalles de vingt ans, puis comme nous ne trouvions rien, de dix ans et finalement de cinq ans. S'il y avait eu la moindre rumeur ou le moindre ouï-dire, cela ne nous aurait pas échappé.

— En remontant jusqu'à l'an 2000, avez-vous dit, intervint Herkimer. Pourquoi pas jusqu'en 1999 ou 1950 ?

— Il fallait bien que nous nous fixions une date arbitraire, répliqua l'androïde.

— La famille Sutton a vécu dans ce village, dit Eva. Je suppose que vous avez enquêté d'un peu plus près à leur sujet.

— Nous avions presque continuellement des hommes qui travaillaient à la ferme des Sutton. Dès que la famille avait besoin d'une aide quelconque, l'un de nos hommes se présentait pour faire le travail. Quand la famille n'avait besoin de personne, nous avions des hommes qui travaillaient dans d'autres fermes du voisinage. L'un de nos hommes acheta une exploitation forestière près du village et fut bûcheron pendant dix ans... Il aurait pu continuer beaucoup plus longtemps mais nous avions peur que quelqu'un ne commence à avoir des soupçons. Nous avons fait cela de l'an 2000 à l'an 3150, date à laquelle le dernier membre de la famille a quitté la région.

Eva regarda Herkimer :

— La famille a été suivie pendant tout ce temps ?

Herkimer inclina la tête :

— Jusqu'au jour même où Ash partit pour le Cygne. Et l'on n'a rien trouvé qui puisse nous aider.

— Cela paraît vraiment sans espoir, murmura Eva. Il est quelque part. Quelque chose lui est arrivé. Dans le futur, peut-être.

— C'est ce que je pense, dit Herkimer. Les Révisionnistes ont pu l'intercepter. Ils le retiennent peut-être.

— Ils ne pourraient pas retenir Sutton... pas lui ! Ils ne le pourraient pas s'il connaissait tous ses pouvoirs.

— Mais il ne les connaît pas, lui rappela Herkimer. Et nous ne pouvions pas les lui dire, ni attirer son attention sur eux. Il lui fallait les découvrir seul. Il fallait qu'il soit placé dans des circonstances pressantes et qu'il les découvre soudain par une réaction naturelle. On ne pouvait les lui apprendre, il devait les acquérir de lui-même.

— Tout allait si bien, dit Eva, nous réussissions si bien... Nous avons poussé Morgan à agir sans réfléchir en conditionnant Benton pour qu'il défie Sutton en duel, la manière la plus rapide de se débarrasser d'Asher lorsque Adams ne s'est pas rangé à son avis de le tuer. Et cet incident avec Benton a mis Asher sur ses gardes sans que nous ayons à lui dire d'être prudent. Et maintenant, fit-elle... et maintenant...

— Le livre a été écrit, remarqua Herkimer.

— Mais cela ne va pas de soi. Vous et moi ne sommes peut-être rien de plus que des pantins dans quelque monde possible qui éliminera demain.

— Nous surveillerons tous les points clés du futur. Nous redoublerons notre espionnage des Révisionnistes, nous contrôlerons toutes les expéditions envoyées dans le passé. Peut-être apprendrons-nous quelque chose.

— Il y a les facteurs dus au hasard, dit Eva. On ne

peut jamais être certain. Il peut en survenir tout le temps et partout. Comment savoir où chercher, vers quoi se tourner ? Faut-il que nous nous frayions un chemin à travers tous les événements possibles pour parvenir à ce que nous voulons ?

— Vous oubliez un facteur, dit calmement Herkimer.

— Un facteur ?

— Oui, Sutton lui-même, Sutton est quelque part et j'ai la plus grande foi en lui. En lui et en sa destinée. Car, voyez-vous, il est très attentif à sa destinée et à la fin cela paiera.

41

— Vous êtes un drôle de garçon, William Jones, dit John H. Sutton. Et un brave garçon aussi. Je n'ai jamais eu un meilleur valet depuis le temps que j'exploite cette ferme. Aucun des autres n'est jamais resté plus d'un an ou deux, ils fichaient toujours le camp, s'en allaient ailleurs.

— Je n'ai nulle part où aller, répondit Asher Sutton. Il n'y a aucun endroit où j'aie envie de me rendre. Celui-ci en vaut un autre.

Et vaut même mieux, se dit-il, que ce que j'avais pressenti, car j'y suis en paix et en sécurité, et la vie y est plus proche de la nature que ce qu'aucun homme de ma propre époque a jamais connu.

Ils étaient accoudés aux barres de la clôture et regardaient scintiller les fenêtres des maisons et les phares des autos de l'autre côté de la rivière. Dans l'obscurité, sur la pente en dessous d'eux, les vaches, lâchées après la traite, vaguaient avec des bruits légers et feutrés, broutant quelques dernières touffes d'herbe avant de s'installer pour dormir. Une brise douce et fraîche montait vers eux ; c'était agréable et apaisant après une journée de chaleur.

— On a toujours une brise fraîche le soir, dit le vieux John H. Si chaude qu'ait pu être la journée, on a un bon sommeil. (Il soupira :) Je me demande parfois jusqu'où un homme doit se laisser aller au contentement. Je me demande si ce n'est pas un signe de... heu, presque de péché. Car l'Homme n'est pas, par nature, un animal satisfait. Il est inquiet et c'est cette inquiétude même qui l'a poussé, comme à coups de fouet, vers ses plus grandes réalisations.

— Le contentement, dit Asher Sutton, est un signe de parfaite adaptation à l'environnement. C'est une chose qui ne se trouve pas souvent... qui se trouve trop rarement. Un jour, l'Homme et les autres êtres vivants sauront y parvenir, et la paix et le bonheur régneront dans toute la galaxie.

John H. eut un petit rire.

— Vous voyez grand, William.

— Je parlais d'une possibilité très lointaine... Un jour, l'Homme ira dans les étoiles.

— Oui, je crois qu'il y arrivera. Mais il y arrivera trop tôt. Avant que l'Homme aille dans les étoiles, il devrait apprendre à vivre sur la Terre. (Il bâilla et ajouta :) Je crois que je vais aller me coucher. Je deviens vieux, vous savez, et j'ai besoin de repos.

— Je vais marcher un peu...

— Vous marchez beaucoup, William.

— La nuit, le monde est différent de ce qu'il est le jour. Il a une odeur différente. Douce, fraîche et propre, comme s'il venait d'être lavé. Dans le calme du soir on entend des choses que l'on n'entend pas le jour. On marche et on a l'impression d'être seul sur la terre et la terre vous appartient.

John H. secoua la tête :

— Ce n'est pas le monde qui est différent, William. C'est vous. Parfois, je pense que vous voyez et entendez des choses qui nous échappent. Presque, William... (Il hésita puis reprit :) Presque comme si vous n'étiez pas tout à fait comme nous.

— Parfois je le pense aussi...

— Rappelez-vous ceci, dit John H. : vous êtes l'un des nôtres, vous faites partie de la famille, semble-t-il. Voyons, depuis combien de temps ?

— Dix ans.

— C'est juste. Je me souviens bien du jour où vous êtes venu, mais parfois j'oublie. Parfois, il me semble que vous avez toujours été ici. Parfois, je me prends à penser que vous êtes un Sutton. (Il s'interrompit net, s'éclaircit la gorge, cracha dans la poussière :) J'ai emprunté votre machine à écrire, l'autre jour, William, j'avais une lettre à écrire. C'était une lettre importante et je voulais qu'elle soit parfaite.

— Vous avez bien fait, je suis très content que ma machine vous ait été utile.

— Vous écrivez un peu, ces temps-ci, William ?

— Non, j'ai abandonné. Je n'y arrivais pas. J'ai perdu mes notes, voyez-vous. J'avais tout préparé et je l'avais mis sur le papier ; je pensais que, peut-être, je pourrais m'en souvenir mais je me suis aperçu que non. Ce n'était pas la peine d'essayer.

La voix de John H. prit un ton assourdi dans le noir.

— Vous n'avez pas d'ennuis, William ?

— Non, pas exactement.

— Puis-je faire quelque chose pour vous aider ?

— Non, rien, vraiment, dit Sutton.

— Dites-le-moi franchement si je peux faire quelque chose... Nous ferons tout ce que nous pourrons pour vous.

— Je m'en irai peut-être un jour. Peut-être brusquement. Si je le fais, je voudrais que vous m'oubliiez, que vous oubliiez que j'aie jamais été ici.

— C'est cela que vous voulez, mon garçon ?

— Oui, dit Sutton.

— Nous ne pourrons pas vous oublier, William. Nous ne le pourrons jamais. Mais nous ne parlerons pas de vous. Si quelqu'un vient et pose des questions à votre sujet, nous ferons comme si vous n'aviez jamais été ici. (Il marqua un temps :) C'est bien cela que vous voulez, n'est-ce pas ?

— Oui, dit Sutton. Si cela ne vous ennuie pas, c'est ce que je voudrais.

Ils restèrent silencieux un moment, en face l'un de l'autre dans l'obscurité, puis le vieux bonhomme se détourna et s'en alla d'un pas lourd vers les fenêtres éclairées de la maison ; et Sutton, se détournant lui aussi, s'appuya sur les barres de la clôture et regarda au delà de la rivière, là où brillaient les lumières féeriques d'un pays fantasmagorique.

Dix ans, se dit Sutton, et la lettre est écrite. Dix ans et les conditions du passé sont remplies. Maintenant le passé peut continuer sans moi puisque je n'y séjournais qu'afin que John H. pût écrire la lettre... afin qu'il pût l'écrire et que je puisse la trouver dans une vieille malle six mille ans plus tard, et la lire sur un astéroïde sans nom que j'ai gagné en tuant un homme dans un endroit qui s'appellera la maison du Zag.

La maison du Zag, se dit-il, sera là-bas, de l'autre côté de la rivière, tout au bout de la prairie, au-dessus de l'ancienne ville de Prairie du Chien ; l'Université de l'Amérique du Nord avec ses tours d'une incomparable beauté s'élèvera sur les collines au nord, et la maison d'Adams sera proche du confluent du Wisconsin et du Mississippi. De grands vaisseaux décolleront des prairies de l'Iowa vers le ciel et s'en iront dans les étoiles qui scintillent maintenant là-haut... et dans d'autres étoiles que l'homme ne peut voir à l'œil nu.

La maison du Zag sera là-bas, loin de l'autre côté de la rivière. Et c'est là qu'un jour, dans six mille ans, je rencontrerai une petite fille avec un tablier à carreaux. Comme dans un conte, se dit-il. Un garçon rencontre une fille, le garçon a les cheveux blond filasse, avec un épi et il a les pieds nus ; la fille tortille son tablier et lui dit qu'elle s'appelle...

Il se redressa et saisit la barre supérieure de la porte du pâturage.

— Eva, dit-il, où es-tu ?

Ses cheveux étaient de cuivre et ses yeux... de quelle couleur étaient ses yeux ? Je vous ai étudié durant vingt ans, avait-elle dit, et il l'avait embrassée pour cela, sans croire les mots qu'elle avait prononcés, mais prêt à croire ce que laissaient entendre en silence son visage et son corps.

Quelque part, elle existait, quelque part dans l'espace et dans le temps. Quelque part, peut-être pensait-elle à lui comme il pensait à elle en ce moment. S'il le voulait assez fort, peut-être pourrait-il entrer en contact avec elle. Peut-être pourrait-il projeter l'ardent désir qu'il avait d'elle à travers les replis de l'espace et du temps et lui faire savoir qu'il n'avait pas oublié, que d'une manière ou d'une autre, quelque jour, il reviendrait à elle.

Mais à l'instant même où il y pensait, il sentit que c'était sans espoir, qu'il se débattait dans l'étreinte d'une époque oubliée, tel un homme qui aurait lutté contre une mer démontée. Ce n'était pas lui qui pouvait l'atteindre, mais elle ou Herkimer ou quelqu'un d'autre qui viendrait à lui... si jamais quelqu'un venait.

Dix ans, se disait-il, et ils m'ont oublié. Et c'est parce qu'ils ne peuvent me trouver. Ou s'ils m'ont trouvé, ils ne peuvent venir à moi, ou y a-t-il une autre raison, et si oui, quelle est cette raison ?

Il y avait eu des moments où il avait senti qu'on l'observait — cette déplaisante petite sensation de froid dans le dos. Et il y avait eu le jour où quelqu'un avait fui à son approche alors qu'il était dans les bois, tard un soir d'été, à la recherche d'une génisse aux yeux bigles qui sautait la clôture et se perdait toujours.

Il s'éloigna et traversa la cour de la ferme, se dirigeant dans le noir comme on se dirige dans une pièce familière. De la grange venait l'odeur du foin fraîchement coupé, et dans la rangée de poulaillers, une des poulettes caquetait, à demi somnolente.

Tandis qu'il marchait, son esprit s'élança et atteignit le cerveau de la poulette inquiète.

L'appréhension frémissante d'une chose inconnue... il y avait eu un bruit, perçu à la limite du sommeil. Et un bruit, c'était un danger... le signal d'un danger inconnu. Un bruit et nul lieu où se sauver. L'obscurité et un bruit. L'insécurité.

Sutton se ressaisit et continua de marcher. Pas beaucoup de courage dans une poulette, se dit-il. Une vache était satisfaite et son esprit et ses velléités étaient aussi lents que son ruminement. Un chien était vif et amical, et un chat, si bien dressé qu'il fût, restait encore au bord de la sauvagerie.

Je les connais tous, se disait-il. J'ai été chacun d'eux. Et il y en a d'autres qui sont moins plaisants. Un rat, par exemple, ou une fouine, ou un brochet à l'affût sous les feuilles de nénuphar. Mais un skunks... un skunks est une gentille petite bête. On pouvait prendre plaisir à vivre comme un skunks.

Curiosité ou exercice ? Peut-être la curiosité, le penchant humain à fureter dans des endroits marqués : *Privé. Défense d'entrer. Ne pas déranger.* Mais un exercice aussi, apprendre à utiliser l'un des outils de son second corps. Apprendre comment pénétrer dans un autre esprit et partager toutes les nuances de ses réactions intellectuelles et émotionnelles.

Mais il y avait une limite... une limite qu'il n'avait jamais franchie soit par pudeur innée soit par crainte d'être pris sur le fait. Il ne pouvait se décider à trancher.

La route était un ruban de poussière blanche qui courait le long des crêtes, serpentant entre des vallées sombres où le terrain s'enfonçait brusquement dans des creux profonds. Sutton marchait lentement, le bruit de ses pas amorti par la poussière. La contrée était sombre, la route blanche et les étoiles luisaient brillantes et douces dans la nuit d'été. Tellement différentes des étoiles de l'hiver. En hiver, les étoiles étaient haut dans le ciel et scintillaient d'un éclat dur et métallique.

La paix et le silence, se disait Sutton. Dans ce coin de la Terre du passé, régnaient la paix et le silence, préservés du tumulte de la vie du vingtième siècle.

D'une contrée comme celle-ci viendraient des hommes au caractère bien trempé, les hommes qui, dans quelques générations, conduiraient des vaisseaux dans les étoiles. Ici, dans ces coins paisibles du monde, s'acquéraient la vigueur et le courage, la force de caractère et les convictions profondes des hommes qui s'empareraient des machines que d'autres, plus brillants mais moins résolus, auraient imaginées ; et ils les mèneraient jusqu'aux confins extrêmes de la galaxie, là-bas, afin d'en conquérir les mondes clés pour la gloire et le profit de l'humanité.

— Le profit ! dit Sutton.

Dix ans, pensa-t-il, et le pacte involontaire avec le temps avait été tenu... chacune de ses conditions remplies. Je suis libre de m'en aller, de m'en aller n'importe où, à n'importe quel moment de mon choix.

Mais il n'avait aucun endroit où aller ni aucun moyen d'y aller.

J'aimerais rester, se disait Sutton. La vie est agréable ici.

— Johnny, dit-il, Johnny qu'allons-nous faire ?

Il sentit un tressaillement dans son esprit, comme celui d'un chien qui remue la queue ; comme la douceur de couvertures qu'on borde autour d'un enfant dans son petit lit.

— Tout va bien, Ash, dit Johnny. Tout va très bien. Ces dix ans t'étaient nécessaires.

— Tu es resté avec moi, Johnny.

— Je suis toi. Je suis venu quand tu es né. Je resterai jusqu'à ce que tu meures.

— Et ensuite ?

— Tu n'auras plus besoin de moi, Ash. J'irai vers une autre créature. Personne ne vit seul.

— Personne n'est seul, dit Sutton, et il le murmura comme une prière.

Et il n'était pas seul.

Quelqu'un l'accompagnait, mais d'où venait-il et depuis quand était-il là, Sutton ne le savait pas.

— C'est une promenade magnifique, dit l'homme dont le visage était caché dans l'ombre. La faites-vous souvent ?

— Presque tous les soirs, prononça la bouche de Sutton et son esprit s'écria : « Attention ! Attention ! »

— C'est si tranquille, reprit l'homme. Si tranquille et si solitaire. C'est un bon endroit pour réfléchir. On peut beaucoup réfléchir en se promenant ici la nuit.

Sutton ne répondit pas.

Ils continuèrent de marcher, côte à côte, et tout en luttant pour rester détendu, Sutton sentit son corps se raidir.

— Vous avez beaucoup réfléchi, Sutton. Dix ans entiers passés à réfléchir.

— Vous devez le savoir, dit Sutton. Vous me surveilliez.

— Nous vous avons surveillé, et nos machines vous ont surveillé. Nous vous avons enregistré sur ruban magnétique et nous en savons beaucoup sur vous. Beaucoup plus que nous n'en savions, il y a dix ans.

— Il y a dix ans, vous aviez envoyé deux hommes pour m'acheter.

— Je sais. Nous nous sommes souvent demandés ce qu'ils étaient devenus.

— C'est facile. Je les ai tués.

— Ils avaient une proposition à vous faire.

— Je sais, dit Sutton, ils m'ont offert une planète.

— Je savais d'avance que cela ne marcherait pas, déclara l'homme. J'avais dit à Trevor que cela ne marcherait pas.

— Je suppose que vous avez une autre proposition à me faire ? Une offre un peu plus élevée ?

— Pas exactement. Nous avons pensé que, cette fois, nous ne marchanderions pas et que nous vous laisserions simplement fixer votre prix.

— J'y penserai. Je ne suis pas très sûr de pouvoir imaginer un prix.

— Comme vous voudrez, Sutton. Nous attendrons... et nous vous surveillerons. Faites simplement un signe quand vous serez décidé.

— Un signe ?

— Bien sûr. Ecrivez-nous simplement un mot. Nous regarderons par-dessus votre épaule. Ou dites : « Bon, je suis décidé. » Nous serons à l'écoute et nous entendrons.

— Simple, en effet. Simple comme tout.

— Nous vous facilitons les choses... Bonsoir, Mr Sutton.

Sutton ne vit pas le geste, mais il sentit que l'autre avait porté la main à son chapeau... s'il portait un chapeau. Puis l'homme s'éloigna, quitta la route, descendit à travers la pâture, marchant dans le noir et se dirigeant vers les bois qui dévalaient jusqu'aux berges de la rivière.

Sutton resta sur la route poudreuse et l'écouta s'éloigner ; il pouvait entendre le frou-frou de l'herbe humide de rosée frôlant ses chaussures, le bruit assourdi de ses pas dans le pré.

Un contact enfin ! Au bout de dix ans, un contact avec les gens d'une autre époque. Mais pas ceux qu'il aurait voulu. Pas les siens.

Les Révisionnistes l'avaient surveillé, comme il l'avait senti. L'avaient surveillé et avaient attendu, attendu dix ans. Mais, évidemment, pas dix ans de leur temps, dix ans de son temps à lui. Des machines et des hommes avaient été lancés à travers ces dix années, de telle façon que le travail avait pu être fait en un an ou en un mois ou peut-être même en une semaine, s'ils avaient voulu consacrer assez d'hommes et de matériel à cette tâche.

Mais pourquoi attendre dix ans ? Pour user sa résistance ? Pour qu'il soit prêt à sauter sur ce qu'ils lui offriraient ?

User sa résistance ? Il ricana dans le noir.

Puis soudain une image lui vint et il en demeura stupide, se demandant pourquoi il n'y avait pas pensé beaucoup plus tôt.

Ils n'avaient pas attendu pour user sa résistance... ils avaient attendu que le vieux John H. écrive la lettre. Car ils étaient au courant de la lettre. Ils avaient étudié le vieux John H. et ils savaient qu'il écrirait une lettre. Ils l'avaient enregistré lui aussi sur bande magnétique, ils le connaissaient à fond, et ils avaient calculé à peu de chose près comment fonctionnerait son esprit.

La lettre était la clé de toute l'affaire. La lettre était l'appât qui avait été utilisé pour attirer Asher Sutton dans ce passé. Ils l'y avaient attiré, puis lui avaient coupé le chemin du retour et l'y avaient gardé, gardé aussi sûrement que s'ils l'avaient mis en cage. Ils l'avaient étudié et analysé à fond. Ils savaient ce qu'il ferait avec autant de certitude qu'ils avaient su ce que ferait le vieux Sutton.

Son esprit s'élança et sonda avec prudence le cerveau de l'homme qui descendait la colline.

Poules et chats, chiens et souris des champs — pas un seul d'entre eux n'avait soupçonné, pas un seul n'avait su qu'un autre esprit que le leur avait occupé leur cerveau.

Mais le cerveau d'un homme pouvait être d'une autre espèce.

Extrêmement exercé et infiniment sensible, il pourrait peut-être déceler une intervention extérieure, la sentir, sans même en avoir réellement conscience.

La fille n'attendra pas. J'ai été loin trop longtemps. Son amour n'est qu'une affaire de peau et elle n'a guère de morale, sinon pas du tout et je suis bien placé pour le savoir. Cette sacrée mission a été trop longue. Elle se sera fatiguée d'attendre... elle était fatiguée d'attendre quand je m'en allais trois heures. Qu'elle aille au diable... je peux en trouver une autre. Mais pas comme elle... pas exactement comme elle. Il n'y en a nulle part une autre comme elle.

Celui qui a dit que ce gars Sutton serait facile à avoir était complètement dingue. Bon Dieu, après dix ans dans un bled comme celui-là, je sauterais au cou de n'importe qui et je l'embrasserais s'il venait de ma propre époque. N'importe qui... ami ou ennemi, cela n'aurait pas d'importance. Mais qu'a fait Sutton, lui ? Pas une bon Dieu de parole. Pas une seule syllabe de surprise dans un des mots qu'il a prononcés. Quand je lui ai adressé la parole, il n'a même pas ralenti le pas, il a continué de marcher comme si je n'avais cessé d'être là. Nom d'un chien, je boirais bien un coup. C'est un boulot à vous démolir les nerfs.

Si je pouvais oublier cette fille. Si elle pouvait m'attendre mais je sais qu'elle ne m'attendra pas. Si...

Sutton ramena à lui son esprit, s'arrêta calmement sur la route.

Et il sentit en lui un frisson de victoire, un reflux rapide de soulagement et de triomphe. Ils ne savaient pas. Durant leurs dix années de surveillance, ils n'avaient rien vu de plus que les choses superficielles. Ils l'avaient enregistré sur ruban magnétique mais ils ne savaient pas tout ce qui se passait dans son esprit.

Dans un esprit humain peut-être, mais pas dans le sien. Peut-être étaient-ils capables de mettre à nu un esprit humain, comme un champ passé à la faux, de le disséquer, de l'analyser et de le déchiffrer entièrement. Mais son esprit, lui, ne leur disait que ce qu'il voulait bien leur dire, juste assez pour qu'ils n'aient aucun soupçon de ce qu'il dissimulait. Il y a dix ans, la bande d'Adams avait tenté de sonder son esprit mais ils ne l'avaient même pas entamé.

Les Révisionnistes l'avaient surveillé pendant dix ans et il connaissaient chacun de ses gestes et bien des choses qu'il avait pensées.

Cependant ils ne savaient pas qu'il pouvait vivre dans l'esprit d'une souris ou d'un poisson-chat ou d'un homme.

Car s'ils l'avaient su, ils auraient pris certaines précautions, ils auraient témoigné de plus de méfiance.

Mais ils ne se méfiaient pas. Pas plus que la souris.

Il jeta un regard en arrière sur la route, vers l'endroit où la ferme Sutton se dressait sur la colline. Pendant un instant, il crut qu'il pouvait la voir, une masse plus sombre se détachant sur le ciel obscur, mais, il le savait, ce n'était que pure imagination. Il savait qu'elle était là et il s'en était fait une image mentale.

Un à un, il vérifia les objets de sa chambre. Les livres, les quelques feuillets griffonnés, le rasoir.

Il n'y avait rien là, il le savait, qu'il ne pût laisser derrière lui. Pas une chose qui éveillerait des soupçons. Rien dont on pût s'emparer plus tard pour en faire une arme contre lui.

Il avait été préparé pour affronter ce moment, sachant qu'un jour il viendrait — qu'un jour Herkimer ou les Révisionnistes ou un espion du gouvernement surgirait de derrière un arbre et marcherait à ses côtés.

Le sachant ? Hum, pas exactement. L'espérant plutôt. Et prêt pour cet espoir.

De longues années auparavant, sa futile tentative d'écrire le livre de la destinée, sans avoir ses notes, s'en était allée en fumée. Tout ce qui en restait, n'était qu'un petit tas de cendres de papiers, mêlées depuis longtemps à la terre, dissoutes par les pluies, réduites en éléments chimiques dans un épi de blé ou une tête de maïs.

Il était prêt. Tout à fait prêt. Son esprit aussi était tout à fait prêt, il le savait maintenant, depuis de longues années.

Sans bruit, il quitta la route, descendit à travers le pré, suivant l'homme qui marchait vers les berges de la rivière. Son esprit s'élança et le pista dans l'obscurité à la manière dont un chien utilise son flair pour pister un lapin.

Il le rattrapa presque immédiatement après avoir franchi la lisière des arbres et ensuite il resta à quelques pas derrière lui, marchant avec précaution afin d'éviter le craquement brusque d'une brindille, le frôlement de broussailles qui auraient pu alerter son gibier.

Le vaisseau était posé dans une ravine profonde, et sur un appel, il s'illumina et un panneau s'ouvrit. Un homme se dressa dans l'ouverture éclairée et regarda dans la nuit.

— C'est toi, Gus ? demanda-t-il.

L'autre pesta contre lui :

— Bien sûr ! Qui d'autre se baladerait dans ces bois au beau milieu de la nuit ?

— Je commençais à m'inquiéter. Tu as été parti plus longtemps que je le pensais. Je me préparais à sortir pour aller à ta recherche.

— Tu t'inquiètes toujours, grogna Gus. Entre toi et ce monde perdu, j'en ai assez. Trevor pourra désormais chercher quelqu'un d'autre pour faire ce genre de travail.

Il grimpa rapidement les marches, entra dans le vaisseau.

— Fichons le camp, dit-il d'un ton bref. Fichons le camp d'ici.

Il se retourna pour fermer le panneau, mais Sutton l'avait déjà fermé.

261

Gus recula de deux pas, s'arrêta contre un siège fixe et resta là avec un sourire narquois.

— Regarde qui est là, s'exclama-t-il. Hé ! Pinky, regarde qui m'a suivi jusqu'ici !

Sutton leur adressa un sourire sardonique :

— Si vous n'y voyez pas d'objections, messieurs, je profiterai de votre voyage.

— Et si nous y voyons des objections ? demanda Pinky.

— Je voyage dans ce vaisseau, lui répondit Sutton. Avec vous ou sans vous. A vous de choisir.

— C'est Sutton, dit Gus à Pinky. Mr Sutton lui-même. Trevor sera heureux de vous voir, Sutton.

Trevor... Trevor. C'était la troisième fois qu'il entendait ce nom, et il l'avait déjà entendu une autre fois, ailleurs.

Il s'adossa contre le panneau fermé et son esprit retourna en arrière, vers un autre vaisseau et vers deux autres hommes.

« Trevor » avait dit Case, ou était-ce Pringle qui l'avait dit ? « Trevor ? Voyons, Trevor est à la tête de la corporation. »

— J'ai attendu durant toutes ces années, dit Sutton, le plaisir de rencontrer Mr Trevor. Lui et moi avons beaucoup de choses à nous dire.

— Allez, décolle, Pinky, dit Gus. Et envoie un message pour prévenir. Trevor voudra sûrement envoyer une garde d'honneur pour nous accueillir. Nous ramenons Sutton.

42

Trevor ramassa une attache sur son bureau et la
lança vers l'encrier. Elle tomba dans l'encre.

— Je fais des progrès, dit Trevor. J'ai atteint le
but sept fois sur dix. Avant, je le ratais sept fois sur
dix.

Il regarda Sutton, le dévisagea.

— Vous avez l'air d'un homme normal. Je devrais
pouvoir vous parler et vous faire comprendre.

— Je n'ai pas de cornes, dit Sutton, si c'est cela que
vous voulez dire.

— Ni d'auréole, ce qui d'ailleurs ne m'impression-
nerait pas.

Il lança une autre attache et elle rata l'encrier.

— Sept fois sur dix, fit Trevor.

Il en lança une autre et réussit. L'encre rejaillit et
éclaboussa le bureau.

— Sutton, reprit-il, vous savez beaucoup de choses
sur la destinée. Y avez-vous jamais pensé en tant
que destinée manifeste ?

Sutton haussa les épaules :

— Vous utilisez des termes désuets. Pure et simple propagande du dix-neuvième siècle. Une certaine
nation l'a usée jusqu'à la corde.

— Propagande, dit Trevor, disons plutôt psychologie. On répète quelque chose si souvent et si bien

qu'après un certain temps tout le monde y croit. Même vous, finalement.

— Destinée manifeste. Pour l'espèce humaine, je présume ?

— Naturellement. Après tout, nous sommes les créatures qui sauraient comment l'utiliser à leur meilleur avantage.

— Vous négligez un détail. Les hommes n'en ont pas besoin. Ils pensent déjà qu'ils sont grands et justes, des saints. Vous n'avez certainement aucun besoin de leur faire de la propagande.

— Si l'on ne regarde pas plus loin, vous avez raison, dit Trevor. Mais seulement si l'on ne regarde pas plus loin. (Il pointa soudain un doigt sur Sutton : Une fois que nous aurons toute la galaxie en main, qu'en ferons-nous ?

— Voyons, mais je suppose...

— C'est exactement cela. Vous ne savez pas où vous allez. Ni l'espèce humaine non plus.

— Et la destinée manifeste ? demanda Sutton. S'il y avait une destinée manifeste, serait-ce différent ?

Les paroles de Trevor ne furent guère plus qu'un chuchotement :

— Il y a d'autres galaxies, Sutton. Plus grandes même que celle-ci. Beaucoup d'autres galaxies.

Grand Dieu ! se dit Sutton.

Il ouvrit la bouche pour parler mais se contint et se raidit dans son fauteuil.

Le chuchotement de Trevor, venu de l'autre côté du bureau, le transperça.

— Cela vous confond, n'est-ce pas ?

Sutton essaya de parler à voix haute, mais il ne put émettre à son tour qu'un chuchotement.

— Vous êtes fou, Trevor. Absolument fou.

— Il faut regarder très loin, dit Trevor. Voilà ce qui est essentiel. La croyance absolue, inébranlable, dans la destinée humaine, la conviction positive, pleine et entière, que l'Homme est destiné non seulement

264

à conquérir cette galaxie mais toutes les galaxies, l'univers entier.

— Vous devriez vivre assez longtemps pour voir cela, dit Sutton, une ironie soudaine dans la voix.

— Je ne le verrai pas, bien sûr. Ni vous non plus. Ni les enfants de nos enfants ou leurs enfants pendant de nombreuses générations.

— Cela prendra un million d'années.

— Plus d'un million d'années, répliqua calmement Trevor. Vous n'avez aucune idée, l'immensité de l'univers, vous ne pouvez la concevoir. Dans un million d'années, nous n'en serons qu'à un bon début.

— Alors pourquoi, pour l'amour du ciel, vous et moi sommes-nous ici à ergoter là-dessus ?

— C'est logique.

— Il n'y a aucune logique à faire des plans un million d'années à l'avance. Un homme peut faire des plans pour le temps qu'il a à vivre, s'il en a envie, et cela a quelque logique. Ou pour la vie de ses enfants, et cela aurait encore quelque logique... et peut-être même pour la vie de ses petits-enfants. Mais au delà, il ne peut plus exister de logique.

— Sutton, dit Trevor, avez-vous jamais entendu parler d'une corporation ?

— Oui, bien sûr, mais...

— Une corporation pourrait faire des plans à long terme — pour un million d'années. D'une manière très logique.

— Une corporation n'est pas un homme. Ce n'est même pas une entité.

— Mais si. C'est une entité composée d'hommes et créée par des hommes pour réaliser leurs désirs. C'est un concept vivant, agissant, qui est transmis d'une génération à l'autre afin d'exécuter un plan trop vaste pour être réalisé dans la vie d'un seul homme.

— Votre corporation publie également des livres, n'est-ce pas ?

Trevor ouvrit de grands yeux.

— Qui vous a dit cela ?

— Deux hommes du nom de Case et Pringle. Ils ont essayé d'acheter mon livre pour votre corporation.

— Case et Pringle sont en mission. J'attends leur retour...

— Ils ne reviendront pas.

— Vous les avez tués, dit abruptement Trevor.

— Ils ont d'abord essayé de me tuer. Mais je suis terriblement difficile à tuer.

— C'eût été contraire à mes ordres, Sutton. Je ne désire pas que vous soyez tué.

— Ils agissaient pour leur compte. Ils comptaient vendre ma carcasse à Morgan.

Il n'y a aucun moyen de voir quel effet on produit sur cet homme, se dit Sutton. Aucune différence d'expression dans ses yeux, pas le moindre soupçon d'un changement sur son visage.

— Je vous sais gré de les avoir tués, dit Trevor. Cela m'épargnera cet ennui. (Il lança une attache vers l'encrier et elle atteignit son but :) Il est logique, reprit-il, qu'une corporation fasse des plans un million d'années à l'avance. Cela fournit un cadre dans lequel un certain projet peut être poursuivi sans interruption bien que le personnel doive être changé de temps en temps.

— Un instant ! dit Sutton. Existe-t-il une corporation ou ne faites-vous que me raconter des histoires ?

— Il existe une corporation, et je suis l'homme qui est à sa tête. Ce sont des intérêts divers qui ont mis leurs ressources en commun... et ils seront de plus en plus nombreux à mesure que le temps passera. Dès que nous pourrons montrer quelque chose de tangible.

— En disant tangible, vous voulez parler de destinée pour l'espèce humaine, pour l'espèce humaine seulement ?

Trevor hocha la tête :

— Nous aurons alors quelque chose dont nous pourrons parler. Quelque chose à vendre. Quelque chose pour étayer nos arguments.

— Je ne vois pas ce que vous pouvez espérer y gagner, dit Sutton dubitatif.

— Trois choses. La richesse, la puissance et le savoir. La richesse, la puissance et le savoir de tout l'univers. Pour l'homme seulement, vous comprenez. Pour une unique espèce. Pour des gens comme vous et moi. Et des trois, le savoir est peut-être l'essentiel, car le savoir additionné et combiné, rassemblé et coordonné, mènera à une richesse et une puissance encore plus grandes.... et à un savoir toujours plus grand.

— C'est de la folie. Vous et moi, Trevor, ne serons plus que poussière au vent et pas seulement nous, toute cette époque dans laquelle nous vivons aujourd'hui sera oubliée avant que la tâche soit achevée.

— Souvenez-vous de la corporation.

— Je n'oublie pas la corporation, mais je ne peux pas m'empêcher de penser en termes d'êtres humains. Vous, moi et tous nos semblables.

— Parlons en termes d'êtres humains, dit Trevor doucereux. Un jour, la vie qui vous anime, animera le cerveau, le sang et les muscles d'un homme qui sera copropriétaire de l'univers. Il disposera de trillions et de trillions de créatures vivantes pour le servir, de richesses qu'il ne pourra compter, d'un savoir dont vous et moi ne pouvons même pas rêver.

Sutton était effondré dans son fauteuil.

— Vous êtes le seul homme, reprit Trevor, qui y fassiez obstacle. Vous êtes celui qui bloquez ce plan pour un million d'années.

— C'est de la destinée que vous avez besoin, et il ne m'appartient pas de la donner.

— Vous êtes un être humain, Sutton, dit Trevor

d'un ton uni. Vous êtes un homme. C'est des gens de votre propre race que je vous parle.

— La destinée appartient à tout ce qui vit. Pas seulement à l'Homme mais à tous les êtres vivants.

— Ce n'est pas obligatoire. Vous êtes le seul homme qui le sache. Vous êtes le seul homme qui puisse dire la vérité. Vous pouvez en faire une destinée manifeste pour l'espèce humaine au lieu d'une destinée individuelle pour chaque créature rampante, caquetante, larmoyante, mais douée de vie.

Sutton ne répondit pas.

— Un mot de vous, dit Trevor, et c'est chose faite.

— Non, cela ne peut pas être, dit Sutton, votre plan est irréalisable. Réfléchissez simplement au temps. Aux milliers d'années, même à la vitesse des astronefs d'aujourd'hui, qu'il faut pour franchir l'espace intergalactique. Seulement de cette galaxie à la plus proche... pas de cette galaxie à l'ultime galaxie.

Trevor soupira :

— Vous oubliez ce que j'ai dit au sujet de l'accumulation et des combinaisons du savoir. Deux et deux ne feront pas quatre, mon ami. Cela fera beaucoup plus de quatre. En certains cas, des milliers de fois plus que quatre.

Sutton secoua la tête avec lassitude.

Mais Trevor avait raison. Le savoir et la technique croîtraient en pyramide, exactement comme il le disait. Même, une fois que l'Homme en aurait le temps, le savoir d'une seule galaxie...

— Un mot de vous, répéta Trevor, et la guerre dans le temps sera terminée. Un mot de vous et la sécurité de l'espèce humaine sera garantie pour toujours. Car tout ce dont l'espèce humaine a besoin, c'est de la connaissance que vous pouvez lui donner.

— Mais ce ne serait pas la vérité.

— Cela n'a rien à voir.

— Vous n'avez pas besoin d'une destinée manifeste pour exécuter votre projet.

— Il faut que l'espèce humaine soit derrière nous, dit Trevor. Il faut que nous ayons quelque chose d'assez grandiose pour réduire son imagination. Quelque chose d'assez important pour retenir son attention. Et une destinée manifeste, une destinée manifeste qui s'applique à tout l'univers, est exactement ce qui ferait l'affaire.

— Il y a vingt ans, dit Sutton, je me serais rangé de votre côté.

— Et maintenant ?

— Maintenant, non. J'en sais plus long que je n'en savais, il y a vingt ans. Il y a vingt ans, j'étais un humain, Trevor. Je ne suis plus tellement certain d'être encore entièrement humain.

— Je n'ai pas parlé de la question de récompense, dit Trevor, mais cela va sans dire.

— Non, merci, dit Sutton. J'aimerais continuer à vivre.

Trevor lança une attache vers l'encrier et le manqua.

— Vous baissez, dit Sutton. Votre pourcentage de coups au but s'effondre.

Trevor ramassa une autre attache.

— Très bien, dit-il. Allez-y, amusez-vous. Il y a une guerre en cours et nous gagnerons cette guerre. C'est une manière diabolique de se battre, mais nous faisons de notre mieux. Aucune guerre déclarée, aucun signe apparent de guerre, car vous savez bien que la galaxie vit entièrement et absolument en paix sous l'empire bienveillant des Terriens. Nous pouvons vaincre sans vous, Sutton, mais ce serait plus facile avec vous.

— Vous allez me remettre en liberté ? demanda Sutton d'un ton de surprise moqueuse.

— Voyons, bien sûr. Vous pouvez partir et continuer de vous cogner la tête contre les murs quelque temps encore. Finalement, vous en aurez assez. Vous abandonnerez par pure fatigue. Alors vous reviendrez et vous nous donnerez ce que nous voulons.

Sutton se leva.

Il resta un instant indécis.

— Qu'attendez-vous ? demanda Trevor.

— Il y a une chose qui m'intrigue. Le livre, d'une façon ou d'une autre, en un lieu ou un autre, a déjà été écrit. Il a existé en fait depuis près de cinq cents ans. Comment arriverez-vous à changer cela ? Si je l'écris maintenant de la manière dont je veux l'écrire, il changera tout l'édifice humain...

— Nous avons pensé à cela, répondit Trevor en riant. Supposons que, finalement, après tant d'années, l'original de votre manuscrit soit découvert. Il peut être aisément et indiscutablement identifié par certaines caractéristiques que vous y aurez très soigneusement incorporées en l'écrivant. Il sera découvert et sa découverte sera proclamée et, mieux, prouvée... et l'espèce humaine aura sa destinée.

« Nous expliquerons la déplorable situation passée par des preuves historiques très convaincantes de falsifications antérieures du manuscrit. Même vos amis, les androïdes, devront croire ce que nous dirons une fois que nous aurons mené l'affaire à bien.

— Très habile, dit Sutton.

— Je le crois aussi, dit Trevor.

43

A l'entrée de l'immeuble, un homme l'attendait. Il leva la main d'un geste qui aurait pu être un bref salut.

— Un instant, Mr Sutton.

— Oui, de quoi s'agit-il ?

— Nous serons quelques-uns à vous suivre, monsieur. Des ordres, vous comprenez.

— Mais...

— Rien de personnel, monsieur. Nous ne nous mêlerons absolument pas de ce que vous aurez envie de faire. Nous veillerons simplement sur vous, monsieur.

— Veiller sur moi ?

— Certainement, monsieur. La bande de Morgan, vous savez... nous ne pouvons pas les laisser vous descendre, n'est-ce pas ?

— Je ne puis vous dire, répondit Sutton, combien j'apprécie profondément l'intérêt que vous me portez.

— Ce n'est rien, monsieur. Cela fait partie du travail quotidien. Très heureux de le faire. Ne nous remerciez pas.

Il fit un pas en arrière. Sutton s'éloigna, descendit les marches et suivit la contre-allée sablée qui longeait l'avenue.

Le soleil était près de se coucher et en regardant

derrière lui, par-dessus son épaule, Sutton vit se détacher sur l'éclat du ciel rougeoyant la silhouette droite du gigantesque immeuble officiel où il s'était entretenu avec Trevor. Mais il ne vit pas signe de qui que ce fût qui le suivît.

Il n'avait aucun lieu où se rendre. Il ne savait absolument pas où aller. Mais il se rendait compte qu'il ne pouvait rester là à se tordre les mains. Il marcherait, et réfléchirait et attendait que ce qui devait arriver arrive.

Il rencontra d'autres piétons et quelques-uns d'entre eux le considérèrent d'un air curieux. Alors, pour la première fois, Sutton se souvint qu'il portait encore les vêtements d'un valet de ferme du vingtième siècle... une combinaison bleue, une chemise de coton, de lourdes et solides chaussures.

Mais ici, il le savait, même un costume aussi insolite n'éveillerait pas de soupçons excessifs. Car sur la Terre, avec les dignitaires en visite venus de lointains systèmes solaires, avec le Babel des races employées dans les divers services gouvernementaux, avec les étudiants, les diplomates et les représentants de planètes exotiques, la manière dont un homme s'habillait ne provoquerait qu'une très légère curiosité.

Au matin, il faudrait qu'il trouve un endroit où se cacher, un lieu de retraite où il puisse se détendre et réfléchir à quelques-uns des aspects de ce monde de cinq cents ans dans le futur.

Soit cette solution, soit trouver un androïde à qui il puisse se fier pour le mettre en contact avec l'organisation des androïdes... Car bien qu'on ne le lui ait jamais dit, il ne doutait pas qu'il en existait une. Il le fallait pour livrer une guerre dans le temps.

Il quitta le sentier pour piétons qui longeait la route et en prit un autre, une piste à peine marquée qui menait à travers un terrain marécageux vers une ligne de collines basses, au nord.

Soudain, il s'aperçut qu'il avait faim et qu'il aurait dû entrer dans une des boutiques de l'immeuble officiel pour manger quelque chose. Puis il se souvint qu'il n'avait pas de monnaie pour payer cette nourriture. Quelques dollars du vingtième siècle se trouvaient dans sa poche, mais ils seraient sans valeur ici comme moyen de paiement, quoique, très vraisemblablement, ils aient de la valeur en tant que pièces de collection.

Le crépuscule vint et les grenouilles commencèrent leur concert, d'abord au loin puis, lorsque d'autres s'y joignirent, le marais tout entier résonna de leurs coassements gutturaux. Sutton marchait dans un monde de sonorités féériques, et tandis qu'il marchait, il lui sembla presque que ses pieds ne touchaient pas le sol mais qu'il flottait, poussé par ce souffle sonore montant vers les premières et pâles étoiles qui s'allumaient au-dessus des hauteurs sombres là-bas au-devant de lui.

Quelques heures plus tôt, il marchait sur une poudreuse route de crête au vingtième siècle, soulevant la poussière blanche avec ses chaussures... et un peu de cette poussière blanche, constata-t-il, y restait encore. De même que le souvenir de cette route de crête demeurait dans sa mémoire. La mémoire et la poussière, se dit-il, nous relient au passé.

Il atteignit les collines et commença à gravir la pente. La nuit était embaumée de l'odeur des pins et du parfum des fleurs de la forêt.

Il parvint au sommet d'une petite éminence et s'arrêta un moment pour regarder dans la nuit douce et veloutée. Quelque part, tout près, un grillon s'efforçait d'accorder son violon et du marais montait le coassement assourdi des grenouilles. Dans l'obscurité devant lui, un ruisseau clapotait dans son lit de rochers et babillait en passant, babillait avec les arbres, avec l'herbe des berges et les fleurs dodelinantes dont la tête ensommeillée s'inclinait vers lui.

J'aimerais m'arrêter, se dit-il, et bavarder avec vous. Mais je ne peux pas, voyez-vous. Je dois me rendre quelque part. Je n'ai pas une minute à perdre. Il faut que je me hâte.

De même que l'Homme, se disait Sutton. Car l'Homme est entraîné comme le ruisseau. Entraîné par les circonstances et les nécessités, et par l'ambition éperdue d'autres hommes impatients qui ne veulent pas le laisser en paix.

Il n'entendit pas un bruit, mais il sentit la large main se fermer sur son bras et le tirer d'un coup sec hors du sentier. D'un geste brusque, il essaya de se dégager de l'étreinte et il vit la silhouette sombre de l'homme qui l'avait saisi. Il serra le poing et le lança à la volée comme un coup de marteau pour frapper la tête ténébreuse, mais il n'atteignit pas sa cible. Un corps lancé avec force vint le heurter derrière les genoux et les fit plier sous lui, tandis que des bras s'enroulaient autour de ses jambes ; il chancela et s'abattit en avant.

Il se redressa sur son séant ; à quelque distance sur la droite, il entendit le crépitement étouffé d'armes qui tiraient rapidement, et du coin de l'œil, il aperçut leurs éclairs briller dans la nuit.

Puis une main surgit de nulle part et se plaqua sur sa bouche et son nez.

Une poudre ! se dit-il.

Et au moment même où il le pensait, il n'eut plus conscience des silhouettes sombres dans les bois, ni des grenouilles coassantes, ni du crépitement rageur des armes.

44

Sutton ouvrit les yeux sur un décor étrange et resta tranquillement couché sur le lit. Une brise légère venait d'une fenêtre ouverte et la pièce, décorée de fantastiques fresques animées, était éclaboussée d'un soleil éclatant. La brise apportait le parfum de fleurs épanouies et dehors, dans un arbre, un oiseau gazouillait à cœur joie.

Lentement Sutton laissa ses sens entrer en action et enregistrer les détails de la pièce et du décor insolite... le mobilier bizarre, les contours de la chambre elle-même, les singes verts et violets qui se poursuivaient les uns les autres sur la liane ondoyante qui courait tout au haut des murs.

Calmement son esprit remonta le fil du temps jusqu'à son dernier instant de conscience. Il y avait eu des crépitements d'armes dans la nuit et une main était venue se plaquer sur son visage.

On m'a endormi, se dit Sutton, et emmené ailleurs.

Avant cela, il y avait eu un grillon et des grenouilles qui chantaient dans le marais et un ruisseau murmurant qui babillait en dévalant la colline, se hâtant pour arriver là où il lui fallait se rendre.

Et auparavant, un homme qui était assis derrière un bureau, en face de lui et qui lui parlait d'une corporation et d'un rêve, et du plan qu'avait forgé cette corporation.

Fantastique, se disait Sutton. Et dans la lumière éclatante de la pièce, cette simple idée que l'Homme puisse s'en aller non seulement jusqu'aux étoiles mais même jusqu'aux galaxies... était purement extravagante.

Mais cela avait une grandeur, une grandeur très humaine. Il y avait eu une époque où il était extravagant de penser que l'Homme pourrait jamais s'évader de la planète où il était né. Et une autre époque où il était extravagant de penser que l'Homme irait au delà du système solaire, dans les redoutables immensités du vide qui s'étendaient entre les étoiles.

Cependant il avait senti une force en Trevor et une conviction autant qu'une force. C'était un homme qui savait où il allait, pourquoi il y allait et ce qu'il fallait faire pour y arriver.

Une destinée manifeste, avait dit Trevor. Voilà ce qu'il faut. Voilà ce que cela réclame.

L'Homme serait grand et il serait un dieu. Les concepts de vie et de pensée qui étaient nés sur la Terre seraient les concepts fondamentaux de l'Univers entier, de la bulle fragile d'espace et de temps qui dansait sur un océan de mystère au delà duquel aucun esprit ne pouvait s'aventurer. Et pourtant lorsque l'Homme serait parvenu là, il serait peut-être capable de franchir cet océan aussi.

Un miroir se trouvait dans un coin de la pièce et il y vit l'image de la partie inférieure de son corps, étendu sur le lit, vêtu seulement d'un short. Il remua les doigts de pied et les regarda dans la glace.

Et vous êtes le seul qui nous arrête, lui avait dit Trevor. Vous êtes le seul homme qui fait obstacle à la marche de l'Homme. Vous êtes la pierre d'achoppement. Vous empêchez les hommes d'être des dieux.

Mais tous les hommes ne pensaient pas comme Trevor. Tous n'étaient pas possédés par ce chauvinisme aveugle de l'espèce humaine.

Les délégués de la Ligue pour l'Egalité des Androïdes lui avaient parlé un jour à l'heure de midi, l'avaient intercepté alors qu'il sortait de l'ascenseur pour aller déjeuner; ils s'étaient rangés devant lui comme s'ils s'attendaient à ce qu'il essaie de s'échapper et comme s'ils étaient décidés à l'en empêcher.

L'un d'eux avait tortillé une casquette usée entre ses doigts; les cheveux de la femme pendillaient et elle avait croisé ses mains sur son ventre comme le font les femmes déterminées, flegmatiques.

Des toqués, certainement, de fervents militants d'une cause qui les exposaient à un mépris silencieux et accablant. Même les androïdes n'avaient pas de sympathie pour eux, mêmes les androïdes pour qui ils luttaient sentaient l'inefficacité humaine de l'exhibitionnisme excessif de leurs efforts. Car l'espèce humaine, se disait Sutton, ne peut pas, même un instant, oublier qu'elle est humaine, ne peut pas atteindre à la dimension d'humilité qui accorderait sans question l'égalité. Même si la Ligue luttait pour l'égalité des androïdes, ses membres ne pouvaient s'empêcher de traiter avec un paternalisme condescendant ceux-là même dont ils voulaient faire leurs égaux.

Qu'avait donc dit Herkimer ? L'égalité accordée ni par dispense spéciale ni par tolérance. Mais c'était la seule manière dont l'espèce humaine accepterait jamais d'accorder l'égalité... par dispense ou par tolérance arrogante.

Et pourtant, cette minable poignée de paternalistes étaient les seuls êtres humains vers lesquels il aurait pu se tourner pour demander de l'aide.

Un homme qui tortillait sa casquette entre ses doigts sales, une vielle bonne femme trop zélée et un autre homme qui avait du temps à perdre et ne savait qu'en faire.

Et pourtant, se disait Sutton... et pourtant, il y a Eva Armour.

Il devait y avoir d'autres êtres comme elle. Quelque part, collaborant dès maintenant avec les androïdes, oui, il devait y en avoir d'autres.

Il se dégagea des draps et s'assit sur le bord du lit. Une paire de pantoufles était là sur le plancher, il y glissa les pieds, se leva et alla au miroir.

Un visage étranger lui retourna son regard, un visage qu'il n'avait jamais vu auparavant, et durant un instant, une panique confuse monta dans son cerveau.

Puis un soupçon lui venant soudain, il porta la main à son visage et frotta la tache sombre qui était là en travers de son front.

Il se pencha, le visage tout près du miroir, et vérifia.

La tache sombre sur son front était la marque d'identification d'un androïde ! Un matricule d'identification !

Il explora soigneusement son visage avec ses doigts, découvrit les couches de plastique qui en avaient changé les contours jusqu'à le rendre méconnaissable.

Il se retourna, revint au lit, s'y assit avec précaution et agrippa le bord du matelas.

Maquillé, se dit-il. Transformé en androïde. Il était humain quand on l'avait capturé et il se réveillait androïde.

La porte s'ouvrit. Herkimer parut :

— Bonjour, monsieur. J'espère que vous allez bien.

Sutton se dressa d'un bond :

— C'était donc toi ! s'écria-t-il.

Herkimer hocha la tête d'un air satisfait :

— Tout à votre service, monsieur. Y a-t-il quelque chose que vous désiriez ?

— Tu n'avais pas besoin de m'endormir, dit Sutton.

— Il nous fallait faire vite, monsieur. Nous ne pouvions pas vous laisser tout gâcher, hésiter, poser des questions et chercher à savoir de quoi il s'agissait. Nous vous avons simplement endormi et emporté.

C'était, croyez-moi, monsieur, beaucoup plus simple ainsi.

— Il y a eu de la bagarre, j'ai entendu des coups de feu.

— Il semble, dit Herkimer, que quelques Révisionnistes se soient embusqués aux alentours, et cela devient un peu compliqué, monsieur, quand on essaie de le raconter.

— Vous vous êtes bagarrés avec ces Révisionnistes ?

— Heu, pour dire la vérité, quelques-uns d'entre eux ont été assez téméraires pour sortir leurs armes. C'était très mal avisé de leur part. Ils ont eu le dessous.

— Cela ne nous avancera à rien, si votre idée était de m'arracher aux griffes de la bande de Trevor. Il doit avoir un psycho-pisteur dirigé sur moi. Il sait où je suis et cet endroit va être surveillé au centimètre carré !

— Il l'est, monsieur, dit Herkimer, souriant. Ses hommes se marchent littéralement sur les pieds tout autour de la maison.

— Alors pourquoi ce maquillage ? demanda Sutton irrité. Pourquoi m'avoir déguisé ?

— Eh bien, monsieur, voilà pourquoi. Nous avons pensé qu'aucun humain ayant toute sa raison ne voudrait jamais être pris pour un androïde. Donc, nous avons fait de vous un androïde. Ils sont aux aguets d'un humain. Il ne leur viendrait jamais à l'esprit de regarder attentivement un androïde quand ils recherchent un humain.

Sutton émit un grognement :

— Pas bête, dit-il. J'espère que cela ne...

— Oh, ils découvriront le truc au bout d'un moment, monsieur, admit Herkimer d'un ton allègre. Mais cela nous donnera un peu de temps. Le temps de préparer quelques plans.

Il fit rapidement le tour de la pièce, ouvrant des tiroirs et sortant des vêtements.

— Cela fait plaisir, monsieur, de vous avoir retrouvé. Nous avons essayé de vous repérer mais il n'y avait pas moyen. Nous avons pensé que les Révisionnistes vous avaient bouclé quelque part, nous avons donc redoublé notre dispositif de sûreté ici et surveillé avec soin tout ce qui passait. Depuis les cinq dernières semaines, nous avons suivi tous les mouvements de Trevor et sa bande.

— Cinq semaines ! s'exclama Sutton. Tu as bien dit cinq semaines ?

— Oui, monsieur. Cinq semaines. Vous avez disparu voici exactement sept semaines.

— Selon mon calendrier, dit Sutton, cela faisait dix ans.

Herkimer hocha la tête d'un air entendu sans marquer d'étonnement :

— Le temps est la plus bizarre des choses, monsieur, il vous entortille littéralement.

Il posa les vêtements sur le lit :

— Si vous voulez bien vous habiller, monsieur, nous descendrons pour le petit déjeuner. Eva nous attend. Elle sera heureuse de vous voir, monsieur.

45

Trevor rata l'encrier avec trois attaches de suite. Il secoua la tête, mélancoliquement.

— Vous êtes sûr de ce que vous avancez ? demanda-t-il à l'homme qui était de l'autre côté du bureau.

L'homme acquiesça de la tête, les lèvres serrées.

— Cela pourrait être de la propagande androïde, vous savez, dit Trevor. Ils sont malins. C'est une chose qu'on ne doit jamais oublier. Un androïde, en dépit de toutes ses courbettes et tous ses salamalecs, est tout aussi malin que nous.

— Vous rendez-vous compte de ce que cela signifie ? demanda l'homme. Cela signifie que...

— Je peux vous dire ce que cela signifie, répliqua Trevor. Désormais nous ne pouvons plus être certains de la nature de ceux qui nous entourent. Il n'y aura plus aucun moyen sûr de savoir qui est humain et qui est androïde. Vous pourriez être un androïde. Je pourrais être...

— Exactement, fit l'homme.

— C'est pourquoi Sutton avait l'air si sûr de lui, hier après-midi. Il était assis là où vous êtes et j'avais l'impression qu'il se moquait sans cesse de moi.

— Je ne pense pas que Sutton soit au courant. C'est un secret des androïdes. Seuls quelques-uns d'entre eux le connaissent. Ils ne prendraient certainement pas le risque de permettre à un humain de savoir.

— Pas même à Sutton ?

— Pas même à Sutton.

— Le Berceau, dit Trevor. Ils ont vraiment un très joli sens du mot qui convient.

— Vous allez certainement faire quelque chose à ce sujet, dit l'homme avec impatience.

Trevor posa les coudes sur le bureau et appuya soigneusement les bouts de ses doigts les uns contre les autres.

— Bien entendu, dit-il. Ecoutez-moi attentivement. Voilà ce que nous ferons...

46

Eva Armour quitta la table du patio et l'accueillit les deux mains tendues. Sutton l'attira tout contre lui, mit un long baiser sur les lèvres offertes.

— Cela, dit-il, c'est pour le million de fois que j'ai pensé à vous.

Elle éclata d'un rire un peu moqueur, soudain gaie et heureuse.

— Voyons, Ash, un million de fois !

— Brouillage du temps, dit Herkimer. Il a été parti dix ans.

— Oh ! fit Eva. Oh, Ash, c'est horrible !

Il lui sourit :

— Pas trop horrible. Cela m'a fait dix ans de repos. Dix ans de paix et de tranquillité. Je travaillais dans une ferme, vous savez. Cela a été un peu dur au début, mais j'ai vraiment regretté de devoir m'en aller.

Il lui avança une chaise, en prit une pour lui et s'assit entre eux.

Ils mangèrent des œufs au jambon, des toasts et de la confiture, burent du café noir très fort. Il faisait bon dans le patio. Dans les arbres au-dessus d'eux, des oiseaux se querellaient gentiment. Dans le trèfle qui poussait entre les briques et les dalles du pavement, des abeilles bourdonnaient parmi les fleurs.

— Comment trouvez-vous ma maison, Ash ? questionna Eva.

— Elle est merveilleuse, dit-il. (Puis, comme si les deux idées pouvaient avoir quelque rapport entre elles, il ajouta :) J'ai vu Trevor hier. Il m'a emporté au sommet de la montagne et m'a montré l'univers.

Eva eut un brusque sursaut et Sutton leva vivement les yeux de son assiette. Herkimer attendait, le visage tendu, la fourchette en l'air.

— Qu'avez-vous tous les deux ? demanda Sutton. N'avez-vous pas confiance en moi ?

Et en même temps qu'il posait la question, il y répondit lui-même. Bien entendu, ils n'avaient pas confiance en lui. Car il était humain et il pouvait les trahir. Il pouvait déformer la destinée de telle façon qu'elle n'appartînt plus qu'à la seule espèce humaine. Et ils n'avaient aucun moyen d'être sûrs qu'il ne le ferait pas.

— Ash, dit Eva, vous avez refusé de...

— J'ai quitté Trevor en lui laissant l'idée que je reviendrais pour que nous en discutions. Je n'ai rien dit ni fait pour cela. Il croit simplement que je reviendrai. Il m'a dit de sortir et d'aller me cogner la tête contre les murs quelque temps encore.

— Vous y avez réfléchi, monsieur ? demanda Herkimer.

Sutton secoua la tête :

— Non. Pas tellement. Je ne me suis pas assis pour tourner et retourner cette idée dans mon esprit, si c'est cela que vous voulez dire. Elle aurait ses avantages si on la considérait d'un point de vue purement humain. Parfois je me demande franchement ce qui peut rester d'humain en moi.

— Que savez-vous en fait de tout cela ? demanda doucement Eva.

Sutton se passa la main sur le front :

— A peu près tout, je crois. Je suis au courant de la guerre dans le temps et comment et pourquoi elle est livrée. Je me connais : j'ai deux organismes et deux cerveaux, ou du moins des organismes et des cerveaux interchangeables. Je sais les choses que je peux faire. Il y a sans doute encore en moi d'autres facultés que j'ignore encore. On les acquiert peu à peu. Et chaque chose nouvelle vient difficilement.

— Nous ne pouvions pas vous le dire, dit Eva. Cela aurait été trop simple si nous avions pu vous le dire. D'ailleurs vous ne nous auriez pas cru. Et quand il s'agit du temps, on intervient aussi peu que possible. Tout juste assez pour tourner un événement dans le bon sens. J'ai essayé de vous avertir, vous vous en souvenez, Ash ? Autant que je pouvais m'y risquer.

Il acquiesça :

— Après que j'ai tué Benton dans la maison du Zag. Vous m'avez dit que vous m'aviez étudié pendant vingt ans.

— Et rappelez-vous, j'étais la petite fille au tablier à carreaux. Quand vous étiez à la pêche...

Il la considéra avec surprise :

— Vous saviez cela ? Cela ne faisait pas simplement partie du rêve dans la maison du Zag ?

— Manière d'être identifiée, dit Herkimer. De façon que vous puissiez savoir qu'elle était une amie, quelqu'un que vous aviez déjà connu et qui était très près de vous. De façon que vous l'acceptiez comme une amie.

— Mais c'était un rêve.

— Un rêve chez le Zag, reprit Herkimer. Le Zag est l'un de nous. Notre espèce en profitera si la destinée peut s'appliquer à tous et non pas à la seule espèce humaine.

— Trevor est trop sûr de lui, dit Sutton. Il ne fait pas simplement semblant d'être sûr de lui, il l'est réellement. J'en reviens à cette raillerie qu'il m'a lancée. « Sortez et allez vous cogner la tête contre les murs quelque temps encore. »

— Il vous tient pour un être humain, dit Eva.

— Non, je ne peux pas croire que ce soit cela. Il

285

doit avoir une idée derrière la tête, une manœuvre que nous ne pourrons pas contrer.

— Je n'aime pas cela, monsieur, dit lentement Herkimer. La guerre ne va pas tellement bien. Si nous devions gagner, nous serions maintenant perdus.

— Si nous devions gagner ? Je ne comprends pas...

— Nous n'avons pas à gagner, monsieur, dit Herkimer. Tout ce que nous avons à faire, c'est de livrer une action de retardement, empêcher les Révisionnistes de détruire le livre tel que vous l'écrirez. Depuis le tout début, nous n'avons pas essayé de changer les choses. Nous voulions au contraire empêcher qu'elles soient changées.

— De son côté, Trevor doit gagner d'une manière décisive. Il doit détruire le texte original, soit en l'empêchant d'être écrit comme j'ai l'intention de le faire, soit en le discréditant si complètement que pas même un androïde n'y croira.

— Vous avez raison, monsieur, dit Herkimer. A moins qu'il n'y réussisse, les hommes ne pourront s'approprier la destinée, ne pourront faire croire aux autres formes de vie que la destinée est réservée à la seule race humaine.

— Et c'est tout ce qu'il veut, dit Eva. Pas la destinée elle-même, car aucun humain ne peut avoir dans la destinée la foi que, disons par exemple, un androïde peut avoir. Pour Trevor, c'est simplement une affaire de propagande... afin que l'espèce humaine croie absolument qu'il est écrit qu'elle ne trouvera pas le repos tant qu'elle ne sera pas maîtresse de l'univers.

— Aussi longtemps que nous pourrons l'empêcher de faire cela, dit Herkimer, nous pourrons dire que nous gagnons. Mais l'issue du combat est si incertaine qu'une initiative d'un côté ou de l'autre pèserait lourdement. Une nouvelle arme pourrait être un facteur décisif pour la victoire ou la défaite.

— J'ai une arme, dit Sutton. Une arme sur mesure qui les battrait... mais il n'est pas possible de l'utiliser.

Ni Eva ni Herkimer ne lui posèrent la question mais il la lut sur leur visage et il y répondit.

— Il n'en existe qu'une. Une seule arme. On ne peut faire la guerre avec un seul canon.

Des pas retentirent au coin de la maison et lorsqu'ils se tournèrent, ils virent un androïde qui courait vers eux à travers le patio. Ses vêtements étaient couverts de poussière et son visage tout rouge d'avoir couru. Il s'arrêta et les regarda, s'accrochant au bord de la table :

— Ils ont essayé de me retenir, dit-il haletant, les mots jaillissant par à-coups. La maison est cernée...

— Andrew, espèce d'idiot, dit sèchement Herkimer. Qu'est-ce que cela signifie d'arriver en courant comme cela ? Ils sauront que...

— Ils ont découvert l'existence du Berceau, hoqueta Andrew. Ils...

Herkimer se leva vivement. La chaise sur laquelle il était assis se renversa sous la violence de son mouvement, et son visage devint si blanc que le tatouage sur son front ressortit avec une netteté extraordinaire.

— Ils savent où...

Andrew secoua la tête :

— Pas où. Ils ont simplement découvert son existence. A l'instant. Nous avons encore le temps...

— Nous allons rappeler tous les vaisseaux, dit Herkimer. Il va falloir que nous enlevions tous les gardes des points critiques...

— Mais vous ne pouvez pas faire cela, s'écria Eva. C'est exactement ce qu'ils veulent. C'est la seule chose qui les arrête...

— Il le faut, dit Herkimer d'un ton lugubre. Il n'y a pas le choix. S'ils détruisaient le Berceau...

— Herkimer, dit lentement Eva, avec un calme mortel dans la voix : La marque !

Andrew se retourna pour lui faire face puis recula d'un pas. La main de Herkimer disparut sous sa veste et Andrew s'enfuit, courant vers le mur bas qui entourait le patio.

Le couteau étincela dans la main de Herkimer et fut soudain une roue tournoyante lancée à la poursuite de l'androïde qui détalait. Le couteau l'atteignit avant qu'il parvienne au mur et il s'effondra en un petit tas de vêtements chiffonnés.

Sutton vit que le couteau s'était planté droit dans son cou.

47

— Avez-vous remarqué, monsieur, dit Herkimer, combien les petites choses, les éléments insignifiants, banals, arrivent à jouer un rôle important dans n'importe quel événement ?

Il toucha du pied le corps effondré.

— Parfait, ajouta-t-il, absolument parfait. Sauf qu'avant de se présenter à nous, il aurait dû passer un peu de laque sur sa marque d'identification. Beaucoup d'androïdes le font, pour essayer de cacher leur marque, mais cela ne réussit pas souvent. Au bout de très peu de temps, la marque reparaît sous la laque.

— Mais pourquoi de la laque ? demanda Sutton.

— C'est un petit code que nous avons entre nous. Très simple. C'est le signe de reconnaissance pour un agent qui se présente. Un mot de passe en quelque sorte. Cela ne prend qu'un instant. Un peu de laque sur le bout du doigt et vous en enduisez votre front.

— C'est si simple, dit Eva, que personne, absolument personne ne le remarquera jamais.

Sutton hocha la tête :

— Un des hommes de Trevor...

— Se faisant passer pour l'un des nôtres, ajouta Herkimer. Envoyé pour nous forcer à nous manifester. Pour que nous nous précipitions pêle-mêle pour sauver le Berceau.

— Et ce Berceau...

— Cela signifie néanmoins, dit Eva, que Trevor est au courant. Il ne sait pas où il est, mais il sait qu'il existe. Et il le cherchera jusqu'à ce qu'il le trouve et alors...

Un geste de Herkimer l'arrêta.

— Qu'y a-t-il ? demanda Sutton.

Car il y avait quelque chose de faux, de terriblement faux. Toute l'ambiance était fausse. Leur amitié avait disparu... La confiance, la sympathie, l'unité de leur détermination avaient été détruites par un androïde qui était arrivé en courant dans le patio, qui avait parlé d'une chose appelée le Berceau et qui était mort quelques secondes plus tard, une lame de couteau plantée dans le cou.

Instinctivement, l'esprit de Sutton se tendit vers Herkimer, puis il le reprit. Ce n'était pas là une faculté, se dit-il, à utiliser sur un ami. C'était une faculté que l'on devait garder en réserve et non pas employer à tort et à travers mais seulement quand le résultat final le justifiait.

— Qu'est-ce qui ne va pas ? demanda-t-il. Qu'est-ce que vous avez ?

— Monsieur, dit Herkimer, vous êtes un être humain et cette affaire ne concerne que les androïdes.

Un instant, Sutton se raidit, très droit, son esprit encaissant le choc des paroles que Herkimer venait de prononcer ; une fureur noire, glacée, bouillonnait en lui.

Puis, délibérément, comme s'il avait prévu de le faire, comme si c'était un acte dont il avait décidé après mûre réflexion, il serra le poing et lança son bras.

Ce fut un coup rageur, de tout son poids, de toute sa force et de toute sa colère, et Herkimer s'écroula comme un bœuf assommé par un coup de marteau.

— Ash ! s'écria Eva, Ash !

Elle lui saisit le bras mais il la repoussa.

Herkimer se redressait sur son séant, le visage dans les mains, le sang coulant entre ses doigts.

Sutton s'adressa à lui :

— Je n'ai pas vendu la destinée. Je n'ai pas non plus l'intention de la vendre. Bien que Dieu sache que si je le faisais, ce ne serait rien de plus que ce que vous méritez tous.

— Ash, dit doucement Eva. Ash, nous devons en être sûrs.

— Comment puis-je vous en rendre sûrs ? Je ne peux que vous l'affirmer.

— Ce sont les vôtres, Ash, dit-elle. Ceux de votre race. Leur grandeur est également votre grandeur. Vous ne pouvez blâmer Herkimer de penser...

— Ce sont les vôtres, aussi répliqua Sutton. La tare qui s'applique à moi, s'applique à vous aussi.

Elle secoua la tête.

— Je suis un cas spécial. Je suis devenue orpheline alors que je n'avais que quelques semaines. Les androïdes de la famille se sont chargés de moi. Ils m'ont élevée. Herkimer était l'un d'eux. Je suis beaucoup plus une androïde, Ash, qu'un être humain.

Herkimer était encore assis dans l'herbe, à côté du corps de l'agent de Trevor. Il n'enlevait pas les mains de sa figure. Ne montrait aucun signe qu'il allait le faire. Le sang gouttait encore entre ses doigts et coulait sur ses bras.

— Cela a été un grand plaisir de vous revoir, dit Sutton à Eva. Et merci pour le petit déjeuner.

Il tourna les talons et s'en alla. Il traversa le patio, franchit le petit mur et prit le sentier qui descendait vers la route.

Il entendit Eva lui crier de s'arrêter, mais il fit semblant de ne pas l'entendre.

J'ai été élevée par des androïdes, avait-elle dit. Et, lui, il avait été élevé par Buster. Par Buster qui lui avait appris comment se battre quand le gosse en bas du chemin lui avait administré une raclée. Buster qui lui avait donné une fessée quand il avait mangé des pommes trop vertes. Par Buster, qui était parti depuis cinq cents ans pour s'installer sur une planète.

Il marchait avec cette fureur glacée qui agitait encore son sang. Ils n'ont pas confiance en moi, se disait-il. Ils ont pensé que je pourrais me vendre. Après tant d'années d'attente, après tant d'années de méditation et de réflexion.

— Qu'y a-t-il, Ash ?

— Que se passe-t-il, Johnny ? Que penses-tu de cela ?

— Tu es un mufle, Ash.

— Va-t'en au diable. Toi et tous les leurs.

Les hommes de Trevor, il le savait, devaient être autour de la maison, aux aguets. Il s'attendait à ce qu'ils l'arrêtent. Mais il ne fut pas arrêté. Il ne vit pas une âme.

48

Sutton entra dans la cabine du vidéophone et ferma la porte derrière lui. Sur la tablette fixée au mur,
il prit l'annuaire et chercha le numéro. Il tourna le
cadran, appuya sur le bouton et un robot apparut sur
l'écran.

— Ici, Centre d'Information, dit le robot, ses yeux
examinant le front de celui qui appelait. (Comme
c'était un androïde, il s'abstint du « monsieur » ha-
bituel.) Centre d'Information, Archives. Que puis-je
faire pour vous ?

— Y a-t-il une possibilité, demanda Sutton, que cet
appel soit capté ?

— Aucune, dit le robot. Absolument aucune, il ne...

— Je voudrais voir les inscriptions de concession
sur une planète, de l'année 7990, dit Sutton.

— Inscriptions faites sur la Terre ?

Sutton acquiesça de la tête.

— Un instant, dit le robot.

Sutton attendit, regardant le robot chercher la bobine correspondante et la monter sur la visionneuse.

— Elles sont classées alphabétiquement, dit le robot. Quel nom désirez-vous ?

— Le nom commence par un S. Faites-moi voir
les S.

La bobine se déroula en un flou mouvant sur l'écran. Elle ralentit momentanément aux M, sauta aux P, puis se déroula plus lentement.

La liste des S défila au ralenti.

— Vers la fin, dit Sutton... Là ! Arrêtez.

Car c'était le renseignement qu'il cherchait.

Sutton, Buster...

Il lut trois fois la désignation de la planète pour être certain de bien l'avoir enregistrée dans sa mémoire.

— C'est tout, dit-il. Merci beaucoup.

Le robot lui adressa un vague grognement et l'écran s'éteignit.

Sutton sortit, traversa tranquillement le hall de l'immeuble de bureaux qu'il avait choisi pour effectuer son appel. Une fois dehors, il remonta la rue, tourna dans une allée, trouva un banc d'où l'on avait une jolie vue.

Il s'assit et s'obligea à se détendre.

Car il se savait surveillé. Surveillé de près, car maintenant Trevor savait certainement que l'androïde qui était sorti de la maison d'Eva ne pouvait être que lui. Le psycho-pisteur lui avait depuis longtemps raconté l'histoire, avait suivi ses déplacements et indiqué avec précision où il était afin de guider les hommes de Trevor.

Ne t'énerve pas, se dit-il. Laisse courir. Perds ton temps. Conduis-toi comme si tu n'avais rien à faire, comme si tu n'avais pas la moindre idée dans la tête. Tu ne peux pas les berner mais tu peux au moins les prendre en défaut lorsque tu devras agir.

Et il y avait beaucoup de choses à faire, il restait beaucoup de choses auxquelles réfléchir, bien qu'il fût persuadé que la ligne de conduite qu'il avait adoptée était la bonne.

Il prit ces choses une par une, l'une après l'autre, les examinant afin d'éviter toute erreur.

D'abord, retourner à la maison d'Eva pour reprendre les notes manuscrites qu'il avait laissées sur l'astéroïde, notes que soit Eva, soit Herkimer devait avoir conservées pendant toutes ces années... ou étaient-ce seulement des semaines ?

Ce serait au mieux une affaire délicate et embarrassante, mais ces notes lui appartenaient. Il avait le droit de les réclamer. Il n'avait pris aucun engagement à ce propos.

« Je suis venu chercher mes notes. Je suppose que vous les avez encore, quelque part.

Ou « Vous vous souvenez de la mallette que j'avais ? En avez-vous pris soin en attendant mon retour ? »

Ou « Je m'en vais pour un voyage. J'aimerais reprendre mes notes, si vous pouvez mettre la main dessus. »

Ou...

Mais cela ne servait à rien. Quelle que fût la manière dont il le dirait, de quelque façon qu'il agisse, la première chose à faire était de récupérer ces notes.

Perds ton temps jusque-là, se dit-il. Retourne tout doucement vers la maison jusqu'à ce qu'il fasse presque nuit. Puis récupère tes notes et après file en vitesse — si vite que la bande de Trevor ne puisse pas te rattraper.

Ensuite, le vaisseau ; le vaisseau dont il lui fallait s'emparer.

Il l'avait repéré au début de la journée, en traînant du côté du spatioport. Petit et fuselé, il savait que ce vaisseau devait être rapide ; l'attitude raide et militaire de l'officier qui en dirigeait les opérations de réapprovisionnement et de ravitaillement en combustible avait été pour lui le signal décisif : c'était bien là le vaisseau qu'il lui fallait.

Tout en traînant autour de la grille de clôture, jouant à l'androïde désœuvré, fainéant, il avait exploré avec précaution l'esprit de l'officier. Dix minutes plus tard, il s'en était allé, avec les renseignements qu'il lui fallait.

Le vaisseau était bien doté d'un système de conversion de temps.

Il ne décollerait pas avant le lendemain matin.

Il serait gardé durant la nuit.

Sans doute, se dit Sutton, était-ce l'un des vaisseaux de Trevor, l'un des vaisseaux de combat de la flotte des Révisionnistes.

Il faudrait de l'audace pour s'en emparer, il le savait. De l'audace et une action rapide et aussi être prêt et capable de tuer.

Aller se balader sur le terrain, comme s'il attendait l'arrivée d'un vaisseau, se mêler à la foule. En sortir, traverser le terrain comme s'il avait le droit de le faire. Ne pas courir... marcher. Ne courir que si on l'interpellait, si l'on insistait. Alors courir. Se battre. Tuer si nécessaire. Mais s'emparer du vaisseau.

S'emparer du vaisseau et décoller en accélérant jusqu'à la limite du supportable, en prenant la direction opposée à celle de sa destination et en poussant le vaisseau à fond.

A deux ans de distance, ou plus tôt au besoin, il déclencherait le convertisseur temporel et se ferait basculer avec le vaisseau deux siècles en arrière, dans le passé.

Une fois dans le passé, il lui faudrait larguer les moteurs, car ils avaient sans doute un signal de reconnaissance incorporé qui pouvait être suivi à la piste. Les larguer et les laisser filer dans la direction qu'il avait suivie.

Puis prendre possession de la coque vide au moyen de son organisme non-humain et se diriger vers la planète de Buster, en accélérant encore afin d'atteindre la vitesse fantastique qui serait nécessaire pour franchir les immenses espaces interstellaires.

Il se demanda vaguement comment son organisme, comment l'impulsion de son organisme à absorption d'énergie se comporterait par comparaison aux vrais moteurs, sur un long parcours. Mieux, se dit-il. Mieux que les moteurs. Plus rapide et plus puissant.

Mais cela prendrait des années, beaucoup d'années car Buster était très loin.

Il récapitula. Larguer les moteurs égarerait les poursuivants. Ils suivraient les signaux de reconnaissance des moteurs, perdraient de longs jours à les rattraper avant de découvrir leur erreur.

Vu.

Le saut dans le temps couperait le contact avec les psycho-pisteurs de Trevor, car ils ne pouvaient fonctionner à travers le temps.

Vu.

Avant que d'autres pisteurs puissent être réglés dans d'autres temps pour le retrouver, il serait si loin que les pisteurs deviendraient fous à essayer de rattraper le décalage temporel du lieu où il se trouverait — si, en fait, ils réussissaient jamais à le situer dans l'immensité des confins de la galaxie.

Vu.

Si cela marche, se dit-il. Si seulement cela marche. S'il ne survient pas quelque accroc, quelque facteur imprévu.

Un écureuil sautilla dans l'herbe, s'assit sur son derrière et l'étudia longuement. Puis, décidant qu'il n'était pas dangereux, s'affaira à rechercher quelque trésor imaginaire dans l'herbe.

Me dégager, se disait Sutton, me dégager de tout ce qui me retient. Me dégager et accomplir ma tâche, oublier Trevor et ses Révisionnistes, oublier Herkimer et les androïdes. Ecrire le-livre.

Trevor veut m'acheter. Les androïdes n'ont pas confiance en moi. Et Morgan, s'il en avait la possibilité, me tuerait.

Les androïdes n'ont pas confiance en moi.

C'est absurde, se dit-il. Puéril.

Et pourtant, ils n'avaient pas confiance en lui.

« Vous êtes un humain, lui avait dit Eva. Les humains sont les vôtres. Vous faites partie de leur race. »

Il secoua la tête, confondu par la situation.

Il y avait une chose qui apparaissait nettement. Une chose qu'il lui fallait faire. Une obligation qui était sienne et qui devait être remplie, sinon tout le reste n'aurait absolument pas de sens.

Il existe une chose appelée destinée.

La connaissance de cette destinée m'a été accordée. Non en tant qu'être humain, ni en tant que membre de l'espèce humaine, mais en tant qu'instrument qui puisse transmettre cette connaissance à toutes les autres formes de vie pensante.

Pour ce faire, je dois écrire un livre.

Et ce livre doit être aussi clair, aussi solide et aussi honnête que je le peux.

Quand j'aurai accompli cette tâche, je serai déchargé de ma responsabilité.

Quand je l'aurai accomplie, on ne pourra plus rien me réclamer d'autre.

Des pas résonnèrent sur le sentier derrière le banc et Sutton se retourna.

— Mr Sutton, n'est-ce pas ? dit l'homme.

— Asseyez-vous, Trevor, dit-il. Je vous attendais.

49

— Vous n'êtes pas resté longtemps avec vos amis, dit Trevor.

— Nous nous sommes trouvés en désaccord.

— Au sujet de cette affaire de Berceau ?

— Si l'on veut. Mais cela touche à beaucoup plus profond. Les préjugés fondamentaux entre androïdes et humains.

— Herkimer a tué un androïde qui lui apportait un message à propos du Berceau, dit Trevor.

— Il a cru que c'était quelqu'un envoyé par vous. Quelqu'un déguisé en androïde. Voilà pourquoi il l'a tué.

Trevor fit une moue hypocrite :

— Dommage, dit-il. Dommage. Cela vous ennuierait-il de me dire comment il a décelé... disons, si vous voulez, la supercherie ?

— C'est là quelque chose que je ne vous dirai pas.

Trevor s'efforça de paraître indifférent.

— Le point essentiel, dit-il, est que cela n'a pas marché.

— Vous voulez dire que les androïdes ne se sont pas précipités pêle-mêle vers le Berceau pour vous montrer où il était ?

— Il y avait également un autre aspect de l'affaire. Ils auraient pu retirer quelques-uns de leurs gardes des points critiques. Cela nous aurait un peu aidé.

— Le coup était à double tranchant...

— Oh, bien sûr, bien sûr, dit Trevor. Rien ne vaut le fait de damer le pion de l'adversaire.

Il jeta un regard furtif vers le visage de Sutton :

— Depuis quand, et pourquoi, avez-vous abandonné la race humaine ?

Sutton porta la main à son visage, tâta le plastique dur qui avait remodelé ses traits pour en faire ceux d'un autre.

— Ç'a été l'idée de Herkimer, déclara-t-il. Il pensait que cela me rendrait plus difficile à repérer. Que vous ne seriez pas à la recherche d'un androïde.

Trevor en convint :

— Cela aurait pu être utile. Cela nous aurait trompés un moment mais lorsque vous êtes parti et que le psycho-pisteur vous a suivi, nous avons su qui vous étiez.

L'écureuil revint en sautillant dans l'herbe, s'assit devant eux et les considéra.

— Sutton, questionna Trevor, que savez-vous de cette affaire du Berceau ?

— Rien, répondit Sutton. Ils m'ont dit que j'étais un humain et que c'était une affaire qui ne concernait que les androïdes.

— Vous pouvez voir par là quelle importance elle doit avoir.

— Je le crois, en effet.

— Vous pouvez deviner, simplement d'après le nom, de quoi il peut s'agir.

— Ce n'est pas trop difficile à deviner, en effet, dit Sutton.

— Parce que nous avions besoin d'un plus grand nombre d'hommes, dit Trevor, nous avons fabriqué les premiers androïdes, il y a un millier d'années. Nous en avions besoin pour grossir les rangs trop clairsemés de l'espèce humaine. Nous les avons conçus aussi proches des humains que nous avons pu.

Ils pouvaient faire tout ce que les humains peuvent faire, sauf une chose.

— Ils ne peuvent pas se reproduire, dit Sutton. Je me demande, Trevor, en admettant que cela ait été possible, si nous leur aurions donné aussi cette faculté. Car si nous la leur avions donnée, ils auraient été de vrais humains. Il n'y aurait eu aucune différence entre un homme dont les ancêtres étaient sortis d'un laboratoire et ceux dont les ancêtres remontaient à l'océan primordial. Les androïdes auraient été une race se perpétuant d'elle-même, et ils n'auraient pas été des androïdes. Ils auraient été des humains. Nous aurions accru notre population par des moyens chimiques, de même que par des moyens biologiques.

— Je ne sais pas, dit Trevor. Honnêtement, je ne sais pas. Bien sûr, le miracle c'est déjà que nous ayons pu les fabriquer, que nous ayons pu produire la vie en laboratoire. Réfléchissez simplement à la capacité intellectuelle et au talent technique qu'il a fallu pour cela. Pendant des siècles, des hommes s'étaient efforcés de découvrir ce qu'était la vie, ils étaient allés d'une impasse dans une autre, s'étaient heurtés sans cesse à de nouveaux murs. Faute d'une solution scientifique, beaucoup d'entre eux se tournèrent vers l'origine divine, vers une solution mystique, vers la croyance que c'était une affaire d'intervention divine. Cette idée est parfaitement exprimée par Lecomte du Nouy (1), qui écrivait au vingtième siècle.

— Nous avons donné aux androïdes une chose que nous ne possédons pas nous-mêmes, dit calmement Sutton.

Trévor le considéra avec de grands yeux, soudain durcis, soudain soupçonneux.

— Vous...

(1) Pierre Lecomte du Nouy, biologiste français (1883-1947) (N.d.T.).

— Nous leur avons donné l'infériorité. Nous les avons faits moins qu'humains. Nous leur avons fourni une raison de nous combattre. Nous leur avons refusé une chose pour laquelle il faut qu'ils combattent afin de l'obtenir... l'égalité. Nous leur avons fourni un motif que l'Homme n'a plus depuis longtemps. L'Homme n'a plus à prouver qu'il vaut autant que n'importe qui d'autre, qu'il est l'animal supérieur dans son monde et même dans sa galaxie.

— Ils ont acquis l'égalité maintenant, dit Trevor amèrement. Les androïdes se reproduisent eux-mêmes... chimiquement, pas biologiquement, depuis longtemps déjà.

— Nous aurions pu nous y attendre, dit Sutton. Nous en douter. Depuis longtemps.

— Je suppose que nous aurions dû, admit Trevor. Nous leur avons donné le même cerveau que le nôtre. Nous leur avons donné ou essayé de leur donner une optique humaine.

— Et nous leur avons mis une marque sur le front, répliqua Sutton.

Trevor eut un geste irrité de la main :

— Ce petit détail est maintenant réglé, dit-il. Lorsque les androïdes fabriquent un autre androïde, ils ne se donnent pas la peine de lui mettre une marque sur le front.

L'esprit de Sutton sursauta puis s'effondra comme s'il avait été frappé par un coup de tonnerre... un coup de tonnerre qui gronda et roula dans sa tête, un coup de tonnerre grossissant, rugissant, douloureux, qui couvrit tout.

Il avait parlé d'une arme. Il avait dit qu'il y avait une arme.

— Ils pourraient se rendre supérieurs à ce qu'ils étaient originellement, dit Trevor. Ils pourraient faire face mieux que le modèle. Ils pourraient créer une super-race, une race mutante, appelez cela comme vous voudrez...

302

Une seule arme, avait-il dit. Et on ne peut pas se battre avec une seule et unique arme.

Sutton porta la main à son visage et se frotta énergiquement le front.

— Bien sûr, dit Trevor. Il y a de quoi devenir fou d'y penser. J'ai failli le devenir. Vous pouvez imaginer toutes sortes de possibilités. Ils pourraient nous évincer. Les nouveaux évinçant les anciens.

— La race resterait quand même humaine.

— Nous avons évolué lentement, Sutton, reprit Trevor. L'ancienne race. La race biologique. Nous avons progressé depuis l'aube de l'humanité, nous avons progressé depuis les silex taillés et les haches, depuis la caverne ou le nid dans l'arbre. Nous avons progressé au prix de trop de lenteur, de peine et de sang pour nous laisser arracher notre héritage par une race pour qui cette lenteur, cette peine et ce sang ne signifieraient rien du tout.

Une arme, se disait Sutton. Mais il s'était trompé. Il y avait un millier d'armes, un million d'armes qui venaient se mettre en ligne. Un million d'armes pour sauvegarder la destinée de tous les êtres vivants qui existaient ou qui existeraient. Aujourd'hui ou dans un million de milliards d'années.

— Je suppose, dit-il d'une voix troublée, que vous avez l'impression à présent que je devrais me ranger de votre côté.

— Je voudrais, dit Trevor, que vous découvriez pour moi, le lieu où se trouve le Berceau.

— Afin que vous puissiez le détruire.

— Afin que je puisse sauver l'espèce humaine. La vieille espèce humaine. La véritable espèce humaine.

— Vous avez l'impression que tous les hommes à présent devraient faire bloc...

— S'il reste une trace d'humanité en vous, dit Trevor, vous vous joindrez à nous, maintenant.

— Il fut un temps, dit Sutton, sur Terre, autrefois, avant que les hommes n'aillent dans les étoiles, où l'espèce humaine était la chose la plus importante que l'esprit de l'Homme pût concevoir. Ce n'est plus vrai, Trevor. Il existe d'autres espèces tout aussi importantes.

— Chaque espèce est loyale vis-à-vis des siens. L'espèce humaine doit être loyale envers elle-même.

— Je vais être un traître, dit Sutton. Je peux me tromper mais je persiste à penser que la destinée est plus importante que l'espèce humaine.

— Vous voulez dire que vous refusez de nous aider ?

— Non seulement cela, mais je vais vous combattre. Je vous le dis pour que vous le sachiez. Si vous voulez me tuer, Trevor, c'est le moment. Parce que si vous ne le faites pas maintenant, ensuite il sera trop tard.

— Je ne voudrais vous tuer pour rien au monde, dit Trevor. Parce que j'ai besoin des mots que vous avez écrits. En dépit de vous et des androïdes, Sutton, nous les lirons de la manière dont nous voulons qu'ils soient lus. Et ainsi feront toutes les autres créatures visqueuses et rampantes que vous admirez tellement. Il n'existe rien dans l'univers créé par Dieu qui puisse résister à l'espèce humaine, qui puisse rivaliser avec elle...

Sutton vit le dégoût peint sur le visage de Trevor.

— Je vous laisse en face de vous-même, Sutton, continua Trevor. Votre nom restera comme la tache la plus noire de toute l'histoire humaine. Les syllabes de votre nom seront telles que le dernier des humains aura un haut-le-cœur s'il les prononce. Sutton deviendra un mot vulgaire qu'un homme utilisera quand il voudra en insulter un autre...

Il lança à Sutton un nom outrageant et Sutton ne bougea pas, immobile sur son banc.

Trevor se leva et s'en alla, mais il se retourna. Sa voix ne fut guère plus qu'un souffle mais elle cingla l'esprit de Sutton comme un fouet.

— Vous pouvez aller vous débarbouiller la figure, dit-il, et enlever ce plastique et cette marque. Mais vous ne serez plus jamais humain, Sutton. Vous n'oserez plus jamais vous considérer comme un homme.

Il tourna les talons. En le regardant s'éloigner, Sutton vit l'humanité s'éloigner de lui pour toujours.

Quelque part dans son esprit, très loin, il lui sembla entendre le bruit d'une porte qui se fermait en claquant.

50

Une lampe était allumée dans un coin de la pièce. La mallette était posée sur une table près de la lampe et Eva était debout à deux pas d'un fauteuil, comme si elle l'avait attendu.

— Vous êtes revenu pour reprendre vos notes. Je les ai préparées pour vous.

Il s'arrêta à peine le seuil franchi et secoua la tête.

— Pas encore, dit-il. J'en aurai besoin plus tard. Mais pas encore.

Le moment était venu, se dit-il, le moment qui l'avait tracassé tout l'après-midi, le moment pour lequel il avait essayé de trouver les mots qu'il faudrait dire.

— Je vous ai parlé d'une arme, ce matin au petit déjeuner, dit-il. Vous devez vous rappeler ce que j'en ai dit. Qu'il n'y avait qu'une seule arme, et qu'on ne pouvait faire la guerre avec un seul canon.

Eva inclina la tête, le visage contracté sous la lumière de la lampe.

— Je me rappelle, Ash.

— Il y en a un million. Autant que l'on veut.

Il avança lentement dans la pièce jusqu'à ce qu'il fût en face d'elle, tout proche.

— Je suis avec vous, dit-il simplement. J'ai vu Trevor cet après-midi. Il m'a maudit au nom de tout le genre humain.

Lentement elle leva une main et il sentit glisser sur son visage la paume fraîche et lisse. Les doigts d'Eva saisirent ses cheveux et elle lui secoua la tête doucement, tendrement.

— Ash, dit-elle, vous vous êtes débarbouillé le visage. Vous êtes de nouveau Ash.

Il acquiesça :

— Je voulais redevenir humain...

— Trevor vous a parlé du Berceau, Ash ?

— J'en avais deviné une partie. Il m'a parlé du reste. Des androïdes qui ne portent pas de marque.

— Nous les utilisons comme espions, dit-elle, comme si c'était tout naturel de l'avouer. Nous en avons quelques-uns au quartier général de Trevor. Il croit qu'ils sont humains.

— Herkimer ?

— Il n'est pas ici, Ash. Vous ne voudriez pas qu'il soit ici après ce qui s'est passé dans le patio.

— Bien sûr. Bien sûr, je comprends, Eva. Nous, les humains, nous sommes de telles brutes.

— Asseyez-vous, dit-elle. Dans ce fauteuil. Vous parlez si drôlement que vous me faites peur.

Il s'assit.

— Dites-moi ce qui s'est passé...

Il ne répondit pas à sa question.

— J'ai pensé à Herkimer, cet après-midi. Pendant que Trevor me parlait. Je l'ai frappé ce matin et je le frapperais de nouveau demain s'il me redisait la même chose. C'est dans le sang humain, Eva. Nous avons lutté pour progresser, avec la hache, la massue, le fusil, la bombe atomique et...

— Taisez-vous ! s'écria Eva. Ne parlez plus, voulez-vous ?

Il la regarda étonné.

— Humain, dites-vous, reprit-elle. Et qu'est donc Herkimer, s'il n'est pas humain ? C'est un humain, fait par des humains. Un robot peut fabriquer un autre robot et ils restent des robots, n'est-ce pas ? Un

307

humain fait un autre humain et tous deux sont des humains.

— Trevor a peur que les androïdes prennent notre place, murmura Sutton, confus. Qu'il n'y ait plus d'humains. Plus d'humains originaux, biologiques...

— Ash, vous vous tourmentez à propos d'une question qui, dans mille générations d'ici, ne sera pas résolue. A quoi cela sert-il ?

— Je suppose que cela ne sert à rien. Cela continue de me trotter dans la tête. Il n'y a plus de repos pour moi. Naguère, tout était si net et si simple. Je devais écrire un livre, la galaxie le lirait et l'accepterait et tout serait parfait.

— Cela peut encore l'être, dit-elle. Dans quelque temps, longtemps peut-être. Mais pour y arriver, il faut que nous stoppions Trevor. Il est victime des mêmes sémantiques confuses qui vous aveuglent.

— Herkimer a dit qu'une arme suffirait, dit Sutton. Qu'une seule arme serait décisive. Eva, les androïdes sont allés très loin dans leurs recherches, n'est-ce pas ? Au point de vue chimique, je veux dire. Dans l'étude du corps humain. Il le faut pour avoir fait ce qu'ils ont fait.

— Très loin, Ash, oui.

— Ils ont un appareil analyseur... une machine qui peut littéralement décomposer une personne, molécule par molécule, l'enregistrer presque atome par atome. En faire un calque pour un autre corps.

— C'est exactement ce que nous avons réalisé. Nous avons fait des copies conformes d'hommes appartenant à l'organisation de Trevor. Nous les avons enlevés, calqués et reproduits... Nous lui avons renvoyé les copies et mis les autres en détention douce. Ce n'est que par des astuces de ce genre que nous avons pu maintenir nos positions.

— Pourriez-vous faire une copie de moi ?

— Certainement, Ash, mais...

— Avec un visage différent, bien entendu, mais une

copie de mon cerveau et... hum, de quelques autres petits détails.

— Vos facultés particulières... dit-elle.

— Je peux m'introduire dans un autre esprit. Ce n'est pas simplement de la télépathie, mais le pouvoir réel d'être une autre personne, d'être cet autre esprit, de voir, de connaître et de ressentir les mêmes choses que lui. Je ne puis l'expliquer, mais cela doit venir de quelque chose dans la structure du cerveau. Si vous copiez mon cerveau, ces facultés devraient se retrouver. Toutes les copies ne les reproduiraient peut-être pas, toutes ne pourraient pas les utiliser mais il y en aurait quelques-unes qui le pourraient.

Elle murmura d'une voix étranglée :

— Ash, cela signifierait que...

— Que vous sauriez tout ce que Trevor pense, dit Sutton. Chaque mot et chaque pensée qui passent dans son esprit. Parce que l'un des vôtres serait Trevor. Et il en irait de même avec tous ceux qui ont quoi que ce soit à faire dans la guerre à travers le temps. Vous sauriez en même temps qu'eux ce qu'ils vont faire. Vous pourriez prévoir comment faire face à toute manœuvre dangereuse qu'ils envisageraient. Vous pourriez bloquer tout ce qu'ils tenteraient.

— Ce serait l'arrêt de la guerre sans vainqueur ni vaincu, dit Eva, et c'est exactement ce que nous voulons. Une stratégie d'arrêt de la guerre sans vainqueur ni vaincu, Ash. Ils ne sauraient pas comment ils seraient bloqués et, bien des fois, ils ne sauraient pas qui les bloquerait. Il leur semblerait que la chance leur serait sans cesse contraire... que la destinée serait contre eux.

— C'est Trevor lui-même qui m'en a donné l'idée, dit Sutton. Il m'a dit de sortir et de retourner me cogner la tête contre les murs quelque temps encore. Que finalement j'en aurais assez. Et qu'au bout d'un certain temps, j'abandonnerais.

— Dix ans, dit Eva, dix ans devraient suffire. Mais

si dix ans ne suffisaient pas, eh bien, alors, cent ans. Ou mille ans, s'il le faut. Nous avons tout le temps devant nous.

— Finalement, dit Sutton, ils devront renoncer. Littéralement, lever les bras et abandonner. Ce serait si dérisoire. Ne jamais gagner. Toujours se battre durement et ne jamais gagner.

Assis dans la pièce, avec son unique petite oasis de lumière montant la garde contre l'obscurité qui les enserrait de tous côtés, ils n'avaient aucun sentiment de triomphe car cela n'était pas une affaire de triomphe. C'était une affaire de nécessité, pas de conquête. C'était l'Homme en lutte contre lui-même, qui gagnait et perdait à la fois.

— Pouvez-vous réaliser cette analyse rapidement ? demanda Sutton.

— Demain, Ash. (Elle le regarda bizarrement :) Qu'est-ce qui vous presse tant ?

— Je vais m'éloigner, dit Sutton. Je m'enfuis vers un refuge auquel j'ai pensé. Enfin, si vous voulez bien me prêter un vaisseau...

— Le vaisseau que vous voudrez.

— Ce sera plus commode ainsi, dit-il. Autrement, il me faudrait en voler un. (Elle ne posa pas la question à laquelle il s'attendait et il poursuivit :) Il faut que j'écrive le livre.

— Il ne manque pas d'endroits, Ash, où vous pourriez écrire le livre. Des endroits sûrs. Des endroits qui pourraient être aménagés pour être sûrs.

Il secoua la tête.

— Il y a un vieux robot, dit-il. C'est la seule famille que j'aie. Alors que j'étais sur Cygne 61, il est parti vers l'un des systèmes stellaires des ultimes confins et il a enregistré une demande d'installation définitive. C'est là que je veux aller.

— Je comprends, dit-elle d'un ton très grave.

— Il n'y a qu'une chose, reprit Sutton. Je ne cesse de me souvenir d'une petite fille qui est venue et

310

m'a parlé tandis que je pêchais. Je sais qu'elle était imposée à mon esprit. Qu'elle y avait été mise à dessein mais cela ne change rien. Je ne cesse de penser à elle.

Il regarda Eva et vit que la lumière de la lampe transformait sa chevelure en une auréole d'or.

— Je ne sais pas si je serai jamais amoureux, reprit Sutton. Je ne peux pas vous dire avec certitude que je vous aime, Eva. Mais je voudrais que vous veniez avec moi sur la planète de Buster.

Elle secoua la tête :

— Ash, je dois rester ici, pour un temps au moins. J'ai travaillé des années pour une chose. Je dois la mener jusqu'au bout. (Ses yeux étaient embués sous la lumière de la lampe :) Peut-être un jour, Ash, si vous voulez encore de moi. Peut-être un peu plus tard, pourrais-je venir.

— Je voudrai toujours de vous, Eva, dit simplement Sutton.

Il tendit la main et caressa tendrement la mèche cuivrée qui retombait sur le front d'Eva.

— Je sais que vous ne viendrez jamais, dit-il. Si les choses avaient été un peu différentes... si nous avions été deux personnes ordinaires, menant des vies ordinaires...

— Il y a une grandeur en vous, Ash. Vous serez un dieu pour beaucoup de gens.

Il resta silencieux et sentit la solitude de l'éternité se refermer sur lui. Il n'y avait pas de grandeur, comme elle l'avait dit, mais seulement la solitude et l'amertume d'un homme qui était seul et resterait seul pour toujours.

51

Sutton flottait dans un océan de lumière et, très loin, il entendait le bourdonnement de machines au travail, de petites machines affairées qui le disséquaient de leurs fins doigts de lumière exploratrice, et d'obturateurs qui cliquetaient, et la bande sensible qui passait comme un trait d'argent bruni entre les bobines... Disséquant et pesant, sondant et mesurant... n'oubliant rien, n'ajoutant rien. Un enregistrement fidèle non seulement de lui-même mais de chacune des particules de lui-même, de chaque cellule et de chaque molécule, de chaque ramification nerveuse et de chaque fibre musculaire.

Et de quelque part ailleurs, très loin aussi, d'un lieu au delà de l'océan de lumière qui le baignait, une voix disait un mot et le répétait indéfiniment.

« Traître... traître... traître. »

Un mot sans point d'exclamation. Une voix sans emphase. Un mot brutal.

D'abord une voix l'avait crié, puis une autre s'y était jointe, puis une foule, et finalement ce fut une multitude rugissante, et le bruit et le mot grossirent jusqu'à devenir un monde de voix qui hurlaient le mot. Hurlaient le mot jusqu'à ce qu'il n'eut plus aucune signification, qu'il ait perdu toute espèce de sens et soit devenu un bruit indéfiniment répété.

Sutton voulut répondre. Mais il n'y avait pas de

réponse ni aucun moyen de répondre. Il n'avait pas de voix, car il n'avait pas de lèvres ni de langue ni de gorge. Il n'était qu'une entité qui flottait dans l'océan de lumière et le mot continuait, sans jamais changer... sans jamais s'arrêter.

Mais derrière le mot, au delà du mot, il y avait d'autres mots non prononcés.

« Nous sommes ceux qui ont battu le silex et allumé le premier feu construit par l'Homme. Nous sommes ceux qui ont chassé les bêtes des cavernes et qui en ont pris possession, afin d'y créer la première ébauche d'une culture humaine. Nous sommes ceux qui ont peint d'impressionnants bisons sur les parois cachées, travaillant à la lumière de lampes dont la mèche était faite de mousse et où la graisse tenait lieu d'huile. Nous sommes ceux qui ont cultivé le sol et domestiqué les graines afin qu'elles poussent sous notre main. Nous sommes ceux qui ont construit de grandes cités afin que les nôtres puissent vivre ensemble et accomplir les grandes choses qu'un petit groupe n'aurait même pas pu tenter. Nous sommes ceux qui ont rêvé des étoiles. Nous sommes ceux qui ont maîtrisé l'atome par la puissance de nos intelligences.

« C'est notre héritage que vous dissipez. Ce sont nos traditions que vous livrez à des créatures que nous avons faites, que nous avons façonnées grâce à l'habileté de nos mains et à l'acuité de nos intelligences. »

Les machines continuaient de cliqueter et la voix hurlait toujours le même mot.

Mais une autre voix s'élevait tout au fond de l'être indéfinissable qu'était Asher Sutton, une faible voix...

Elle ne prononçait aucun mot, car il n'y avait pas de mot qui correspondît à la pensée qu'elle exprimait.

Sutton lui répondit :

— Merci, Johnny. Merci beaucoup.

Et il fut étonné de pouvoir répondre à Johnny alors qu'il ne pouvait répondre à tous les autres.

Les machines poursuivaient leur cliquetis.

Le vaisseau argenté s'élança en rugissant sur la rampe de lancement, fonça dans la courbe ascendante et se rua dans le ciel, comme un jet de feu qui flamboya dans le bleu.

— Il ne sait pas, dit Herkimer, que nous avons tout fait pour lui. Il ne sait pas que nous l'avons guidé jusqu'à la fin, que nous avons envoyé Buster voici bien des années pour lui préparer un refuge, en sachant qu'un jour il pourrait avoir besoin d'un refuge.

— Herkimer, dit Eva, Herkimer... (Sa voix s'étrangla :) Il m'a demandé de partir avec lui, Herkimer. Il disait qu'il avait besoin de moi. Et je ne pouvais pas expliquer.

Elle garda la tête levée, regardant fixement le minuscule point de feu qui fuyait dans l'espace.

— Il fallait qu'il continue de penser qu'il y avait quelques humains qu'il avait pu aider, qu'il y avait quelques humains qui croyaient encore en lui.

Herkimer hocha la tête :

— C'était la seule chose à faire, Eva. C'était ce que vous deviez faire. Nous lui avons assez pris, assez pris de son humanité. Nous ne pouvions pas la lui prendre toute.

Elle porta les mains à son visage, courba les épaules et ne fut plus qu'une femme, une androïde, qui sanglotait, le cœur brisé.

SCIENCE-FICTION et FANTASTIQUE

Dans cette série, Jacques Sadoul
édite ou réédite les meilleurs auteurs du genre :